Anne de Windy Poplars

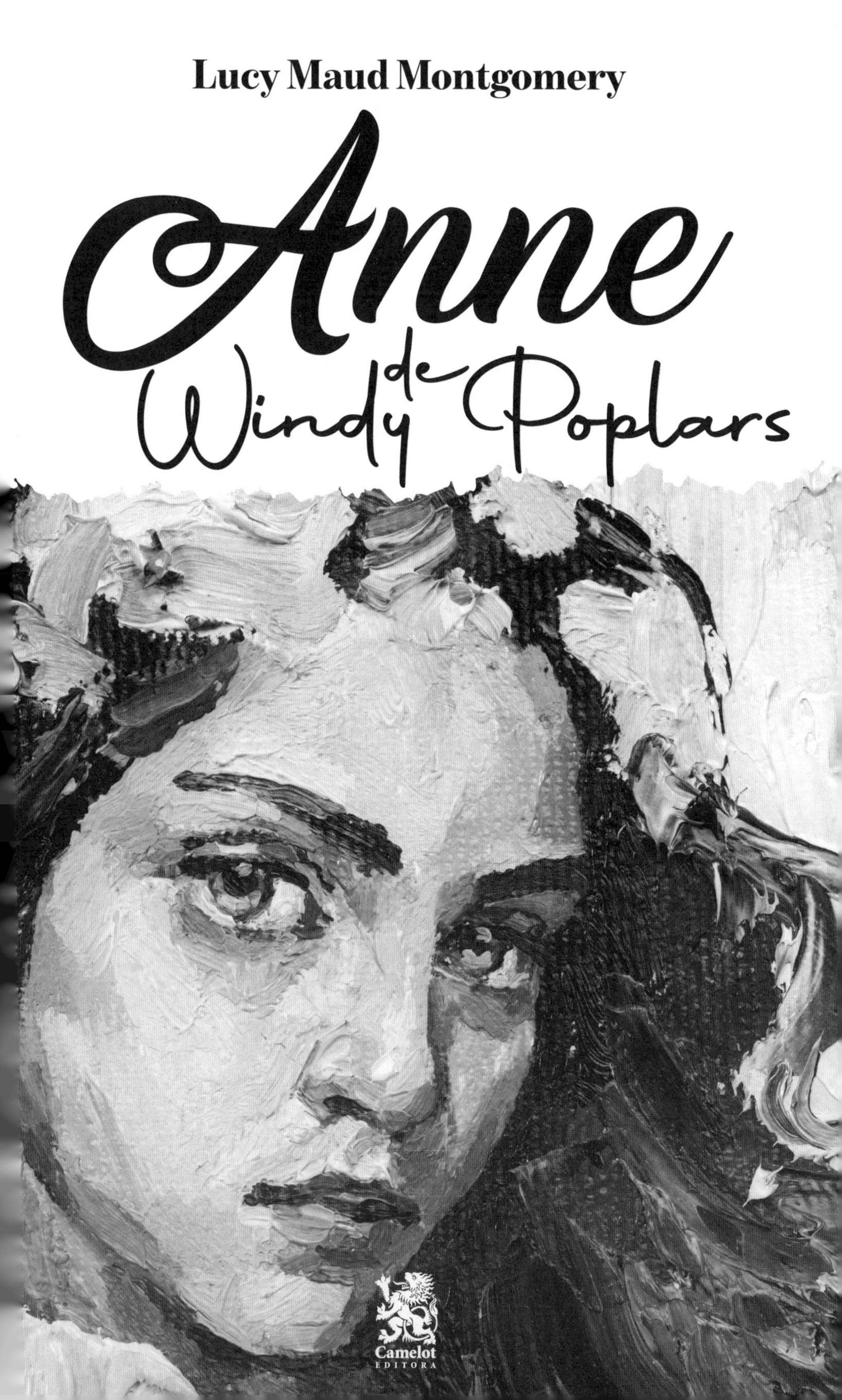
Lucy Maud Montgomery
Anne
de
Windy Poplars
Camelot
EDITORA

Anne

1. Anne de Green Gables

2. Anne de Avonlea

3. Anne da Ilha

4. Anne de Windy Poplars

L. M. Montgomery

CONHEÇA NOSSO LIVROS
ACESSANDO AQUI!

Título original: Anne of the Windy Poplars

1ª Impressão 2023

Presidente: Paulo Roberto Houch
MTB 0083982/SP

Coordenação Editorial: Priscilla Sipans
Coordenação de Arte: Rubens Martim
Diagramação: Raissa Ribeiro
Produção editorial: Eliana S. Nogueira
Tradução e preparação de texto: Leonan Mariano e Lilian Rozati
Revisão: Mariângela Belo da Paixão

Vendas: Tel.: (11) 3393-7727 (comercial2@editoraonline.com.br)

Foi feito o depósito legal.

Dados Internacionais de Catalogação na Publicação (CIP)
de acordo com ISBD

M787a Montgomery, Lucy Maud

Anne of Windy Poplars / Lucy Maud Montgomery. -
Barueri, SP: Camelot Editora, 2023.
176 p. ; 15,1cm x 23cm.

ISBN: 978-65-80921-50-8

1. Literatura infantojuvenil. 2. Literatura canadense. I. Título.

2023-936 CDD 028.5
CDU 82-93

Elaborado por Odilio Hilario Moreira Junior - CRB-8/9949

IBC — Instituto Brasileiro de Cultura LTDA
CNPJ 04.207.648/0001-94
Avenida Juruá, 762 — Alphaville Industrial
CEP. 06455-010 — Barueri/SP
www.editoraonline.com.br

SUMÁRIO

O PRIMEIRO ANO
CAPÍTULO 1

(Carta de Anne Shirley, bacharel em artes e diretora do Colégio Summerside, para Gilbert Blythe, estudante de medicina do Colégio Redmond, Kingsport.).

Windy Poplars,
Spook's Lane,
Lado, P.E.I.,
Segunda-feira, 12 de setembro

QUERIDO:

Este é o meu novo endereço! Você já ouviu algo tão encantador? Windy Poplars é o nome da minha nova casa e estou adorando. Eu adorei também Spook's Lane, que não tem existência formal. Acredito que se chame Trent Street, mas ninguém a chama de Trent Street, exceto nas raras ocasiões semanais que o correio aparece... então, as pessoas trocam olhares e falam: "Onde diabos é este lugar?" Spook's Lane é... embora, por qual razão eu não consigo lhe dizer, já perguntei para Rebecca Dew sobre isso, mas tudo o que ela disse é que sempre se chamou Spook's Lane, e que havia alguns boatos de anos atrás, que seria um lugar assombrado. Mas ela nunca viu nada pior do que a própria pista.

Porém, não devo antecipar a minha história. Ainda não comentei sobre Rebecca Dew. Mas, sim, lhe contarei. Tenho a impressão de que Rebecca Dew figurará amplamente em minhas próximas correspondências.

Está anoitecendo, meu querido (então, "crepúsculo" não é uma palavra adorável? Prefiro usar crepúsculo. Me parece tão aveludado e sombrio e... mórbido.) À luz do dia sou do mundo... no meio da noite pertenço ao sono e à eternidade. Porém no entardecer, sou livre de ambos e tudo pertence somente a mim... e a você. Então manterei este horário sagrado, para escrever para você. Mas esta carta não será uma carta de amor. Eu tenho uma pena que arranha, e, não posso escrever cartas de amor com uma pena que arranha... ou uma afiada... ou uma que borra. Sendo assim, você só receberá *esse* tipo de carta quando eu tiver o tipo de caneta correto para tal. Sendo assim, falarei sobre minha nova residência e seus habitantes. Gilbert, eles são tão meigos.

Chegamos ontem para procurar uma pensão. A Sra. Rachel Lynde me acompanhou, aparentemente para fazer compras, mas sei que realmente veio para escolher uma pensão para mim. Mesmo tendo curso de artes e bacharelado, a senhora Lynde ainda acredita que sou uma jovem inexperiente, que deve ser acompanhada, dirigida e supervisionada.

Viemos de trem e, oh, Gilbert, passamos por uma aventura engraçada. Você sabe que não sou do tipo que procura aventuras. Apenas pareço atraí-las, posso assim dizer.

Foi no momento em que o trem parava na estação. Levantei-me e, abaixando para pegar a mala da Sra. Lynde (ela planejava passar o domingo com um amigo em Summerside), apoiei meus dedos firmemente no que pensei ser o braço brilhante de um assento. Mas recebi uma pancada tão violenta sobre eles que quase me fez gritar. Gilbert, o que pensei ser o braço de um assento era a cabeça careca de um senhor. Ele estava olhando furiosamente para mim, e, claramente, tinha acabado de acordar. Pedi mil desculpas e saí do trem o mais rápido possível. Da última vez que o vi, ele ainda estava me olhando furioso. A senhora Lynde ficou horrorizada e meus dedos ainda estão doloridos!

Não esperávamos ter problemas para encontrar uma pensão, pois, uma certa Sra. Tom Pringle esteve hospedando vários diretores do colégio nos últimos quinze anos. Porém, por alguma razão que se desconhece, ela despertou cansada de "ser incomodada", e não quis receber-me. Fomos em vários outros lugares adoráveis, mas sempre tinham alguma desculpa educada. E fomos em vários outros lugares não tão desejáveis. Procuramos pela cidade, durante a tarde toda, e ficamos com muito calor, cansadas, tristes e com dor de cabeça. Eu já estava pronta para desistir, de tanto desespero... e então, Spook's Lane aconteceu!

Fomos visitar a Sra. Braddock, uma velha amiga da Sra. Lynde. A Sra. Braddock nos disse que "as viúvas" até poderiam me acolher.

— Fiquei sabendo que elas querem um pensionista para pagar os salários de Rebecca Dew. Elas não podem continuar com Rebecca por mais tempo, a menos que recebam um dinheiro extra. E, se Rebecca se for, quem ordenhará a velha vaca vermelha?

Então, a Sra. Braddock me encarou com um olhar severo, como se acreditasse que eu deveria ordenhar a tal vaca vermelha, mas nem eu acreditaria em mim, se afirmasse que poderia.

— Mas quais são as viúvas de que está falando? — questionou a senhora Lynde.

— Oh, refiro-me à tia Kate e à tia Chatty — respondeu a Sra. Braddock, como se todos, mesmo uma bacharel ignorante, soubessem disso. Tia Kate é a Sra. Amasa MacComber (viúva de um capitão), já tia Chatty é a Sra. Lincoln MacLean, uma simples viúva, mas todos as chamam de "tia". Elas moram no final da Spook's Lane.

Spook's Lane! Achamos! Eu sabia que tinha que me hospedar com aquelas viúvas.

— Vamos vê-las depressa — supliquei à Sra. Lynde. Pareceu-me que se demorássemos mais, a Spook's Lane desapareceria, retornando aos contos de fadas.

— Podemos vê-las, mas será Rebecca quem realmente decidirá se irão ou não. Rebecca Dew controla a pousada de Windy Poplars, posso lhe garantir.

Windy Poplars! Não poderia ser verdade... não, não poderia. Creio estar sonhando. Já a Sra. Rachel Lynde estava realmente achando um nome engraçado para ser um lugar.

— Oh, capitão MacComber a chamava assim. Era a casa dele, sabe? Ele plantava álamo ao redor dela e tinha bastante orgulho disso, embora raramente estivesse em casa e nunca ficasse muito tempo. Tia Kate costumava dizer que isso era incômodo, mas nunca descobrimos se ela falava da sua estadia curta ou do seu retorno em si. Bem, senhorita Shirley, eu espero que chegue até lá, Rebecca Dew é uma boa cozinheira e genial com batatas frias. Se ela tiver algum carinho por você, estará com sorte. Caso não... bem, ela não terá, só isso. Ouvi dizer que há um novo banqueiro na cidade procurando por uma pensão e é provável que ela prefira ele. É um tanto engraçado a Srta. Tom Pringle não tê-la aceitado. Summerside é cheia de Pringles e meios Pringles. Eles são chamados de "A Família Real" e você precisa conquistá-los, Srta. Shirley, ou nunca se dará bem no Colégio Summerside. Eles sempre controlaram tudo por aqui... existe uma rua batizada com o nome do velho capitão Abraham Pringle. Existe uma corja deles, mas quem controla o grupo são as duas senhoras de Maplehurst. Ouvi dizer que elas foram bem críticas com você.

— Mas, por que deveriam ser? — perguntei. — Eu sou uma total estranha para elas.

— Bem, um primo de terceiro grau delas se candidatou ao Principado e todos pensavam que ele seria eleito. Assim que sua inscrição foi aceita, todo o grupo dele não teve uma boa reação. Então, as pessoas aqui são assim.

Nós devemos aceitá-las como as encontramos, você sabe. Elas serão doces como um creme para você, mas eles implicarão com você sempre. Eu não estou querendo desanimá-la, mas quem avisa amigo é. Espero que você faça as pazes só para não ofendê-las.

Se as viúvas as aceitarem, você não se importaria em comer com Rebecca Dew, não é? Ela não é uma empregada, sabe. Ela é uma prima distante do capitão, e vem à mesa quando chamada... ela sabe seu lugar... mas se você estivesse sentada lá, ela não iria considerar você como visita, é certo.

Assegurei à ansiosa Sra. Braddock que eu comeria com Rebecca Dew, logo puxei a Sra. Lynde para irmos. Eu precisava chegar lá antes do banqueiro.

A senhora Braddock nos acompanhou até a porta.

— E não fira os sentimentos da tia Chatty, por favor! Ela fica ressentida muito facilmente. A coitada é tão sensível. Logo se percebe que ela não tem tanto dinheiro quanto a tia Kate... Tia Kate gostava muito do marido... do seu marido, quero dizer... mas tia Chatty não... não gostava do próprio marido, quero dizer. Um encanto! Lincoln MacLean era um velho excêntrico... mas ela acha que as pessoas a invejavam.

É uma benção que hoje seja sábado. Se fosse sexta-feira, tia Chatty nem pensaria em levá-las. Acredita que tia Kate não é supersticiosa? Os marinheiros são mais ou menos assim. Tia Chatty era sim... embora seu marido fosse carpinteiro. Ela era muito bonita na sua juventude.

Eu garanti à Sra. Braddock que os sentimentos da tia Chatty seriam sagrados para mim, mas ela nos acompanhou pelo caminho.

— Kate e Chatty não vão vasculhar seus pertences quando você estiver fora. Elas são muito confiáveis. Rebecca Dew até pode, mas ela vai fazer fofoca sobre você. Eu não entraria pela porta da frente, se fosse você. Elas só a usam para ocasiões realmente importantes. Acho que não a abriram desde o último funeral. Entre pela porta lateral. Elas deixam a chave embaixo do vaso de flores, no beiral da janela, por isso, se ninguém estiver em casa, destrave a porta, entre e espere. E haja o que houver, não elogie o gato, porque Rebecca Dew não gosta dele.

Eu prometi não elogiar o gato e finalmente, nós saímos. Logo à frente encontramos a Spook's Lane. É uma rua lateral bem curta, que nos leva a um campo aberto, e bem à frente tem uma colina azul que deixa o trajeto mais belo. Do outro lado, não existem casas e a estrada desce até chegar ao porto. Do lado oposto, existem apenas três casas. A primeira é apenas uma casa simples... nada de interessante para comentar, a outra é uma grande mansão, imponente e sombria, de tijolos vermelhos ornamentada com pedras, além de um telhado de mansarda com janelas de águas cortadas, uma grade de ferro ao redor da parte superior, e muitos abetos amontoando-se sobre ela, tantos que fica quase impossível ver a casa. Deve ser assustadoramente escuro lá dentro. A terceira casa é Windy Poplars, logo na esquina, com a rua arborizada na frente e uma estrada linda, com sombras de árvores do outro lado.

Eu me apaixonei de imediato. Existem casas que nos impressionam logo à primeira vista, por algum motivo que não conseguimos explicar. Windy Poplars é assim! Eu consigo descrevê-la como uma casa branca. Bem branca... com persianas verdes... bem verdes... com uma "torre" no beiral e uma janela com trepadeiras de todos os lados, um muro baixo de pedra que a separa da rua, com álamos crescendo ao longo dela, e um grande jardim nos fundos, onde flores e plantas estão deliciosamente mescladas... mas, tudo isso não pode descrever o seu charme. Resumindo, é uma casa com uma personalidade encantadora que lembra as características de Green Gables.

— Este é o meu lugar... estava escrito — disse entusiasmada.

A Sra. Lynde parecia não confiar em predestinação.

— Será uma longa caminhada até a escola — disse duvidosa.

— Nem me importo. Será um excelente exercício. Oh, veja aquele bosque de videiras e bordôs que estão do outro lado da rua.

A Sra. Lynde olhou, mas tudo o que ela falou foi:

— Espero que você não fique incomodada com os mosquitos.

— Espero que não. Detesto mosquitos. Apenas um mosquito já me deixa mais desperta do que uma lembrança ruim.

Fico feliz por não termos entrado pela porta da frente. Estava parecendo tão censurável... uma grande entrada de madeira granulada, com folhas duplas, rodeada por painéis de vidro vermelho e florido. Não parecia pertencer à casa. Já a pequena porta verde lateral, que alcançamos por um caminho adorável de arenitos finos e lisos, em intervalos na grama, era muito mais adorável e convidativa.

Encontramos camas de grama, com faixas, lírios-tigre, flores William-doce, Abrótanos e buquês-de-noiva com margaridas vermelhas e brancas, o que a senhora Lynde chamava de "pinho". É verdade que elas não estavam todas florescendo nessa estação, mas podíamos ver que floresceram no tempo certo e o fizeram com louvor. Tinha um canteiro de rosas, em um canto à frente e, entre a Windy Poplars e a casa sombria do lado, tinha uma parede de tijolos coberta por Hera Americana, como se fosse uma treliça arqueada acima de uma porta verde desbotada no centro. Havia uma videira que crescia pela porta, deixando claro que não havia sido aberta há muito tempo. Na realidade, era apenas meia porta, porque a metade superior era um retângulo aberto, através do qual poderíamos visualizar um lindo jardim no outro lado.

Logo que entramos pelo portão do jardim da Windy Poplars, vi alguns trevos no caminho. Algo me levou a descer e olhar para eles. Você acredita, Gilbert? Diante de meus olhos estavam três trevos de quatro folhas! Digo que é predestinação! Nem mesmo os Pringles poderiam contestar isso. Eu tive certeza de que o banqueiro não teria nenhuma chance.

A porta da lateral estava aberta, ou seja, era certo que alguém estava em casa, e não precisávamos ver embaixo do vaso. Batemos à porta e Rebecca Dew veio nos atender. Tínhamos certeza de que era Rebecca Dew porque não poderia ser mais ninguém nesse mundo.

Rebecca Dew tinha "cerca de 40 anos", parecia um tomate com cabelos pretos saindo da testa, olhos pequenos, negros e brilhantes, um minúsculo nariz pontiagudo e uma fenda na boca. Esta era exatamente ela. Tudo em Rebecca era um pouco pequeno demais... braços, pernas, pescoço e nariz... tudo, exceto seu sorriso, grande o suficiente para ir de orelha até orelha.

Porém não a vimos sorrir naquele instante. Parecia estar muito séria quando lhe perguntei se poderíamos falar com a Sra. MacComber.

— Quer dizer a senhora do capitão MacComber? — disse repreendendo, como se existisse pelo menos uma dúzia de Sra. MacCombers naquela casa.

— Sim, eu disse humildemente.

Então, fomos levadas imediatamente para a sala de estar. A sala era bem agradável, repleta de capas de poltrona, mas com o clima de tranquilidade que eu gostava. Cada peça de mobília tinha seu lugar específico que ocupara por anos. Como os móveis brilhavam! Nenhum polimento jamais produziu tanto brilho. Imaginava que fosse resultado do trabalho de Rebecca Dew. Havia um navio dentro de uma garrafa ao lado da lareira que interessava muito à Sra. Lynde. Ela não conseguia entender como aquilo havia entrado na garrafa... mas imaginou que dava um ar nostálgico à sala.

Então, as viúvas chegaram. Amei-as no mesmo instante. Tia Kate era alta, magra e pálida, e um pouco séria... com o mesmo temperamento de Marilla. Tia Chatty era pequena, magra, pálida, e com uma feição melancólica. Poderiam ter sido muito bonitas no passado, mas atualmente não havia beleza, exceto pelos olhos, que eram amáveis... suaves, grandes e castanhos.

Relatei minha missão para as viúvas, que se entreolharam.

— Temos que consultar a Rebecca — falou tia Chatty.

— Com certeza — disse tia Kate.

Rebecca Dew foi chamada da cozinha. O gato veio com ela... um maltês bem fofo, com peito branco e uma coleira branca. Eu queria acariciá-lo, porém, lembrei do aviso da Sra. Braddock e ignorei-o.

Rebecca olhou para mim sem mostrar alegria.

— Rebecca — disse tia Kate, que não desperdiça palavras — a Srta. Shirley deseja se hospedar aqui. Acho que não podemos hospedá-la.

— Mas, por que não? — retrucou Rebecca Dew.

— Creio que seria trabalho demais para você — comentou tia Chatty.

— Estou acostumada com trabalho — disse Rebecca Dew.

É impossível separar estes dois nomes, Gilbert. É impossível... embora as viúvas o façam. Elas a chamam de Rebecca quando precisam dela e sabem gerenciar isso.

— Estamos bem velhas para termos jovens indo e vindo — insistiu tia Chatty.

— Fale por você — replicou Rebecca Dew. — Eu tenho apenas 45 anos, e estou bem consciente. Creio que seria interessante ter uma jovem dormindo na casa. Uma jovem seria melhor do que um jovem, certamente. O jovem estaria fumando dia e noite... queimando nossas camas. Se for precisar de um pensionista, meu conselho seria hospedá-la. Porém, é certo que a casa é sua.

Ela falou e se retirou... Como dizia Homero, está tudo resolvido, mas tia Chatty me pediu para subir e ver o quarto, e depois confirmar se estava de acordo.

— Nós lhe hospedaremos no quarto da torre, querida. Não é muito grande como o quarto de hóspedes, mas tem uma saída para um aquecedor no inverno, além da vista muito agradável. Você consegue ver o antigo cemitério pela janela.

Sabia que adoraria o quarto... O próprio nome, "quarto da torre", já me encantou. Senti como se estivesse vivendo em uma música antiga, que costumávamos cantar na escola de Avonlea, sobre uma donzela que morava no alto da torre, ao lado de um mar pálido. O quarto provou ser o lugar mais querido. Chegamos até ele por um pequeno lance de escadas, que levava ao patamar da escada. Era muito pequeno... mas não tão pequeno quanto aquele quarto terrível no qual fiquei no primeiro ano de Redmond. Havia duas janelas, uma janela no sótão com vista para o Oeste e uma empena, olhando para o Norte, e outra no canto formado pela torre. A outra janela era de três lados, com caixilhos que se abriam para fora e prateleiras embaixo para os meus livros e tapetes trançados. A cama era grande e tinha um dossel e uma colcha de "ganso selvagem" tão perfeitamente lisa e nivelada, que eu tinha receio de estragá-la dormindo nela. E, Gilbert, é tão alta que preciso subir por um pequeno conjunto de degraus que, durante o dia, são fechados. Acredito que o capitão MacComber a comprou em algum lugar estrangeiro e a trouxe para casa.

Tem um adorável e pequeno armário de canto, com prateleiras enfeitadas com papel branco e buquês pintados na porta. Tem uma almofada azul redonda no beiral da janela... uma almofada com um botão no centro, parecendo um pufe azul gordo, e um lavatório com duas prateleiras... a de cima, grande o suficiente para uma bacia e um jarro de ovo azul-esverdeado. A de baixo, suficiente para uma saboneteira e uma jarra de água quente. Uma gaveta de latão repleta de toalhas e, em uma prateleira, uma toalha com uma boneca sentada, com sapatos cor-de-rosa, faixa dourada e uma rosa vermelha em seus cabelos dourados.

Todo o quarto era iluminado pela luz que atravessava as cortinas cor de milho, e havia a mais rara tapeçaria nas paredes enfeitadas de branco, onde as sombras dos álamos lá fora caíam... paisagem viva, sempre mudando e tremendo. Parece um quarto feliz. Senti como se eu fosse a garota mais afortunada do mundo.

— Você estará tranquila lá, é a verdade — disse a Sra. Lynde quando fomos embora.

— Quero uma coisa mais privativa após a liberdade de Patty's Place — eu falei, só para provocá-la.

— Liberdade! — a senhora Lynde retrucou: — Liberdade! Não fale como uma norte-americana, Anne.

Cheguei hoje, com malas e malas. É certo que não gosto de deixar Green Gables. Não importa por quantas vezes e por quanto tempo estarei longe, mas no instante que chegar minhas férias, volto a fazer parte dela novamente, como se nunca tivesse saído. Embora meu coração esteja despedaçado por deixá-la, sei que gostarei daqui. E ela gosta de mim. Eu sempre sinto se uma casa gosta de mim ou não.

A vista das minhas janelas é encantadora... Até mesmo o antigo cemitério, que é cercado por pinheiros escuros e com uma passagem para uma estrada sinuosa e ladeada por diques. Pela minha janela a Oeste, posso ver tudo até o porto, as costas enevoadas com pequenos veleiros, que eu amo, e os navios que se dirigem para o exterior até portos desconhecidos... que frase maravilhosa! Existe uma brecha para a imaginação nela! Através da janela ao Norte posso ver o bosque de bétulas e bordos do outro lado da estrada. Você sabe que eu sempre fui adoradora de árvores. Quando estudávamos Tennyson, em nosso curso de inglês em Redmond, sempre ficava triste com a pobre Enone, lamentando seus abetos arrancados.

Após o bosque e o cemitério, há um vale adorável com a faixa vermelha e brilhante de uma estrada, que serpenteia por ele, e casas brancas pontilhando-o ao longo dela. Alguns vales são adoráveis... você não sabe dizer por quê. Só de olhar para eles, você encontra satisfação. E além deles está a minha colina azul, a batizei de Rei da Tempestade... a dominante paixão etc.

Posso ficar sozinha aqui em cima, quando eu quero estar. Você sabe que é maravilhoso ficar sozinho de vez em quando. Os ventos serão meus companheiros. Eles irão chorar, suspirar e cantarolar em volta da minha torre... Os ventos brancos do inverno... os ventos verdes da primavera... os ventos azuis do verão... os ventos vermelhos do outono... e os ventos selvagens presentes em todas as estações... ventos tempestuosos que cumprem com Sua palavra[1]. Sempre me emociono com esse versículo da Bíblia... como se todo e qualquer vento trouxesse uma mensagem para mim. Sempre invejei aquele garoto que voou com o vento do Norte naquela adorável história de George MacDonald. Alguma noite, Gilbert, abrirei a janela da minha torre e pularei nos braços do vento... e Rebecca Dew jamais saberá porque não dormi na minha cama naquela noite.

Espero que, quando encontrarmos nossa "casa dos sonhos", querido, haja ventos ao redor dela. Queria saber onde fica... aquela casa desconhecida. Eu a amaria mais ao luar ou ao amanhecer? Aquela nossa casa do futuro, onde teremos amor, amizade e trabalho... e algumas aventuras hilárias para trazer risadas à nossa velhice. Velhice! Algum dia seremos velhos, Gilbert? Parece impossível.

Pela janela esquerda da torre, consigo ver os telhados da cidade... Esse é o lugar onde morarei por pelo menos um ano. As pessoas que moram nessa casa serão minhas amigas, embora eu não saiba ainda, e talvez possam ser meus inimigos, pois pessoas como as de Pye são encontradas em todo lugar, com todo tipo de nome, e acredito que os Pringles devem ser considerados como tal. As aulas começam amanhã. Terei que ensinar geometria! Certamente não deve ser mais difícil que aprendê-la. Rezo aos céus para que não haja gênios matemáticos entre os Pringles.

Cheguei aqui há apenas meio dia, mas sinto como se já conhecesse as viúvas e Rebecca Dew a vida inteira. Elas me pediram para chamá-las de "tia" e pedi

1 Salmos 148:8 (N. do E.)

para que me chamassem de Anne. Chamei Rebecca Dew de "senhorita Dew"... certa vez.

— Senhorita o quê?

— Dew — eu falei humildemente. — Não é o seu nome?

— É, sim, é, mas eu não sou chamada de Senhorita Dew há tanto tempo que me soou estranho. É melhor você não me chamar mais assim, Srta. Shirley, eu não estou acostumada.

— Eu me lembrarei, Rebecca... Dew — falei, tentando ao máximo afastar o Dew, embora não tenha conseguido.

A senhora Braddock tinha razão ao dizer que tia Chatty era sensível. Descobri isso no jantar. Tia Kate comentou algo sobre o sexagésimo sexto aniversário de Chatty. Olhando para tia Chatty, vi que ela tinha... não, não desabou em lágrimas. Esse não é um termo muito correto para seu ato. Ela simplesmente transbordou. Suas lágrimas brotavam em seus grandes olhos castanhos e caíam sem esforço.

— O que aconteceu agora, Chatty? — perguntou tia Kate, severamente.

— É que... é apenas meu sexagésimo quinto aniversário — comentou tia Chatty.

— Peço-lhe desculpas, Charlotte — comentou tia Kate... e tudo voltou à normalidade.

O gato é um grande e adorável macho, com olhos dourados, um belo pelo de maltês, empoeirado e desajeitado. Tias Kate e Chatty o chamavam de Dusty Miller, porque esse é o seu nome. Rebecca Dew o chama de Gato, porque ela não gosta dele, principalmente pelo fato de ter que lhe dar um pedaço de fígado, todas manhãs e noites, ter que limpar os pelos da poltrona da sala com uma escova de dentes velha todas as vezes que ele se infiltrar na sala e ter que caçá-lo, se estiver lá fora tarde da noite.

— Rebecca Dew nunca gostou de gatos — disse tia Chatty — e odeia Dusty, principalmente. O cachorro da Sra. Campbell... naquela época ela tinha um cachorro... trouxe o gato há dois anos, em sua boca. Não adiantava levá-lo à Sra. Campbell, aquele gatinho tão fraco e miserável, todo molhado e com frio, seus pequenos ossos quase grudavam na pele. Nem mesmo um coração de pedra poderia ter recusado um abrigo. Então, eu e Kate o adotamos, mas Rebecca Dew jamais nos perdoou. Nessa época, não éramos diplomáticas. Deveríamos ter nos recusado a aceitar. Não sei se percebeu... — Tia Chatty olhou cautelosamente para a porta entre a sala de jantar e a cozinha... — como tratamos Rebecca Dew.

Eu havia notado... e era bonito ver. Summerside e Rebecca Dew podem achar que ela é a manda-chuva, mas as viúvas agem de maneira diferente.

— Não queríamos um rapaz... um jovem seria muito perturbador. Teríamos que nos preocupar se ele não fosse à igreja frequentemente. Mas fingimos que ela manda e Rebecca Dew simplesmente acredita. Mas estou tão feliz por ter você aqui, querida. Certamente você será uma pessoa muito boa para cozinhar. Desejo que você goste de todas nós. Rebecca Dew tem muitas virtudes. Ela não era tão bem arrumada quando chegou há quinze anos. Certa vez, Kate teve que escrever o seu nome... "Rebecca Dew"... bem no meio do espelho da sala para mostrar a poeira. Mas foi somente uma vez. Rebecca Dew pode dar boas dicas. Espero que ache seu quarto confortável, querida! Você pode abrir a janela à noite. Kate não gosta do ar noturno, mas sabe que os pensionistas gostam de ter privilégios. Nós dormimos juntas e combinamos que uma noite a janela fica fechada para ela e na outra, fica aberta para mim. Sempre conseguimos resolver pequenos problemas como esse, não acha? Quando se tem vontade, há sempre um caminho. Não se assuste se ouvir Rebecca caminhando durante a noite. Ela está sempre escutando barulhos, e se levanta para investigá-los. É por isso que ela não queria hospedar um banqueiro. Estava com medo de poder encontrá-la de camisola. Espero que não se importe por Kate não falar muito. É somente o seu jeito. Ela deve ter tantas coisas para conversar... ela viajou por todo o mundo com a Amasa MacComber em sua juventude. Gostaria de ter mais assuntos para conversar com ela, mas nunca saí da Ilha do Príncipe Eduardo. Sempre me questionei sobre o porquê as coisas deveriam ser desse jeito... eu querendo conversar, mas sem nada para conversar. Já Kate com muitos assuntos para conversar e evitando de conversar. Mas eu imagino que o destino sabe o que faz.

Mesmo tia Chatty sendo uma tagarela, ela não disse tudo isso sem ser interrompida. Em intervalos adequados eu a interrompi, mas não eram importantes.

As senhoras mantêm uma vaca pastando nas terras do Sr. James Hamilton, Rebecca Dew vai lá ordenhá-la. Todas as manhãs e noites, sei que Rebecca Dew entrega um copo de leite fresco pela fenda do portão da parede para a "mulher" da Sra. Campbell. Sei que é para a "pequena Elizabeth", que deve estar seguindo ordens médicas. Quem é essa "mulher" ou essa "pequena Elizabeth", ainda não sei. A Sra. Campbell é moradora e proprietária da fortaleza ao lado... que é conhecida como Evergreens.

Eu não vou dormir hoje à noite... nunca durmo na minha primeira noite em uma cama diferente, e esta é a cama mais esquisita que já vi. Mas não me incomodo. Amo a noite e vou gostar de ficar acordada pensando na vida, no passado, no presente e no futuro, principalmente no futuro.

Esta é uma carta sucinta, Gilbert. Não vou lhe incomodar com uma carta muito longa. Porém, queria lhe contar tudo, para você conseguir imaginar meu novo ambiente. Finalizo agora, acima do porto a lua está se "escondendo na terra das sombras". Preciso escrever para Marilla o quanto antes, ela chegará em Green Gables depois de amanhã. Davy irá buscá-la no correio e levá-la para casa. Ele e Dora se amontoarão em volta de Marilla enquanto ela ler, já a Sra. Lynde terá os dois ouvidos abertos... Oh! Isso me deixou com muitas saudades de casa. Boa noite, querido, de quem é agora e sempre será,

Sua amada,
Anne Shirley.

CAPÍTULO 2

(Extraído de várias cartas da mesma autora.)
26 de Setembro.

Você sabe aonde vou para ler suas cartas? Para o bosque do outro lado da estrada. Há um pequeno vale lá, onde o sol pinta as samambaias. Um riacho serpenteia por ele; há um tronco de árvore retorcido, onde me sento, e a mais maravilhosa fileira de pequenas "irmãs caçulas" de bétula. Depois disso, quando eu sonho com algo específico... um sonho verde-dourado, com traços vermelhos... um sonho muito onírico... Eu satisfaço minha vontade com a crença que ele veio do meu pequeno vale de bétulas e nasceu de alguma união mística entre a mais elegante, mais leve das caçulas e o riacho sussurrante. Eu adoro sentar-me aqui e ouvir o silêncio do bosque. Já reparou em quantos silêncios existem, Gilbert? O silêncio da floresta, da costa, do campo, da noite, da tarde de verão. Todos diferentes, pois os tons que os costuram são diferentes. Tenho certeza de que, se eu fosse completamente cega e insensível ao calor e frio, poderia facilmente dizer onde estava pela característica do silêncio ao meu redor.

A escola está "funcionando" há duas semanas e tenho as coisas bem organizadas e sob controle. Mas a Sra. Braddock tinha razão... Os Pringles são mesmo um problema. Até agora, não sei exatamente como vou resolvê-lo, apesar de ter meus trevos da sorte, como a Sra. Braddock comentou, são tão suaves quanto creme... e escorregadios.

Os Pringles são um tipo de grupo, que ficam de olhos abertos, um no outro, e lutam um pouco entre si, porém ficam lado a lado em relação a qualquer pessoa que seja de fora do grupo deles. Cheguei à conclusão de que existem somente dois tipos de pessoas aqui em Summerside. Aqueles que são um dos Pringles e aqueles que não são.

Minha sala está repleta de Pringles, bem como vários estudantes que têm outro nome, porém com sangue Pringle. O líder do grupo deles me parece ser a Jen Pringle, uma pequena garota de olhos verdes que parece com Becky Sharp quando tinha seus catorze anos. Certamente ela está organizando uma campanha sutil de conflito e desrespeito, a qual será difícil controlar. Jen tem um jeito de fazer caretas irresistivelmente engraçado, e, quando escuto uma onda insuportável de risadas passando pela sala, atrás de mim, sei perfeitamente quem a causou, porém ainda não consegui pegá-la no flagra. Jen também é inteligente... pequena atrevida!... consegue escrever textos que são parentes de quarto grau da literatura, ainda por cima, ela é brilhante em matemática... coitada de mim! Existe um certo brilho em tudo o que ela fala ou faz, e ela tem um senso de situações engraçadas que seria prova de um vínculo familiar entre nós, se não tivesse decidido me odiar logo de início. Atualmente, creio que demore muito tempo até que Jen e eu possamos rir juntas sobre alguma coisa.

Myra Pringle é prima de Jen, é a mais bela de toda a escola... E, aparentemente, a mais bobinha. Ela solta algumas pérolas hilárias... como por exemplo, quando falou hoje, na aula de história, que os antigos índios pensavam que Champlain e seus homens seriam deuses ou "algo de outro mundo".

Na sociedade, os Pringles são o que Rebecca Dew chama de "luz artificial" de Summerside. Tive dois convites para jantar em casas de Pringle... porque é de bom tom convidar uma nova professora para jantar e os Pringles não fogem do costume. Ontem à noite fui à casa de James Pringle... o pai da Jen que mencionei. Ele parece um professor universitário, mas na verdade é um insensível e ignorante. Ele falou muito de "disciplina", batendo a mão na mesa com as unhas que não eram bem cuidadas, e, às vezes, falava coisas terríveis contra a nossa gramática. É exigência do Colégio Summerside ter professores com mão firme... um professor experiente, de preferência do sexo masculino. Ele tinha receio de que eu fosse muito jovem... "um erro que o tempo poderá resolver muito em breve", disse com pesar. Eu não comentei nada porque, se tivesse dito algo, poderia falar demais. Então, fui sutil e delicada quanto qualquer um dos Pringle poderia ter sido e me contentava somente com olhar para ele e dizer a mim mesma: "Que velho mal-educado e preconceituoso!".

Jen parece ter herdado o cérebro da mãe... que pareceu gostar de mim. Jen, com a presença dos pais, era um exemplo de educação. Porém, mesmo que suas palavras fossem educadas, o tom era arrogante. Sempre que dizia "Srta. Shirley", ela insinuava parecer um insulto. E sempre que olhava para o meu cabelo, parecia que era apenas um vermelho cenoura. Certamente os Pringles não admitiriam que era castanho avermelhado.

Me encantei com Morton Pringles... embora Morton Pringle nunca ouça de verdade o que você está dizendo. Ele diz algo, e enquanto você responde, ele já está ocupado formulando sua próxima fala.

A Sra. Stephen Pringle... viúva Pringle... Summerside tem muitas viúvas... me escreveu ontem uma carta... uma carta muito cortês, educada, mas com veneno. Millie tem muitas tarefas em casa... Millie é uma menina delicada e não deve ser sobrecarregada. O Sr. Bell nunca lhe deu trabalho de casa. Ela é uma criança sensível que deve ser compreendida. O Sr. Bell sempre a compreendeu muito bem! Sra. Stephen tem certeza de que eu também compreenderei, se eu tentar!

Creio que a Sra. Stephen me culpe pelo nariz de Adam Pringle sangrar na aula hoje, motivo que o fez voltar para casa. Acordei ontem à noite, e, não consegui dormir mais porque recordei que eu não tinha pontilhado uma letra *i* em uma pergunta que escrevi na lousa. Certamente Jen Pringle notaria isso e cochicharia para todo o grupo a respeito.

Rebecca Dew me disse que todos os Pringles me convidariam para jantar, com exceção das velhinhas de Maplehurst, e, após o evento, me ignorariam para sempre. Como eles são a "luz artificial", pode significar que socialmente serei banida aqui em Summerside. Então, veremos. A guerra começou, mas ainda não há vencedores ou perdedores. Mesmo assim, sinto-me muito infeliz com tudo isso. Não se pode discutir com o preconceito. Estou como costumava ficar na minha infância... não suporto que as pessoas não gostem de mim. Não me sinto confortável em pensar que metade das famílias dos meus alunos não me suportam, mesmo não sendo culpa minha. Vejo como uma *injustiça* que me marca, com ênfase! Mas algumas ênfases realmente amenizam os sentimentos.

Com exceção dos Pringles, gosto muito dos meus alunos. Tenho alguns alunos que são inteligentes, proativos e esforçados que parecem estar realmente interessados em aprender. Lewis Allen paga a escola fazendo tarefas domésticas em uma pensão e não tem vergonha nenhuma disso. Sophy Sinclair cavalga sem sela na velha égua cinza do pai, 10 km de distância todos os dias. É uma loucura! Se eu conseguir ajudar uma aluna assim, devo me recordar dos Pringles?

Fato é que... se não consigo conquistar os Pringles, não terei muita chance de ajudar ninguém aqui.

Mas eu adoro Windy Poplars. Não é uma pensão... é um lar! E elas são como eu... até mesmo Dusty Miller gosta de mim, embora ele me julgue às vezes e demonstre isso ao deliberadamente se sentar de costas para mim, mostrando seu olho dourado por cima do ombro de vez em quando, para ver como estou lidando com isso. Eu não o acaricio muito quando a Rebecca Dew está por perto porque isso a irrita bastante. Durante o dia ele é um bichano caseiro, confortável e meditativo... mas ele é muito esquisito durante a noite. Rebecca diz que é porque ele não tem permissão para sair depois que fica escuro. Ela odeia ficar lá fora no quintal de trás chamando-o. Ela diz que os vizinhos ficam rindo dela. Ela o chama com um tom selvagem, retumbante, que pode ser ouvido por toda a cidade em uma noite quieta, gritando "Gatinho... gatinho... GATINHO!" As viúvas teriam outro acesso de raiva se Dusty Miller não estivesse lá quando fossem dormir. "Ninguém sabe o que passei por causa daquele gato... ninguém", garantiu Rebecca.

Eu me darei bem com as viúvas. Cada dia que passa, gosto mais delas. Tia Kate não acredita em romances, mas diz que não irá censurar meu problema de leitura. Já tia Chatty adora romances. Tem até um esconderijo onde os guarda... ela os retira na biblioteca da cidade... juntamente a um baralho para paciência e qualquer outra coisa que não queira que tia Kate veja. Coloca sob um assento de cadeira que ninguém além de tia Chatty sabe que é mais que um assento de cadeira. Ela dividiu este segredo comigo porque, acredito, quer minha ajuda e que eu a incentive no contrabando das obras. Realmente não deveria haver necessidade de esconder nada em Windy Poplars, nunca vi uma casa com tantos armários estranhos. Embora certamente, Rebecca Dew não os deixe misteriosos. Ela está sempre limpando-os. "Uma casa não consegue se manter limpa", diz ela com pesar quando uma das viúvas reclama. Certamente ela o destruiria se encontrasse um romance ou um baralho de cartas, ambos são censurados pela sua cultura ortodoxa. Rebecca Dew comenta que as cartas são do diabo e os livros de romances são ainda piores. Rebecca lê, além da Bíblia, somente as colunas da sociedade do Montreal Guardian. Ela adora ler notícias sobre as casas, móveis e fatos de milionários.

— Imagine só, mergulhar em uma banheira dourada, Srta. Shirley — disse ela com tristeza.

Mas ela é mesmo uma querida. Ela apareceu do nada com uma poltrona velha e confortável feita de brocado ruço que se encaixa perfeitamente nas minhas dobras e disse: "Esta é a sua cadeira. Ficaremos com ela para você". E ela não deixa Dusty Miller dormir na poltrona, para que não fique com pelos na saia da escola e dê aos Pringles algo a dizer.

As três estão muito interessadas no meu anel de pérolas... e o que ele significa para mim. A Tia Kate me mostrou seu anel de noivado (ela não conseguiu usá-lo por estar apertado) que é cravejado de pedras turquesas. Já a pobre tia Chatty estava com lágrimas nos olhos porque nunca teve um anel de noivado... seu marido considerava "um gasto supérfluo". Na hora, ela estava no meu quarto, banhando seu rosto com leitelho. Ela faz isso todas as noites para preservar a pele, e me fez jurar não contar para a tia Kate.

— Ela pensaria que é ridículo ter tamanha vaidade para uma mulher da minha idade. E tenho certeza que Rebecca Dew acharia que nenhuma mulher cristã deveria se esforçar para ficar bonita. Eu costumava ir até a cozinha para banhar o rosto depois de Kate ir dormir, mas ficava com medo que Rebecca Dew acordasse. Seus ouvidos são como os de um gato quando está dormindo. Se eu pudesse entrar todas as noites e banhar meu rosto... ah, muito obrigada, minha querida.

Descobri um pouco sobre os nossos vizinhos no The Evergreens. A senhora Campbell (que era uma Pringle!) tem oitenta anos de idade. Não a conheci, mas pelo que fiquei sabendo, ela é uma senhorinha muito triste. Martha Monkman, que é a empregada doméstica, quase tão velha e sombria quanto ela, que normalmente é chamada de "mulher da Sra. Campbell". A Sra. Campbell tem uma bisneta, a pequena Elizabeth Grayson, que mora com ela... Elizabeth... também nunca a vi com os olhos, apesar da minha estada de aproximadamente duas semanas... ela tem oito anos de idade e vai para a escola pública usando o caminho dos fundos... (...) um atalho que sai no quintal... por isso eu nunca a encontrei, indo ou retornando. Sua mãe, falecida, era a neta da Sra. Campbell, que também cuidou dela, depois que seus pais faleceram. Ela era esposa de um norte-americano chamado Pierce Grayson, ianque, como dizia a Sra. Rachel Lynde. Ela faleceu quando sua filha Elizabeth nasceu e, como Pierce Grayson deixou a América para coordenar uma filial de seus negócios em Paris, o pequeno bebê foi enviado para a Sra. Campbell cuidar. Dizem que ele "não suportava vê-la" porque seu nascimento havia custado a vida de sua esposa e nunca a perdoou. Não sabemos se esta história é fofoca, porque nem a Sra. Campbell nem ninguém abre a boca para falar desse assunto.

Rebecca Dew me contou que são muito rigorosos com a menina Elizabeth, e que não dão muita atenção para ela.

— Ela é diferente das outras crianças... Parece ter mais do que oito anos. Principalmente pelas coisas que ela fala às vezes! — Rebecca me disse um dia — E se um dia você estivesse prestes a dormir e sentisse um beliscão no tornozelo? Não admira que ela tenha medo de ir para a cama no escuro. E eles a obrigam a fazê-lo. A Sra. Campbell fala que não pode haver covardes em sua casa. Elas a observam como gatos observando um rato. Se ela faz um barulho, elas quase desmaiam. É silêncio, silêncio toda hora. Vejo que a criança está sendo silenciada para sempre. E o que pode ser feito quanto a isso?

— O que pode ser feito, de fato?

Sinto vontade de vê-la. Ela me deu pena. Tia Kate comentou que ela é bem cuidada quanto à saúde física... O que tia Kate disse foi: "Eles a alimentam e a vestem bem...", porém, não só de pão vive a criança. Jamais esquecerei como era minha vida antes de chegar a Green Gables.

Irei para casa na próxima noite de sexta-feira, para passar dois dias maravilhosos em Avonlea. O principal inconveniente será responder se estou gostando de lecionar em Summerside.

Mas vamos pensar em Green Gables agora, Gilbert... O Lago das Águas Brilhantes com aquela névoa azul... Os bordos no céu do outro lado do riacho... As plantas douradas na Floresta Assombrada... E as sombras do pôr do sol no caminho dos amantes, que lugar querido... No meu coração gostaria de estar lá neste momento com... com... adivinha quem?

Você sabe, Gilbert, há momentos em que desconfio fortemente de que o amo!

Windy Poplars
Spook's Lane,
S'side
10 de outubro.

"Digníssimo e honrado Senhor:..."

Assim se iniciou uma carta de amor da avó de tia Chatty. Não é maravilhoso? Quanta emoção e superioridade deve ter dado ao avô! Você não gostaria desta honraria "Gilbert, querido e etc?" No mais, acho que estou feliz por você não ser o meu avô... ou um outro avô. É encantador pensar que ainda somos jovens e temos toda a vida diante de nós... ainda mais juntos... não é verdade?

(Muitas páginas omitidas. O tipo da caneta de Anne não é evidentemente afiada, nem da que arranha ou que borra.)

Neste momento, estou sentada no beiral da janela na torre, olhando para as árvores que acenam para o céu âmbar e além delas a caminho do porto. Ontem à noite, fiz um passeio maravilhoso comigo mesma. Realmente, queria ir a algum lugar, porque estava um pouco triste aqui em Windy Poplars. A Tia Chatty chorava na sala porque estava com seus sentimentos feridos, e tia Kate chorava em seu quarto porque era o aniversário de falecimento do capitão Amasa, e Rebecca Dew chorava na cozinha sem motivo aparente. Não havia visto Rebecca Dew chorar antes, porém, quando perguntei o que havia de errado, ela respondeu se uma pessoa não podia chorar quando quisesse. Então peguei minha barraca e fui embora, deixando-a com sua tristeza.

Saí e caminhei, então, pela estrada do porto. Havia um aroma adorável e frio de outubro impregnado no ar, com cheiro delicioso de campo recém-lavrado. Segui em frente até o crepúsculo sumir, em uma noite de luar de outono. Estava só, mas não sozinha. Tive muitas conversas imaginárias, com pessoas imaginárias, e pensei em tantas prosas que fiquei agradavelmente surpresa comigo mesma. Eu não consegui deixar de me divertir apesar de minhas preocupações com os Pringles.

Meu espírito me levou a pronunciar algumas reclamações quanto aos Pringles. Não queria comentar, mas as coisas não estão indo bem no Colégio Summerside. Não tenho dúvidas de que uma intriga foi armada contra minha pessoa.

E ainda, trabalho para ser feito em casa nunca é feito por nenhum dos Pringles ou meios Pringles. E não adianta conversar com seus pais. Eles são gentis, bem-educados, mas evasivos. Todos os outros alunos que não são Pringles estão seguindo a rebeldia dos Pringles, como um vírus contaminando toda a classe. Certa manhã, a minha mesa estava virada de cabeça para baixo. E não foi dito de quem seria a autoria, obviamente. Como também não houve uma pessoa que soubesse dizer quem deixou uma caixa, da qual pulou uma cobra artificial quando eu a abri, porém todos os Pringles da escola deram gargalhadas e ficaram com aquele sorriso no rosto, fingindo estarem assustados.

Jen Pringle chega atrasada metade das vezes, sempre com uma desculpa perfeitamente esfarrapada, explicada educadamente, com uma feição insolente no rosto. Ela passa bilhetinhos na sala de aula, debaixo do meu nariz. Encontrei uma cebola descascada no bolso de minha jaqueta hoje. Gostaria de colocar aquela garota de castigo, a pão e água, até que ela aprenda a se comportar.

Mas a pior ofensa que sofri até hoje foi uma caricatura minha que encontrei na lousa certa manhã... Feita de giz branco com cabelos vermelhos. Todos negaram, Jen principalmente, mas sabia que Jen era a única aluna na sala capaz de tamanha crueldade. Foi bem feito. Meu nariz... como você sabe, sempre foi motivo de orgulho e alegria para mim... estava corcunda e minha boca estava mais torta que a de uma Pringles solteirona de trinta anos, mas era eu. Acordei às três horas da madrugada e me contorci com aquela lembrança. Não é estranho que as coisas que sonhamos à noite raramente sejam coisas ruins? Apenas aquelas humilhantes.

Falam todo tipo de coisa a meu respeito. Me acusaram de "marcar" os exames de Hattie Pringle só porque ela é uma Pringle. Dizem que "dou risada quando os alunos cometem erros". (Bem, eu dei risada quando Fred Pringle definiu um centurião como sendo "um homem que viveu por cem anos". Eu não consegui corrigi-lo.)

James Pringle diz: "Não há disciplina na escola... não há disciplina alguma" e está sendo divulgado que eu sou uma criança abandonada.

Vejo o antagonismo dos Pringle em vários outros setores da sociedade. Tanto no social quanto no educacional, Summerside parece estar sob o controle dos Pringles. Não é de se admirar que os Pringles sejam chamados de "A Família Real". Não me convidaram para a festa de Alice Pringle, na sexta-feira passada. No dia em que a Sra. Frank Pringle ofereceu um chá, para ajudar um projeto da igreja (Rebecca Dew me disse que as mulheres irão "construir" o novo tabernáculo!), eu era a única mulher da igreja presbiteriana que não havia sido convidada. Fiquei sabendo que a esposa do pastor chegou recentemente em Summerside e sugeriu que eu cantasse no coral, porém foi informada que nenhum Pringle aceitaria que ela me chamasse, assim, o coro simplesmente não poderia seguir.

Obviamente não sou a única professora que tem problemas com os alunos. Quando outros professores me aconselham a ser mais "disciplinada"... como eu reprovo essa palavra! Metade deles são Pringles. Mas nenhuma queixa é feita sobre eles.

Há dois dias, deixei Jen depois da aula para fazer um trabalho que ela deliberadamente deixou de fazer. Dez minutos depois, a carruagem de Maplehurst parou em frente à escola, e a senhorita Ellen chegou na porta... uma senhora muito bem-

-vestida e sorridente, vestia uma elegante luva de renda preta e tinha um nariz fino de falcão, parecendo ter acabado de sair de uma caixa de música de 1840. Ela disse que "lamenta muito, mas poderia chamar Jen?". Ela iria visitar amigos em Lowvale e havia prometido levar Jen. Jen saiu triunfante e sorridente. Percebi novamente que as forças conspiravam contra mim.

Com meu péssimo humor, acredito que os Pringles são uma mistura de Sloanes e Pyes. Porém, sei que não são. Acredito que poderia gostar deles se não fossem meus inimigos declarados. O Pringles são, na maioria das vezes, francos, unidos e leais. Poderia gostar da senhorita Ellen. A senhorita Sarah nunca vi. A senhorita Sarah não sai de Maplehurst faz dez anos.

— Ela é muito delicada... ou acredita ser — disse Rebecca Dew, fungando. — Porém, não há nada de errado com o orgulho dela. Os Pringles são todos orgulhosos, mas essas duas garotas passam do limite. Deveria ouvi-las conversar sobre seus ancestrais. Seu velho pai, o capitão Abraham Pringle, era um bom sujeito na época, seu irmão Myrom não era tão bom assim, mas você não ouve as Pringles falarem sobre ele. Mas sei que os espíritos deles terão dificuldade. Quando eles tomam decisões sobre algo ou alguém, jamais mudam de ideia. Continue com a cabeça erguida, Srta. Shirley... mantenha a cabeça erguida.

— Eu gostaria de ter a receita de bolo da Senhorita Ellen — suspirou tia Chatty. — Ela me prometeu algumas vezes, mas nunca me passou. É uma receita antiga de uma família inglesa. Eles são muito fechados quanto às suas receitas.

Nos meus melhores sonhos, me vejo convencendo a senhorita Ellen a passar a receita para a tia Chatty, e fazer Jen ficar de joelhos. O pior é que eu poderia fazer Jen fazer isso, se ela não tivesse todo o apoio da sua família diabólica.

(Duas páginas sem escrita.)

Sua serva obediente, Anne Shirley.

P.S.:Foi assim que a avó da tia Chatty assinou as suas cartas de amor.

15 de outubro.

Ficamos sabendo, hoje, que houve um assalto no outro lado da cidade, na noite passada. Invadiram uma casa e roubaram dinheiro e uma dúzia de colheres de prata. Por isso, Rebecca Dew foi ao encontro do Sr. Hamilton, para ver se ele queria algo emprestado. Amarraram ele na varanda dos fundos. Rebecca Dew me aconselhou a trancar o meu anel de noivado!

Inclusive, fiquei sabendo porque Rebecca Dew estava chorando. Parece que houve uma confusão doméstica. Dusty Miller "não se comportou bem novamente". Rebecca Dew disse à tia Kate que ela deveria fazer algo a respeito. Ele estava desgastando-a. Era a terceira vez em um ano, e ela sabia que ele fazia essas travessuras de propósito. Tia Kate comentou que, se Rebecca Dew deixasse o gato sair quando miava, não haveria perigo de ele se comportar mal.

— Então, esta foi a gota d'água — disse Rebecca Dew.

Disse, em prantos!

A minha situação com os Pringle fica mais grave a cada semana. Escreveram algo muito impertinente em um dos meus livros ontem e Homer Pringle saiu da escola dando cambalhotas pelo corredor. E mais, recebi uma carta anônima cheia de insinuações desagradáveis. De alguma maneira, não culpo Jen pelo livro ou pela carta, por mais que ela seja uma pestinha, ela não se rebaixaria a esse nível. Rebecca Dew está furiosa e tremo só de pensar no que ela faria com os Pringles, se ela os tivesse nas mãos. O que Nero fez não poderia ser comparado ao que ela faria. Certamente não a culpo, pois, em certos momentos me sinto capaz de alegremente entregar, a todos os Pringles, uma caneca de cerveja envenenada.

Creio não ter comentado muito sobre os outros professores. Existem dois, como disse anteriormente... Tem a vice-diretora, Katherine Brooke, da Escola Juvenil, e George MacKay, das aulas preparatórias. Tenho pouco a dizer sobre George. Ele é um jovem tímido, de boa índole, de vinte anos, com um pequeno e gostoso sotaque Escocês que sugere aquelas casas simples no pasto e ilhas nebulosas... seu avô era da "Ilha de Skye"... e se sai muito bem no Preparatório. Até onde o conheço, gosto dele, porém, dificilmente gostarei de Katherine Brooke.

Katherine é uma jovem de, acredito eu, 28 anos, embora tenha aparência de 35. Me falaram que ela tinha esperanças para ser nomeada pelo Principado, e creio que ela se ressente por eu ter conseguido tal feito, especialmente por eu ser ainda mais jovem que ela. Sei que é uma boa professora... desconsiderando sua rigidez... mas sei que não é popular. E isso não me preocupa! Parece não ter amigos ou parentes e reside em uma pequena morada sombria, que parece pequena e imunda na Temple Street. Katherine se veste muito destoada, não tem vida social e é conhecida por ser "má". Ela é muito sarcástica e suas pupilas dilatam com seus comentários irônicos. Comentam que sua maneira de levantar as sobrancelhas negras e grossas reduzem seu campo de visão. Eu gostaria de ter esse poder, só para lidar com os Pringles. Mas realmente não deveria gostar de governar pelo medo como ela. Quero que meus alunos me adorem.

Apesar de ela não ter problemas em fazê-los entrar na linha, ela constantemente envia alguns deles para mim... em especial os Pringles. Sei que ela faz isso de propósito e fico desanimada, tenho certeza que ela fica feliz em me ver sofrer.

Rebecca Dew comenta que ninguém consegue ser amiga dela. As viúvas a convidaram várias vezes para o jantar de domingo... As boas almas estão sempre fazendo isso por pessoas solitárias, e fazem a mais deliciosa salada de frango para servi-las, porém, ela jamais foi, então elas desistiram porque, como tia Kate diz, "tudo tem limites".

Existem boatos de que ela é muito inteligente e sabe cantar e recitar... "*Elocute*", *à la* Rebecca Dew.... Mas certamente não fará isso. Tia Chatty, certa vez, lhe pediu que recitasse em um jantar na igreja.

— Certamente ela se recusou, por estar sem graça — comentou a tia Kate.

— Só resmungou — disse Rebecca Dew.

A voz de Katherine é rouca e profunda... parecida com a voz de um homem... e soa como um rosnado quando está de péssimo humor.

Ela não é bonita, mas não é de se jogar fora. Ela é morena escura, com magníficos cabelos puxados para trás, da testa alta e enrolados em um nó desajeitado, na altura do pescoço. Seus olhos não combinam com o restante. Seu cabelo é um âmbar clarinho, as sobrancelhas negras. Ela tem orelhas que não precisam ter vergonha de se mostrar, suas mãos são as mais bonitas que já vi. Ela também tem uma boca bem feita. Parece ter sorte em suas roupas, tanto em cores quanto em contornos. Verdes-escuros sem graça e cinzas-claros entediantes quando ela está muito pálida, e listras que a deixam alta e esbelta, ainda mais alta e mais esbelta. Parece que dormiu vestindo suas roupas.

Ela é muito repulsiva... Como diz Rebecca Dew, está sempre de cara amarrada. Sempre que a encontro nas escadas, sinto que ela está pensando coisas terríveis sobre mim. Ao falar com ela, me faz sentir que disse a coisa errada. Porém, sinto muito por ela... embora eu saiba que ela se ressentiria da minha pena por ela. Não posso fazer nada para ajudá-la porque ela não quer. Certo dia, quando estávamos os três professores na sala dos professores, fiz algo que, aparentemente, feriu alguma das leis não escritas da escola, e Katherine disse friamente: "Talvez pense que você, Srta. Shirley, está acima de todas as regras". Em outro dia, quando sugeri algumas mudanças que achava que seriam boas para a escola, ela falou com um sorriso de desdém: "Não tenho interesse em contos de fadas". Outra vez, quando disse algumas coisas legais sobre seus métodos, ela me disse: "E existe outro método?".

Mas o que mais me incomodou... foi, um dia, quando peguei um livro dela na sala dos professores, olhei para a folha de rosto e disse:

"Fico feliz que você tenha soletrado seu nome com um K. Katherine é muito mais atraente do que Catherine, assim como a letra K, é uma letra mais honesta do que uma presunçosa letra C." Ela não me respondeu, porém, a próxima carta que me enviou foi assinada "Catherine Brooke"!

Eu espirrei por todo o caminho até em casa.

Realmente desistiria de tentar ser amiga dela, se não tivesse uma sensação diferente e inexplicável de que, mesmo com toda sua superioridade e indiferença, ela realmente está precisando de companhia.

No entanto, com o antagonismo de Katherine e a atitude de Pringle, não sei realmente o que faria, se não fosse a querida Rebecca Dew e suas belas cartas... e a pequena Elizabeth.

Eu conheci a pequena Elizabeth. E ela é uma garota muito querida.

Três noites atrás, deixei um copo de leite na porta da pequena Elizabeth, que estava lá para pegá-lo, em vez da Mulher, seu rosto estava emoldurado pela porta. Ela é pequena, pálida, amarela e melancólica. Seus olhos, olhando para mim pelo escurecer do outono, eram grandes e cor de castanha. Seus cabelos eram prateados e estavam separados no meio, com um adorno circular sobre a cabeça, caindo em ondas sobre os ombros. Usava um vestido azul-claro e tinha a expressão de uma princesa da terra dos elfos. Tinha o que Rebecca Dew chama de "ar delicado". Tive a impressão de ser uma criança desnutrida... não no corpo, mas em sua alma... mais um brilho de lua do que um raio de sol.

— Então você é a Elizabeth? — perguntei.

— Não esta noite — ela respondeu ferozmente. — Esta é a noite em que serei Betty porque amo tudo no mundo hoje à noite. Ontem à noite, eu era a Elizabeth e, amanhã à noite, provavelmente serei a Beth. Vai depender de como estarei me sentindo.

Havia um tom de sentimento. Fiquei emocionada com isso pela primeira vez.

— Como é bom ter um nome conforme seu sentimento, você pode mudar com tanta facilidade e ainda será seu nome. — Elizabeth concordou.

— Dessa forma, posso ter vários nomes. Elsie, Betty, Bess, Elisa, Lisbeth e Beth... Mas não Lizzie. Eu não gostaria de me sentir como Lizzie.

— E quem gostaria? — eu respondi.

— Acha tolo da minha parte, Srta. Shirley? A minha avó e aquela mulher pensam ser.

— Não tem nada de tolo... é muito sábio e muito agradável — eu disse.

A pequena Elizabeth me olhou por cima da borda do copo de leite. Senti que estava sendo testada em algum equilíbrio espiritual secreto e percebi, agradecida, que não a havia decepcionado. Porque a pequena Elizabeth me pediu um favor. É certo que a pequena Elizabeth não pede favores a pessoas que ela não tenha afeição.

— Por acaso se importaria de trazer o gato e me deixar fazer um carinho nele? — perguntou timidamente.

Dusty Miller estava se esfregando entre as minhas pernas. Então, o levantei, e a pequena Elizabeth estendeu sua mãozinha e acariciou sua cabeça.

— Eu prefiro gatinhos a bebês — disse olhando para mim, com certo ar de desafio, como se soubesse que ficaria chocada, mas disse a verdade.

— Acredito que você nunca esteve com bebês, para não saber como eles são adoráveis — comentei sorrindo. — Você já teve um gatinho?

Elizabeth acenou negativamente com a cabeça.

— Oh, não. A minha avó não gosta de gatos. E aquela mulher os detesta. Aquela mulher saiu hoje à noite, e foi por isso que eu pude buscar o leite. Adoro buscar o leite porque Rebecca Dew é muito agradável.

— Sentiu falta dela por não ter vindo hoje à noite? — sorri.

A pequena Elizabeth acenou negativamente com a cabeça.

— Não. Você também é muito legal. Eu estava querendo me aproximar de você, mas tinha receio de que isso não acontecesse antes que o dia seguinte chegasse.

Ficamos ali conversando, enquanto Elizabeth tomava alguns goles de leite, delicadamente, e ela me disse tudo sobre o amanhã. Aquela mulher lhe havia dito que o amanhã nunca chegará, mas Elizabeth sabe muito bem. O amanhã virá em algum momento. Em uma bela manhã, ela irá acordar e descobrir que é Amanhã, não Hoje, e sim Amanhã. Então, coisas maravilhosas acontecerão... coisas encantadoras. Ela terá um dia para fazer tudo o que gosta, sem ninguém ficar olhando para ela... embora acredite que Elizabeth sinta que é cedo demais para chegar o dia de amanhã. Ela pode descobrir o que está no fim da estrada do porto... aquela estrada sinuosa como uma bela cobra coral, que nos leva, segundo Elizabeth, ao final do mundo. Pode ser que a Ilha da Felicidade esteja lá. Elizabeth acredita que existe uma Ilha da Felicidade, em algum lugar onde os navios que nunca voltam estarão ancorados, e ela encontrará a Ilha, quando chegar o Amanhã.

— E quando chegar o Amanhã — disse Elizabeth —, terei um milhão de cachorros e quarenta e cinco gatos. Certa vez, perguntei para minha avó se ela me deixaria ter um gatinho, Srta. Shirley, ela ficou furiosa e me disse: "Não é de bom tom perguntar isso, senhorita impertinente". Ela me mandou para a cama sem jantar... mas eu não queria ter sido impertinente. E não consegui dormir, Srta. Shirley, porque aquela mulher, certa vez, me disse que conheceu uma criança que morreu durante o sono, após ter sido impertinente.

Assim que Elizabeth terminou seu leite, escutei uma batida forte em alguma janela atrás dos abetos. Acredito que estávamos sendo observadas o tempo todo. A garotinha correu, sua cabeça prateada brilhava no corredor escuro do abeto, até que ela sumiu.

— Ela é uma criatura fantasiosa — disse Rebecca Dew quando contei a ela sobre o acontecido... certamente, de alguma forma, teve um ar de aventura, Gilbert.

— Um dia ela me perguntou: "Você tem medo de leões, Rebecca Dew?" "Eu nunca vi um, então não posso lhe dizer", eu respondi. "Amanhã terá uma grande quantidade de leões", disse ela, "mas serão leões bonzinhos e amigáveis". Ela estava olhando através de mim para algo daquele "Amanhã" dela. "Estou pensando muito nisso, Rebecca Dew", ela disse. O maior problema dessa menina é que ela não sorri o bastante.

Me lembrei que Elizabeth não sorriu nenhuma vez durante toda a nossa conversa. Acredito que ela não aprendeu como se faz. A casa é imensa, quieta, solitária e sem risos. Me parece maçante e sombria, mesmo quando o mundo está imerso em cores de outono. A pequena Elizabeth está escutando muitos sussurros.

Creio que uma das minhas missões aqui em Summerside seja a de ensiná-la a sorrir.

Sua amiga mais fraterna e fiel, Anne Shirley.

P.S.:Mais da avó da tia Chatty!

CAPÍTULO 3

Windy Poplars,
Spook's Lane,
S'side,
25 de outubro.

Caro GILBERT:

Que tal essa? Fui a um jantar em Maplehurst!

A Senhorita Ellen me fez o convite. Rebecca Dew ficou muito animada... não tinha imaginado que eles me convidariam. E certamente não me convidaram por amizade.

— Acredito que eles têm algum motivo macabro, tenho certeza! — ela exclamou.

— Realmente fui com esse sentimento em minha mente.

— Dê o seu melhor — mandou Rebecca Dew.

Então, vesti meu lindo vestido cor de creme, com violetas roxas, e fiz um novo penteado em meu cabelo. Fiquei muito elegante.

As senhoras de Maplehurst são muito adoráveis à sua maneira, Gilbert. Poderia amá-las se me dessem espaço. Maplehurst é uma casa maravilhosa e exclusiva, repleta de árvores ao redor, e, não se assemelha a casas normais. Havia uma mulher talhada em madeira, alta, branca que foi tirada do navio famoso do velho capitão Abraham, o "Vá e pergunte a ela", no pomar e um mar de abrótanos ao redor dos degraus frontais, abaixo dos degraus da escada da frente, com plantas trazidas há mais de cem anos pelo primeiro imigrante Pringle. Existe outro ancestral deles, que lutou na batalha de Minden. Sua espada está pendurada na parede da sala, ao lado do quadro do capitão Abraham. O capitão Abraham era o ancestral de todos, era evidente tamanho orgulho que tinham dele.

Eles têm quadros imponentes cobertos por mantos pretos e canelados, uma caixa de vidro com flores de cera, vários quadros maravilhosos dos antigos navios. Tinha uma guirlanda de cabelos, com todos os cabelos dos Pringles, grandes conchas e uma colcha na cama do quarto de hóspedes, acolchoada com leques minúsculos.

Sentamos na sala de estar, em cadeiras de mogno Sheraton. Havia um papel de parede pendurado com listras prateadas. Cortinas pesadas, de brocado nas janelas. Mesas com tampos de mármore, e uma delas com um belo modelo do navio, o "Vá e pergunte a ela", com casco carmesim e velas brancas como a neve. Havia um enorme lustre, feito de vidro e adornado por pingentes, suspenso no teto da sala, um espelho redondo com um relógio no centro... tudo foi trazido de "áreas desconhecidas" pelo capitão Abraham. Era maravilhoso, gostaria que tivéssemos alguns desses objetos em nossa casa dos sonhos.

Até mesmo as sombras eram eloquentes e tradicionais. A senhorita Ellen me mostrou milhões, mais ou menos, de fotografias dos Pringle, muitas delas guardadas em estojos de couro. Então, um grande gato entrou, pulou em meu joelho e Ellen foi imediatamente atrás do gato na cozinha. Ela me pediu mil desculpas, mas já havia se desculpado com o gato na cozinha.

A Senhorita Ellen falou a maior parte do tempo. Senhorita Sarah, uma pessoinha engomada, vestida de seda preta, tinha cabelos brancos como a neve, olhos tão negros quanto o vestido, mãos pequenas e finas, em meio a finos babados da renda, tinha a feição triste, amigável, cortês, mas parecia muito frágil para conseguir conversar. No entanto, tive a impressão, Gilbert, de que todos da família Pringle, incluindo a própria Senhorita Ellen, viviam em sua própria comunidade.

O jantar foi maravilhoso. A água estava gelada, as toalhas eram lindas, os pratos e os utensílios de cristais finos. Esperávamos por uma serviçal, indiferente e aristocrática como eles. Porém, a senhorita Sarah fingiu ser surda sempre que eu falava com ela. Toda a minha coragem escorria em mim. Eu me senti como uma pobre mosca, apanhada em um papel de mosca. Gilbert, jamais conseguirei conquistar ou convencer "A Família Real". Não tenho a menor chance contra esse clã.

No entanto, não consegui deixar de sentir um pouco de pena daquelas velhinhas enquanto olhava para a casa. Certa vez, ela esteve viva... algumas pessoas nasceram lá... morreram lá... exultaram lá... adormeceram, sentiram desespero, medo, alegrias, amores, esperanças, ódios, e hoje não há mais nada além de memórias, pelas quais elas viveram... e o orgulho delas.

Tia Chatty ficou muito chateada hoje porque quando desdobrava os lençóis limpos para colocá-los em minha cama, encontrou uma marca em forma de diamante em seu centro. Segundo ela, isso certamente prediz uma morte na casa. Tia Kate odeia essas superstições. Porém, creio que gosto de pessoas supersticiosas, elas dão cor à nossa vida. Não seria monótono um mundo onde todos fossem sábios e insensíveis... e bons? Sobre o que conversaríamos?

Houve uma tragédia aqui, duas noites atrás. Dusty Miller ficou fora a noite toda, mesmo com os gritos de Rebecca Dew no quintal. Quando ele retornou pela manhã... ah, chegou tão chamativo. Estava com um olho completamente fechado, e tinha um caroço do tamanho de um ovo na mandíbula. O pelo estava duro de sujeira e uma das patas estava mordida. Mas tinha uma aparência triunfante e imponente, mesmo com um único olho bom! As viúvas ficaram aterrorizadas, mas Rebecca Dew falou relutante: "O gato nunca teve uma vitória em sua vida antes. E, certamente, o outro gato deve estar muito pior do que ele!".

Essa noite, uma névoa está subindo pelo porto, tirando a visão da estrada vermelha que a pequena Elizabeth quer conhecer. Ervas daninhas e folhas estão sendo queimadas pelos jardins da cidade, e esta combinação de fumaça com a névoa faz com que Spook's Lane pareça um lugar misterioso, encantador e fascinante. Já é tarde, e minha cama está me dizendo: "Eu tenho sonhos para você". Estou acostumada a subir um lance de degraus até a cama... e a descer os degraus... Oh, Gilbert! Nunca contei para ninguém, mas é engraçado ficar aqui mais tempo... Na primeira manhã que acordei em Windy Poplars, me esqueci dos degraus e levantei da cama rapidamente. Então, caí como se fosse milhares de tijolos, como diria Rebecca Dew. Por sorte, não quebrei nenhum osso, mas fiquei com hematomas por uma semana.

Eu e a pequena Elizabeth somos grandes amigas. Todas as noites ela vem para tomar seu leite porque a Mulher fica deitada com o que Rebecca Dew chama de "bromquiti". Sempre a encontro no portão, esperando por mim, com seus grandes olhos crepusculados. Nós conversamos no portão, que não era aberto há anos. A pequena Elizabeth bebe o seu copo de leite bem devagar, para demorar mais, até que a última gota é tomada.

Fiquei sabendo que amanhã ela receberá uma carta de seu pai. Ela nunca havia recebido uma carta dele. Queria saber o que o pai deve estar pensando.

— Sabia que ele não me suportava, Shirley — ela comentou —, mas ele pode não se importar de escrever para mim.

— Quem lhe falou que ele não suporta você? — questionei indignada.

— Foi a Mulher — sempre que Elizabeth diz "a mulher", posso vê-la como um grande fato proibitivo. — Certamente deve ser verdade, senão ele viria me ver, às vezes.

Ela, naquela noite, era Beth... Somente quando "ela" é Beth, que ela comenta sobre seu pai. Quando "ela" é Beth, faz careta para sua avó e para a mulher pelas costas, mas quando "ela" é Elsie, a menina sente muito por tudo, e pensa que deveria confessar, mas fica com medo. Ela é uma pessoa muito singular, Gilbert. Tão sensível quanto uma folha da Windy Poplars, e eu amo isso. Fico chateada em saber que as terríveis velhinhas a fazem ir para a cama no escuro.

— A Mulher fala que sou grande o suficiente para ir dormir sem luz. Mas me acho tão pequena, Srta. Shirley, porque a noite é imensa e terrível. Tem um corvo empalhado em meu quarto, e morro de medo dele. A mulher me falou que chamaria minha atenção se eu chorasse. É certo que eu não acredito, Srta. Shirley, mas ainda assim fico assustada. Tudo sussurra entre si, à noite. Tenho medo de qualquer coisa... até de ser sequestrada!

— Não há possibilidade de você ser sequestrada, Elizabeth.

— A Mulher me disse que tem, sim, caso eu vá a algum lugar sozinha ou fale com pessoas estranhas. E você não é uma pessoa estranha, é, Srta. Shirley?

— Claro que não, querida. Nós sempre nos vemos — eu disse.

CAPÍTULO 4

Windy Poplars,
Spook's Lane,
Lado, P.E.I.,
10 de novembro.

QUERIDO:

Tenho o costume de odiar, mais que tudo no mundo, as pessoas que estragam a ponta da minha caneta. Porém, não consigo odiar Rebecca Dew, apesar de ela ter o hábito de usar a caneta para copiar receitas quando estou na escola. Ela fez isso novamente, como resultado, desta vez você não receberá uma carta longa ou de amor.

A última canção do grilo foi tocada. As noites estão tão frias, que tenho um pequeno fogão à lenha dentro do meu quarto. Rebecca Dew o colocou... Eu perdoo a questão da caneta por isso. Não há nada que essa mulher não possa fazer, ela sempre tem um fogo aceso para mim quando chego em casa da escola. É um dos menores fogões... consigo pegá-lo em minhas mãos. Parece um cachorrinho preto e atrevido, com quatro patas de ferro, mas quando você o enche de galhos de madeira, ele floresce com um tom avermelhado e lança um calor delicioso, você não imagina como é acolhedor. Eu estou sentada diante dele agora, com meus pés na pequena lareira, escrevendo para você em cima do meu joelho.

Todos em Summerside... mais ou menos... Estão no baile dos Hardy Pringles. Não fui convidada. E Rebecca Dew está tão irritada que detestaria ver Dusty Miller. Porém, quando lembro da filha dos Hardy, Myra, bela, mas sem cérebro, tentando provar em um exame que os ângulos da base de um triângulo isósceles são iguais, eu perdoo todos do clã dos Pringle e, na semana passada, ela incluiu a "árvore genealógica" seriamente em uma lista de árvores! Mas, sejamos justos, nem sempre essas pérolas vêm dos Pringles. Blake Fenton definiu um crocodilo como "uma grande espécie de inseto". Estes são os pontos altos na vida de um professor!

Creio que irá nevar hoje à noite. Eu adoro a noite quando neva. O vento está soprando "no pico e na árvore", e faz meu quarto acolhedor parecer ainda mais acolhedor. A última folha do álamo será soprada hoje à noite.

Acredito que já fui convidada para jantar em toda a cidade... quero dizer, nas residências de todos os meus alunos, tanto os da cidade quanto os do campo. E, querido Gilbert, estou tão enjoada de conservas de abóbora! Nunca, nunca, faremos conservas de abóbora em nossa casa dos sonhos.

Por quase todos os lugares em que estive neste último mês, tinha conservas no jantar. A primeira vez eu amei, amei... estava tão laranja que senti que estava comendo o sol em conservas... e fiquei irradiante. Espalharam o fato de eu gostar tanto dessas conservas que as pessoas as fazem de propósito para mim. Na noite anterior, fui à casa do Sr. Hamilton. Rebecca Dew me garantiu que eu não teria conservas por lá porque nenhum dos Hamilton gostavam, mas quando sentamos para jantar, na mesa havia a inevitável tigela de vidro cheia de conserva.

— Você não experimentou as conservas que fiz — disse a Sra. Hamilton, trazendo-me uma tigela cheia. — Fiquei sabendo que adora conservas, então, quando eu estava com minha prima em Lowvale, no domingo passado, disse a ela: "Irei convidar a Srta. Shirley para jantar esta semana, e não tenho tigela para fazer conservas de abóbora. Você poderia me emprestar uma tigela para eu fazer para ela". Então ela fez esta aqui para você levar para casa.

Você deveria ver a cara da Rebecca Dew, assim que cheguei em casa carregando uma tigela de vidro, quase cheia de conserva de abóbora! Como ninguém aqui gosta, enterramos de madrugada no jardim.

— Você não vai contar esta história, vai? — ela perguntou, nervosamente. Desde que Rebecca Dew descobriu que escrevo ficção ocasionalmente, para algumas revistas, ela fica com medo... ou expectativa, não sei qual... que eu escreva tudo o que acontece. "Windy Poplars" em história. Ela deseja que eu "escreva sobre os Pringles e acabe com eles". Infelizmente, são os Pringles que estão acabando comigo e, entre escrever sobre eles e meu trabalho na escola, tenho pouco tempo para escrever ficção.

Agora temos apenas folhas murchas e caules secos no jardim. Rebecca Dew fez um arranjo com as rosas, feito de sacos de palha de batata.

Hoje recebi um cartão-postal de Davy com dez beijos, e uma carta de Priscilla, escrita em um papel que "uma amiga do Japão" mandou para ela... era um papel de seda fino, com flores de cerejeira escuras no fundo. Estou começando a ficar preocupada com essa amiga dela. Mas sua carta gigante foi o melhor presente do dia. Eu a li quatro vezes, para saborear tudo... como um cachorro limpando uma tigela! Certamente, não é muito romântico, mas foi o que passou em minha cabeça. Mesmo assim, as palavras mais bonitas ainda não são satisfatórias. Eu desejo ver você. Estou contente porque faltam apenas cinco semanas para o feriado de Natal.

CAPÍTULO 5

Anne estava sentada na janela da torre, em uma tarde de novembro, com a caneta em seus lábios e os sonhos nos seus olhos, olhando o mundo escurecer e, de repente, deu vontade de caminhar até o velho cemitério. Ela nunca o tinha visitado antes, preferindo ir ao bosque de bordos ou à estrada que leva ao porto, para dar suas caminhadas noturnas. Mas sempre há um intervalo em novembro, quando as folhas caem e parece ser perigoso invadir a floresta... porque sua glória terrestre havia partido e sua glória de espírito, pureza e alvura ainda não haviam chegado. Então, Anne caminhou até o cemitério. Ela estava desanimada e sem esperança de achar alegria em um cemitério. Além do mais, lá estava repleto de Pringles, comentou Rebecca Dew. Eles são enterrados lá por gerações, tendo preferência pelo novo cemitério, até que "Nenhum possa ser espremido lá". Anne achou animador saber quantos Pringles estavam enterrados no cemitério. Assim, eles não poderiam atrapalhar mais ninguém.

Com relação aos Pringles, Anne sentia que estava no fim de sua vida. Cada vez mais, aquela situação parecia ser um pesadelo. A campanha de insubordinação e desrespeito que Jen Pringle havia organizado para Anne finalmente estava chegando a um ponto insuportável. Certo dia, na semana passada, ela pediu aos idosos que escrevessem uma redação sobre "Os acontecimentos mais interessantes daquela semana". Jen Pringle tinha escrito uma brilhante... aquela pestinha era esperta... e inseriu nela um insulto astuto para a sua professora... um tão afiado que foi impossível ignorar. Anne a mandou para casa, solicitando se desculpar antes para poder voltar. O óleo estava esquentando. Foi declarada uma guerra incontestável entre ela e os Pringles, e a pobre Anne não tinha dúvida de qual lado seria vitorioso. O conselho da escola apoiou os Pringles e chegou ao ponto de ter que escolher entre deixar Jen retornar ou ser convidada a renunciar.

Ela ficou amargurada. Ela tinha feito tudo que podia, e sabia que poderia vencer se tivesse uma chance para lutar.

"A culpa não foi minha", ela pensou tristemente. Quem poderia ter sucesso contra tal clã e suas táticas?

Mas retornar para Green Gables derrotada! Aguentar a indignação da Sra. Lynde e a satisfação dos Pyes! Até mesmo a simpatia dos mais próximos seria angustiante. E com seu insucesso em Summerside, não conseguiria trabalhar em outra escola.

Mas em relação à peça teatral, eles não a haviam derrotado. Anne sorria com certa malícia e seus olhos se enchiam de prazer perverso na sua memória.

Anne organizou um Clube Dramático do Ensino Médio e dirigia uma peça teatral, que rapidamente levantou fundos para um de seus projetos... adquirir alguns bons quadros para as salas. Ela pediu a Katherine Brooke para ajudá-la porque Katherine parecia estar sempre excluída de todos os projetos. Não que ela não tivesse se arrependido muitas vezes, porque Katherine estava ainda mais brava e sarcástica do que seu normal. Raramente ela deixava um ensaio sem algum comentário maldoso, e levantava suas sobrancelhas constantemente. E, para piorar, Katherine insistiu que Jen Pringle fizesse o papel de Mary da Escócia.

— Não existe mais ninguém na escola que consiga interpretá-la — disse ela, impaciente. — Ninguém com a personalidade necessária.

Anne não tinha certeza disso. Para ela, Sophy Sinclair, que era alta e tinha olhos castanhos e cabelos castanhos lindos, seria uma bela rainha Mary, bem melhor do que a Jen. Porém, Sophy sequer era membro do clube e jamais havia participado de uma cena.

— Não queremos amadoras neste projeto. Não irei me associar a nada que não seja de sucesso — comentou Katherine. Então, Anne teve que ceder. Não havia como negar que Jen era muito boa. Tinha um talento nato para atuar e, visivelmente, se entregou de coração. Eles tinham ensaiado quatro noites naquela semana e era certo que as coisas estavam indo muito bem. Jen estava tão interessada em sua apresentação, que se comportou tão bem quanto na peça. Anne não atrapalhou, porém a deixou em treinamento com Katherine. Uma ou duas vezes, ela se surpreendeu com certo olhar de triunfo na face de Jen que a deixou intrigada. Ela não soube exatamente o que aquele gesto significava.

Certa tarde, após o início do ensaio, Anne encontrou Sophy Sinclair chorando em um canto do vestiário feminino. De início, ela esfregou seus olhos castanhos rapidamente e negou... e então desabou.

— Mas eu queria tanto fazer parte da peça teatral... e ser rainha Mary — ela chorou soluçando. — Jamais tive uma oportunidade... Meu pai não me deixou ser membro do clube porque está com dívidas para pagar e está com o dinheiro contado. E é verdade que não tenho nenhuma experiência, mas sempre amei a rainha Mary... seu próprio nome me arrepia até as pontas dos dedos... Não acredito... Jamais irei acreditar que ela teve algo a ver com o assassinato de Darnley... E seria encantador imaginar ser ela por um tempo!

Com isso, Anne concluiu que foi um anjo da guarda que enviou aquela resposta.

— Irei escrever o papel para você, Sophy, e treiná-la. Será um bom aprendizado para você. E, como estamos planejando levar a peça a outros lugares se tudo der certo, será muito bom ter uma substituta, caso Jen não consiga ir. Mas não falaremos nada para ninguém.

No dia seguinte, Sophy havia decorado as falas. Todas as tardes, ela voltava para casa em Windy Poplars com Anne após a aula, e ensaiavam no quarto da torre. Elas se divertiram muito, pois Sophy estava cheia de vitalidade. A peça teatral seria apresentada na última sexta-feira de novembro, na prefeitura. Houve ampla divulgação, todos os assentos estavam reservados e venderam até o último ingresso. Anne e Katherine passaram duas noites enfeitando o salão, foi contratada uma banda, que tinha uma notável soprano vinda de Charlottetown para cantar entre os atos. O ensaio final foi um sucesso. Jen foi muito bem e todo o elenco comemorou com ela. Sexta pela manhã, Jen não foi à escola; e à tarde, sua mãe mandou dizer que Jen estava doente, com uma garganta inflamada... elas temiam que fosse amidalite. Todos estavam muito apreensivos, Katherine e Anne se entreolharam, pela primeira vez estavam juntas e desanimadas.

— Teremos que adiar a peça — disse Katherine desanimada. — Isso significa que fracassamos. Assim que o mês de dezembro chegar, terá muito o que ser feito. Bem, sempre pensei que era um absurdo fazer uma peça nesta época do ano.

— Não iremos adiar — disse Anne, seus olhos mais verdes que os de Jen. Ela não diria a Katherine Brooke, mas sabia tão bem que Jen Pringle não corria mais risco de amidalite do que ela. Era uma artimanha deliberada, se algum dos outros Pringles deixasse de participar ou não, para arruinar a peça teatral, porque ela, Anne Shirley, a supervisionava.

— Ah, se é assim que prefere... — disse Katherine desanimada. — Mas o que você fará? Pedir para alguém ler o papel? Isso atrapalharia tudo... Mary é a protagonista da peça.

— Sophy Sinclair fará o papel de Mary tão bem quanto Jen. A roupa servirá nela e, ainda bem, você fez a roupa e a possui, não Jen.

Então, a peça foi apresentada naquela noite para uma plateia lotada. Sophy encantou interpretando a Mary... era a Mary, como Jen Pringle jamais poderia ter sido... idêntica à Mary em suas vestes de veludo, babados e joias. Os alunos do Colégio Summerside, que jamais haviam visto Sophy em nada além dos vestidos de sarja, sem graça e escuros, casaco sem forma e chapéus velhos, a olhavam maravilhados. Insistiram para que ela se tornasse membro permanente do Clube de Drama — Anne pagou a taxa de filiação — então, a partir daí, ela foi um dos alunos que "encantavam" no Colégio Summerside. Ninguém sabia nem sonhava, Sophy muito menos, que ela estava dando o primeiro passo em um caminho que a levaria às estrelas. Após vinte anos, Sophy Sinclair era uma das melhores atrizes da América. Certamente, nenhum aplauso soou tão adorável em seus ouvidos quanto os aplausos selvagens que ressoaram enquanto a cortina caía aquela noite na prefeitura de Summerside.

A Sra. James Pringle comentou com sua filha Jen, o que deixaria os olhos da donzela verdes de inveja, se já não fossem. Pela primeira vez, como disse Rebecca Dew, Jen recebeu o que merecia. E, como forma de resposta, fez um insulto no texto sobre Acontecimentos Importantes.

Anne caminhou até o antigo cemitério, por um dos sulcos profundos entre buracos altos e cobertos de musgo, com borda de samambaias congeladas.

Havia Lombardias finas e pontiagudas, das quais os ventos de novembro ainda não haviam levado suas folhas, cresciam a intervalos regulares, saindo vagamente entre as ametistas das colinas distantes; porém, o antigo cemitério, com a metade de suas lápides inclinadas, estava cercado por uma fileira de quatro álamos altos e sombrios. Anne não esperava encontrar ninguém por lá, e, ficou surpresa ao encontrar a senhorita Valentine Courtaloe, de nariz comprido e delicado, com uma boca fina e desenhada, ombros que eram delicadamente inclinados, e seu ar invencível de Lady que sempre apresentou, dentro dos portões. Anne conhecia a senhorita Valentine, é óbvio, assim como todos de Summerside. Ela era a melhor costureira local, e o que ela não sabia sobre alguma pessoa, viva ou morta, não deveria ser levado em consideração. Anne gostaria de passear sozinha, ler aqueles antigos epitáfios e decifrar os nomes de amantes esquecidos sob os fungos que cresciam sobre eles. Mas ela não conseguiu se safar quando Senhorita Valentine passou um braço sobre ela e começou a fazer as honras no cemitério, onde havia certamente, tantos Courtaloes enterrados, quanto Pringles. A senhorita Valentine não tinha uma gota de sangue dos Pringle e um dos pupilos favoritos de Anne era o seu sobrinho. Então não havia dificuldade em ser gentil com ela, exceto que é preciso ter muito cuidado para não mencionar que ela "precisava costurar para viver". Diziam que a senhorita Valentine era bem sensível neste aspecto.

— Fico feliz por estar aqui esta noite — disse a senhorita Valentine. — Posso lhe contar tudo sobre todos os que estão enterrados aqui. Eu digo a você que devemos conhecer as histórias dos defuntos para saber se o cemitério é realmente agradável. Eu prefiro fazer uma caminhada aqui do que caminhar no novo. Aqui estão apenas as famílias mais antigas. Todos os Tom, Dick e Harry estão sendo enterrados no novo. Os Courtaloes estão enterrados neste espaço. Nossa, tivemos vários funerais em nossa família.

— Acredito que toda família antiga tenha — comentou Anne, porque a senhorita Valentine esperava que ela dissesse algo.

— Não diga que outra família já teve tantos quanto a nossa — disse a senhorita Valentine com ciúmes. — Somos bem sensíveis. Vários de nós morremos de tosse. Esta aqui é a lápide da minha tia Bessie. Ela parecia uma santa, se é que já existiu alguma. Mas sem dúvida alguma, sua irmã, a tia Cecilia, foi a mais bacana para se conversar. Na última vez que a vi, ela disse: "Sente-se aqui, minha querida, sente-se. Irei morrer hoje à noite, às onze e dez, mas não é por isso que não devemos ter uma última fofoca boa". O pior, Srta. Shirley, é que ela morreu naquela noite às onze e dez. Consegue me explicar como ela sabia disso?

Anne não conseguia responder.

— O meu bisavô Courtaloe foi enterrado aqui. Ele chegou aqui em 1760 e vivia de construir rocas de fiar. Ouvi dizer que ele construiu mil e quatrocentas rocas no decorrer de sua vida. Quando faleceu, o pastor pregou: "As suas obras os seguem"[2], e o senhor Myrom Pringle comentou que, no caso dele, o caminho para o céu atrás do meu bisavô seria cheio de rocas de fiar. Você acha que o comentário foi de bom tom, Srta. Shirley?

Caso qualquer outra pessoa o fizesse, a não ser um Pringle, Anne talvez não houvesse respondido tão decididamente: "Certamente não", olhando para a lápide desenhada com uma caveira e ossos cruzados, como se questionasse o bom gosto nisso.

— A minha prima Dora foi enterrada aqui. Ela teve três maridos, mas todos morreram muito novos. Dora parecia não ter sorte em escolher um homem com saúde. O último foi Benjamin Banning... ele não foi enterrado aqui... foi enterrado em Lowvale, ao lado da sua primeira esposa... e ele não estava pronto para morrer. Dora disse que ele estava indo para um mundo melhor. "Talvez, talvez", disse o pobre Ben, "mas estou acostumado com a imperfeição deste." Ele tomou sessenta e um remédios diferentes e, mesmo assim, continuou aqui por um bom tempo. A

2 Apocalipse, 14:13 (N. do R.)

família inteira do tio David Courtaloe está enterrada aqui. Existe uma rosa plantada no início de cada cova e, por Deus, como elas florescem! Venho aqui todo verão e recolho mudas para o meu vaso de rosas. Seria uma pena desperdiçá-las, não acha?

— Creio... que sim.

— Já a minha pobre irmã Harriet está ali — suspirou senhorita Valentine. — Seu cabelo era maravilhoso... de cor parecida com a do seu... Mas, não tão avermelhado. Ia até os joelhos. Estava noiva quando veio a falecer. Me disseram que você está noiva. Jamais quis muito me casar, mas imagino que seja agradável ficar noiva. Oh, tive muitas chances, é certo... talvez eu seja bem exigente... mas uma Courtaloe não poderia se casar com qualquer um, não é?

Não parecia muito que ela pudesse.

— Frank Digby... está naquele canto abaixo dos sumagres... ele queria se casar. Fiquei um pouco arrependida por rejeitá-lo... Mas um Digby, minha querida! Por fim, casou-se com Georgina Troop. Ela chegava tarde na igreja, ia somente para mostrar as suas roupas. Ah, e como ela gostava de roupas. Ela foi enterrada com um vestido azul lindo... fui eu quem o fez, para ela usar em um casamento, contudo, acabou usando no seu próprio funeral. Ela teve três filhos adoráveis, que costumavam se sentar na minha frente, na igreja, e eu sempre lhes dava guloseimas. O que acha de dar guloseimas às crianças na igreja, Srta. Shirley? Não bala de hortelã-pimenta... não há nada de errado com elas... existe algo religioso nas balas de hortelã-pimenta, não acha? Contudo, não gostam delas.

Assim que os relatos dos Courtaloe se esgotaram, as memórias da senhorita Valentine ficaram um pouco mais provocantes. Já não fazia tanta diferença se fosse ou não um Courtaloe.

— Ali está a velha senhora Russell Pringle. Por diversas vezes, questiono se ela foi para o céu ou não.

— Por quê? — disse Anne bem chocada.

— Bem, ela odiava a sua irmã, Mary Ann, que já havia morrido alguns meses antes. "Caso Mary Ann esteja no céu, eu não irei ficar lá", dizia ela. Ela era conhecida por ser uma mulher que sempre mantinha sua palavra, querida... uma típica Pringle. Nasceu Pringle e se casou com seu primo Russell. Ali está a Sra. Dan Pringle... e Janetta Bird, fazem setenta e um dias que ela faleceu. Certas pessoas dizem coisas tão engraçadas, não é? Comentam que morrer foi a única coisa que ela fez sem primeiro perguntar ao seu marido. Você consegue adivinhar, querida, o que ele fez quando ela comprou um chapéu que ele não havia gostado?

— Nem consigo nem imaginar.

— Comeu — disse Valentine, solene. — É claro que era apenas um chapeuzinho simples... com rendas e flores... sem penas. Mesmo assim, com certeza foi bastante indigesto. Certamente teve dores no estômago por muito tempo. É claro que não o vi comê-lo, mas tenho certeza que a história é verídica. Você acredita?

— Vindo dos Pringles, eu acreditaria em tudo — disse Anne.

Senhorita Valentine apertou seu braço com alegria.

— Sinto muito por você... realmente, eu sinto. É horrível a forma como eles estão lhe tratando. Mas aqui em Summerside nem todos são Pringle, Srta. Shirley.

— Às vezes creio que são — disse Anne com pesar.

— Não, não são. Tem muitas pessoas aqui que gostam de você e querem o seu bem. Não ceda aos Pringles, não importa o que façam. São apenas enviados do Satanás. Porém, são bem unidos e a Srta. Sarah gostaria que a prima deles entrasse na escola. Os Nathan Pringles estão enterrados aqui. Nathan acreditava que sua mulher estava tentando envenená-lo, contudo, ele não se importava. Para ele, este fato tornava a vida mais emocionante. Certa vez, ele suspeitou que ela havia colocado arsênico no seu fubá. Então, saiu e serviu para um porco. O porco morreu depois de três semanas. Ele até pensava que pudesse ser apenas uma coincidência e, certamente, não teria certeza de que seria o mesmo porco. Por fim, a mulher acabou morrendo antes dele, e, ele dizia que ela sempre foi uma boa esposa, exceto por um detalhe. Acho que seria ingênuo acreditar nele.

— Em nome da memória da senhorita Kinsey — leu Anne, espantada. — Que inscrição maravilhosa! Ela não tinha sobrenome?

— Se tinha, ninguém nunca soube — comentou a senhorita Valentine. — Ela trabalhou para o George Pringles por quarenta anos, e veio da Nova Escócia. Ela se apresentou como senhorita Kinsey, e todos assim a chamavam. Faleceu repentinamente e ninguém sabia seu nome completo, ela não tinha relação com ninguém. Contudo, escreveram somente isso na lápide... o Sr. George Pringles a enterrou muito bem, inclusive pagou pela lápide. Ela era uma pessoa fiel e trabalhadora, mas se tivesse visto, pensaria que teria nascido Senhorita Kinsey. Os James Morleys estão enterrados aqui. Eu fui nas bodas de ouro deles. Foi um evento daqueles... presentes, discursos e flores... com todos os filhos em casa, e eles sorriam e acenavam e se odiavam com todas as forças, não sei como eles conseguiram.

— Eles se odiavam?

— Intensamente, querida. Todos sabiam disso. Estavam casados por anos e anos... quase por toda a vida, de fato. Dizem que brigaram no caminho de casa para a igreja e na volta do casamento. Sempre me pergunto como conseguiam ficar aqui, pacificamente um ao lado do outro.

Outra vez, Anne se assustou.

Novamente Anne tremeu. Quão horrível deve ser... sentados na mesa um em frente ao outro... deitados na cama um ao lado do outro... indo para a igreja com seus bebês para batizá-los... e se odiando sempre! Mas, eles devem ter se amado, no começo. Seria possível com Gilbert e ela?.. Impossível! Os Pringles a estavam irritando.

— O galã John MacTabb foi enterrado aqui. Ele era o suspeito de ser a razão pela qual Annetta Kennedy havia se afogado. Os MacTabbs eram todos lindos, mas não era possível acreditar em uma palavra que diziam. Tinha uma lápide para o tio Samuel, que supostamente se afogou 50 anos atrás, aqui. Mas ao aparecer vivo, os familiares derrubaram essa lápide. O homem que a vendeu para eles não aceitou de volta, então a Sra. Samuel a usou como tábua para fazer massa de pão. "A velha lápide é ótima", dizia ela. Os filhos dos MacTabb sempre traziam para a escola biscoitos com o formato de letras e fragmentos do epitáfio. Eram bem generosos com eles, mas nunca consegui comer um. Eu tenho essa peculiaridade. Sr. Harley está ali. Ele teve que levar a lápide de Peter MacTabb pela Main Street, certa vez, usando um carrinho de mão. Todos em Summerside souberam... exceto os Pringles, é óbvio. Eles morreriam de vergonha. A Milly Pringle está enterrada aqui. Eu gostava demais de Milly, mesmo sendo uma Pringle. Ela era linda e tinha a leveza de uma fada. Acho, querida, que em noites como essa, ela sai do túmulo e dança como gostava de fazer. Suponho que um cristão não deveria ter tais pensamentos. Aquele é o túmulo de Herb Pringle. Era o mais alegre dos Pringles. Sempre fazia todos rirem. Ele riu na igreja certa vez... quando caiu, das flores, um rato no chapéu de Meta Pringle, assim que ela se curvou para orar. Não tive vontade de rir. Não sabia onde o rato havia passado. Ergui minhas saias rapidamente, e, as segurei até a hora de sair da igreja, mas estragou a pregação para mim. Herb estava atrás de mim e deu um grito. Todos que não conseguiam ver o rato pensavam que ele estava louco. Parecia, para mim, que aquela gargalhada dele nunca morreria, se estivesse vivo, ele o apoiaria, com Sarah ou sem Sarah. E este... é claro... é o monumento do capitão Abraham Pringle.

Ele se erguia acima de todo o cemitério. Tinha quatro plataformas recuadas de pedra, que formaram um pedestal quadrado, erguendo um enorme pilar de mármore, coberto com uma urna, e abaixo da qual saía um anjo querubim gordo tocando um trombeta.

— Horrível! — comentou Anne, com sinceridade.

— Oh, você acha mesmo? — Senhorita Valentine parecia um pouco chocada. — Todos o acharam muito belo quando foi erguido. A ideia era para ser Gabriel tocando sua trombeta. Acredito que dê um toque de elegância ao cemitério. O preço foi de novecentos dólares. O velho capitão Abraham era muito bom. É um pesar que esteja morto. Se estivesse vivo, não haveria perseguição do jeito que estão fazendo com você. Não é de se estranhar que Sarah e Ellen tenham muito orgulho dele, embora levem este orgulho longe demais.

Saindo do cemitério, Anne virou-se e olhou para trás. Um silêncio calmo e sombrio jazia sobre a terra sem ventos. O luar estava começando a afundar nos abetos escuros, encostando em uma lápide aqui e ali, surgindo estranhas sombras entre elas. Enfim, o cemitério não era um lugar triste. As pessoas pareciam estar vivas, após ouvir as histórias da senhorita Valentine.

— Ouvi dizer que você escreve — comentou Senhorita Valentine ansiosa, enquanto caminhavam pela estrada. — Não vai escrever as coisas que eu lhe disse em suas histórias, vai?

— Você pode ter certeza que não farei isso — Anne prometeu.

— Você acha errado... ou até mesmo perigoso... falar mal das pessoas que se foram? — Valentine perguntou, ansiosa.

— Acredito que não seja nem um nem outro — disse Anne. — Mas... um tanto quanto injusto... como bater em alguém indefeso. Mas você não disse nada horrível sobre ninguém, senhorita Courtaloe.

— Mas eu lhe disse que Nathan Pringle acreditava que sua esposa estava tentando envenená-lo...

— Mas você deu a ela o benefício da dúvida... — e, assim, Senhorita Valentine seguiu em frente, tranquila.

CAPÍTULO 6

"Fui ao cemitério hoje à noite", escreveu Anne para Gilbert, assim que chegou em casa. "Acredito que 'siga o seu caminho' é uma frase muito adorável e a utilizo sempre que posso. É estranho dizer que adorei meu passeio no cemitério, mas realmente gostei. Ouvi as histórias da Srta. Courtaloe que são bem divertidas. Havia tanto humor e tragédia, Gilbert. A única história que me assustou foi a história do casal que viveu junto por 50 anos e se odiava. Eu não consigo acreditar que realmente se odiavam. Dizem que 'ódio' é um amor que se perdeu no caminho. Estou certa de que, sob o ódio, eles se amavam muito... Como eu amei você todos esses anos, pensando que eu o odiava... e acredito que a morte mostraria isso para eles. Fico feliz por ter descoberto isso em vida. E com a descoberta de alguns Pringles decentes... mortos.

"Fui tomar um copo d'água, ontem à noite, e encontrei tia Kate lavando seu rosto com leitelho na despensa. Ela pediu para não comentar com a tia Chatty... porque ela acharia tolo. Então, prometi não contar.

"Elizabeth aguardava o seu leite, embora a Mulher estivesse bem de sua bronquite. Queria saber se elas deixaram, porque a velha Sra. Campbell é uma Pringle. Neste sábado à noite, Elizabeth... era Betty naquela noite, eu acho... desatou a cantar, quando ouvi discretamente a Mulher dizer a ela pela porta da varanda: 'O dia da missa está próximo demais para você cantar essa música'. Certamente, a Mulher não deixaria Elizabeth cantar em qualquer dia, se conseguisse!

"Elizabeth usava um vestido novo naquela noite, cor de vinho escuro... que não a vestia bem... E ela disse com pesar: 'Pensei que pudesse ficar bonita com este vestido esta noite, Srta. Shirley, e gostaria que meu pai pudesse me ver com ele. Certamente ele virá amanhã, porém, às vezes, parece não chegar. Queria apressar o tempo, Srta. Shirley.

"Agora, querido, tenho que fazer alguns exercícios de geometria. Os exercícios de geometria tomaram o lugar do que Rebecca Dew chama de 'textos literários'. A figura que assombra meu caminho diariamente é o terror de um exercício que não consigo resolver surgir na aula. Imagina o que diriam, os Pringles...

"Nesse meio-tempo, como me ama e também aos gatos, reze pelo pobre gatinho, que está com o coração partido. Um rato passou em cima do pé de Rebecca Dew na despensa, e ela tem bufado desde então.'Ele não faz nada além de dormir, comer e deixar os ratos invadirem a casa'. Isso foi a gota d'água. Com isso, ela persegue o gato, de um lado para o outro, retira-o de sua almofada preferida, e... sei, porque vi... o ajuda, sem gentileza alguma, a sair de casa usando o pé."

CAPÍTULO 7

Em uma noite de sexta-feira, após um dia tranquilo e ensolarado de dezembro, Anne foi a Lowvale para um jantar de peru. A residência de Wilfred Bryce ficava em Lowvale, onde residia com seu tio, e ela perguntou timidamente se ela a acompanharia depois da escola, para um jantar de perus na igreja e se poderia passar o sábado em sua casa. Anne aceitou o convite, na expectativa de conseguir convencer seu tio, para Wilfred estudar todo o ensino médio. Wilfred temia não retornar após a passagem do Ano-Novo. Ele era um jovem genial e astuto. Anne tinha um carinho especial por ele.

A visita não foi "aquela visita", mas compensou pelo prazer que trouxe a Wilfred. Os seus tios eram um casal muito esquisito e ignorante. O sábado amanheceu com muito vento e bem escuro, havia pancadas de neve, e Anne pensava como seria o dia. Estava cansada e sonolenta, após horas cansativas no jantar de peru; Wilfred a ajudou a convencer; não havia um livro sequer à vista. Assim, Anne pensou no esboço do velho marinheiro, que ela havia visto no final do corredor do andar de cima, e se recordou do pedido da Sra. Stanton. A Sra. Stanton escrevia uma história sobre o condado de Prince, e tinha perguntado para Anne se ela tinha conhecimento ou saberia onde encontrar algum diário ou documento antigo, que lhe pudesse ser útil para a história.

— Certamente os Pringles teriam muitas literaturas que poderiam ser usadas — comentou para Anne. — Porém, não tenho como perguntar a eles. Como você mesma sabe, Pringles e Stantons jamais foram amigos.

— E eu também não — comentou Anne.

— Ah, sim... não espero que você peça. Mas, gostaria que você mantivesse seus olhos atentos quando estiver visitando a casa de alguma pessoa, e se você vir ou ouvir algo sobre algum diário, mapa antigo, texto ou algo do tipo, tente pegar emprestado para mim. Você não imagina o que eu já encontrei de interessante em velhos diários... são pedacinhos da vida real, que fazem os antigos pioneiros voltarem à vida. Eu preciso de materiais como este para o meu livro, bem como estudos, estatísticas e árvores genealógicas.

Anne, então, perguntou à Sra. Bryce se havia algum registro antigo da sua família. A senhora Bryce balançou a cabeça negativamente.

— Não que eu saiba... — seu rosto brilhou — pensando bem... Tem o baú do meu velho tio Andy guardado no andar de cima. Pode haver algo nele. Ele navegava com o velho capitão Abraham Pringle. Vou perguntar a Duncan se você pode "levá".

Duncan mandou avisar que, poderia "levá" e tudo mais que ela quisesse, e se encontrasse algum "dócumentu", ela poderia ficar com ele. De qualquer maneira, ele já pretendia atear fogo em tudo e usar o velho baú como caixa de ferramentas. Então Anne o levou, porém, tudo o que encontrou foi um antigo diário, ou "registro", com páginas amareladas que Andy Bryce havia escrito durante durante todos aqueles anos no mar. Anne aproveitou a tempestade para lê-lo por curiosidade e diversão. Andy escreveu as rotinas das viagens no mar, e foram muitas as viagens com o capitão Abraham Pringle, a quem notoriamente admirava. O pequeno diário estava repleto de homenagens, mal escritas e com muitos erros gramaticais, sobre a coragem e as aventuras do capitão, em especial sobre uma empreitada selvagem de contornar o Cabo Horn. Porém, sua admiração não passava para o irmão de Abraham, Myrom, que também era capitão, mas de outro navio.

"Myrom Pringle, certa noite em que sua esposa o deixou furioso, levantou-se e jogou um copo d´água no rosto dela."

"Myrom estava em casa. O seu navio tinha sido queimado e invadiram suas embarcação. Quase morro de fome. Por fim, eles comeram o Jonas Selkirk, que atirou nele mesmo. Eles sobreviviam por causa dele, até que a Mary G. tirou eles de lá. O próprio Myrom me contou isso. Ele falou como si fosse uma piada das boas."

Anne ficou assustada com essa última história, que parecia ainda mais terrível com a narração desapaixonada de Andy, sobre os fatos obscuros. Com isso, Anne saiu em devaneio. Não tinha nada no livro que pudesse ter utilidade para a Sra. Stanton, porém, não estariam as Senhoritas Sarah e Ellen interessadas no diário? Continha muito sobre o seu velho pai adorado, ela não deveria entregá-lo para elas? Duncan Bryce havia dito que poderia fazer o que ela quisesse.

Não, ela não deveria. Por que ela deveria agradá-las ou satisfazer ainda mais o imenso orgulho, que já era enorme o suficiente agora, com esse material? Elas se esforçaram para expulsá-la da escola, e estavam tendo êxito nos seus planos. Elas e todo o seu clã a esnobaram.

Naquela noite, Wilfred acompanhou Anne até Windy Poplars, as duas estavam muito felizes. Anne conseguiu convencer Duncan Bryce a deixar Wilfred finalizar o seu ensino médio.

— Então estudarei no Queen's por mais um ano, e com isso, aprenderei a me educar — disse Wilfred. — Como poderei lhe retribuir, Srta. Shirley? Meu tio não teria escutado ninguém, mas gostou de você. Certa vez, no celeiro, me disse: "As mulheres ruivas sempre conseguiriam o que quisessem comigo". Porém, não acredito que seja somente a cor do seu cabelo, Srta. Shirley, mesmo sendo lindo. Era somente... você.

Anne levantou às duas horas da madrugada, e resolveu que mandaria o diário de Andy Bryce para Maplehurst. Enfim, ela adora aquelas velhinhas. E elas tinham tão pouco para animar suas vidas... tinham apenas o orgulho de seu pai. Às três horas levantou novamente, e resolveu não mandar. A senhorita Sarah fingia ser surda, de fato! Às quatro horas, ela mudou de ideia novamente. Por fim, ela resolveu que iria entregar a elas, ela não seria mesquinha. Anne odiava ser mesquinha... como aqueles Pyes.

Enfim resolvido, Anne conseguiu dormir, pensando em como seria adorável levantar à noite e ver a primeira tempestade de neve daquele inverno, em seu quarto na torre, depois acomodar-se com seus cobertores e adentrar no mundo dos sonhos.

Segunda pela manhã, Anne embrulhou o velho diário com um pequeno bilhete, cuidadosamente, e o levou para a Srta. Sarah.

"CARA SENHORITA PRINGLE:

O Sr. Bryce comentou que a Sra. Stanton está escrevendo uma história sobre o condado. Gostaria de saber se estaria interessada neste velho diário. Não sei se seria útil para ela, então, imaginei que gostaria de ficar com ele.

Meus cumprimentos,
Anne Shirley."

"Acho que o bilhete ficou breve", Anne pensou, "contudo, não consigo escrever com naturalidade para ela. Não ficaria surpresa se me mandasse de volta rapidamente."

Em uma noite azul-clara de inverno, Rebecca Dew teve a maior surpresa da sua vida. A carruagem dos Maplehurst chegou em Spook's Lane, sobre a pequena camada de neve, e estacionou em frente ao portão da casa. Senhorita Ellen desceu da carruagem e depois... para a surpresa de todos... Senhorita Sarah, saiu da casa dos Maplehurst, após dez anos sem sair.

— Elas estão chegando na porta da frente — comentou Rebecca Dew, com espanto.

— Onde mais os Pringle poderiam ir? — questionou tia Kate.

— É claro... claro... mas está emperrada — disse Rebecca Dew, tragicamente. — Você sabe que está... Não foi aberta desde a limpeza da última primavera. Esta *é* a última gota.

A porta da frente realmente estava emperrada... mas Rebecca Dew conseguiu abri-la usando certa violência, convidando as senhoras de Maplehurst para adentrar.

"Graças a Deus, não houve um incêndio hoje", pensou, "e tudo o que espero é que a nossa gata não tenha se penteado no sofá. Imagine, Sarah Pringle com pelos de gato no vestido vindos de nossa sala de estar..."

Rebecca Dew não queria imaginar as consequências. Chamou Anne que estava em seu quarto na torre, pois a Senhorita Sarah perguntou se a Srta. Shirley estava. Anne saiu de seu quarto e se dirigiu à cozinha, repleta de curiosidade sobre por que que diabos estas velhas Pringle estavam ali para falar com Srta. Shirley.

— Será que haverá mais problema de perseguição? — disse Rebecca Dew ansiosa.

A própria Anne veio ansiosa. Será que vieram me devolver o diário, com aquele desprezo?

A pequena Senhorita Sarah, enrugada e ríspida, levantou-se e disse sem rodeios assim que Anne entrou na sala:

— Viemos para capitular! — disse com amargura. — Não temos outra opção... decerto que você já sabia disso assim que encontrou aquele diário escandaloso sobre o nosso pobre tio Myrom. Não é verdade... não tem como ser verdade. Tio Myrom estava apenas brincando com Andy Bryce... Andy era tão ingênuo. Mas todos que não são da nossa família iriam rir, você sabia que seríamos motivo de chacota... e pior. Oh, você foi muito sagaz. Admitimos isso. Jen irá se desculpar e se comportará daqui em diante... E eu, Sarah Pringle, lhe asseguro disso. Caso me prometa que não contará à Sra. Stanton... ou melhor, se não contar para ninguém... faremos o que quiser... o que quiser.

A senhorita Sarah apertou seu lenço de renda fina nas mãozinhas, deixando à mostra suas veias azuis. Ela estava tremendo de nervosismo.

Anne se assustou... e ficou horrorizada. As pobres velhas queridas! Elas acharam que eu as estava ameaçando!

— Oh, você me entendeu mal — exclamou, pegando as mãos da pobre e piedosa senhorita Sarah. — Eu... Eu jamais imaginei que pensaria, que eu estaria tentando... Oh, foi apenas porque pensei que gostaria de ter todas aquelas lembranças interessantes sobre seu maravilhoso pai. Jamais pensei em mostrar ou contar a outras pessoas uma linha sequer. Acreditei que não haveria a menor importância. E jamais o faria.

Houve um período de silêncio. Sarah soltou suas mãos gentilmente, colocou o lenço em seus olhos e se sentou, e com um leve pesar em seu rosto enrugado, disse:

— Nós... tivemos um mal-entendido com você, minha querida. E nós temos... temos sido más com você. Você conseguiria nos perdoar?

Meia hora depois... meia hora que foi uma eternidade para Rebecca Dew... a senhorita Pringle foi embora. Meia hora com conversas amigáveis e histórias sobre os acontecimentos do diário de Andy. Na entrada da casa, Srta. Sarah... que não teve o menor problema com sua audição durante a conversa... retornou em certo momento e trouxe um pedaço de papel, coberto com uma letra muito fina e nítida, de sua bolsa.

— Já estava me esquecendo... Prometemos à Sra. MacLean a nossa receita do bolo de libra já faz algum tempo. Você se importa de entregá-la para ela? E diga a ela que o processo de evaporação é de suma importância. Ellen, o seu chapéu está acima de sua orelha. É melhor arrumá-lo antes de sairmos. Nós... estávamos apressadas enquanto nos arrumávamos.

Anne comentou às viúvas e a Rebecca Dew que havia entregado o velho diário de Andy Bryce às senhoras de Maplehurst, e que elas foram para agradecê-la. Dada a explicação, elas tiveram que se conformar, embora Rebecca Dew achasse que havia mais por trás de tudo isso... muito mais. Para ela, a gratidão por um antigo e desbotado diário manchado de tabaco jamais levaria Sarah Pringle à porta da frente de Windy Poplars. A Srta. Shirley é esperta... muito esperta!

— Vou abrir a porta da frente uma vez por dia, depois disso — prometeu Rebecca Dew — só para mantê-la usável. Quase caí dura quando a porta abriu. Bem, de qualquer forma, temos a receita do bolo de libra. São trinta e seis ovos! Se você quiser se livrar deste gato e cuidar de galinhas, poderemos fazer uma vez ao ano.

Após isso, Rebecca Dew se dirigiu à cozinha e deu leite ao gato quando soube que ele queria mesmo era um fígado.

A rixa de Shirley com os Pringles havia terminado. Ninguém além dos Pringles sabia o porquê, porém, as pessoas de Summerside acreditavam que a Srta. Shirley, havia somente, de alguma maneira misteriosa, derrotado toda aquela família, que comia em sua mão a partir daquele dia. Jen retornou para a escola no dia seguinte, e ainda pediu desculpas humildemente para Anne, antes de entrar na sala de aula. Ela se tornou uma aluna exemplar, e todos os alunos de Pringle seguiram o seu exemplo. Quanto aos Pringles adultos, sua superioridade desapareceu, como névoa diante do sol. Não houve mais reclamações sobre "disciplina" ou lição de casa. Chega de desprezos sutis e superioridade. Eles eram sempre gentis com Anne. Nenhum baile de dança ou patinação estava completo sem Anne. Embora o diário tivesse sido comprometedor, pelas próprias palavras da senhorita Sarah, a memória da Srta. Shirley tinha o que contar se ela quisesse contar. Jamais seria bom se a intrometida Sra. Stanton soubesse que o capitão Myrom Pringle havia sido um canibal!

CAPÍTULO 8

(Retirado da carta para Gilbert)

Estou em meu quarto, na torre, e Rebecca Dew está cantando "posso eu fazer qualquer coisa a não ser subir?" na cozinha. O que me fez lembrar da esposa do pastor, que me pediu para cantar no coral! É certo que os Pringles disseram para ela fazer isso. Eu posso cantar aos domingos que não estarei em Green Gables. Os Pringles estenderam a mão direita da irmandade, e com uma de vingança... eu aceitei na hora. Que família!

Eu já fui em três eventos dos Pringles. Não que eu seja maldosa, mas acredito que todas as garotas de Pringle estão imitando meu penteado. Bem, "imitação é a mais sincera forma de elogio". E, Gilbert, realmente estou gostando deles... como eu sabia que gostaria, se eles me dessem uma chance. Estou começando a acreditar que, mais cedo ou mais tarde, gostarei de Jen. Ela consegue ser encantadora quando quer ser, e é muito deselegante quando quer.

Na noite de ontem, entrei na toca do leão... em outras palavras, entrei com ousadia pelos degraus da frente de Evergreens, até a varanda com as quatro urnas de ferro enbranquecidas nos cantos, e toquei a campainha da casa. Assim que a senhorita Monkman chegou até a porta, perguntei se poderia passear com a pequena Elizabeth. Esperava uma recusa, porém, depois que a Mulher entrou e conversou com a Sra. Campbell, ela retornou dizendo, com severidade, que Elizabeth poderia ir, porém, por favor, não era para chegar tarde. Fico imaginando se a Sra. Campbell atendeu seus pedidos pela Srta. Sarah.

Elizabeth, então, desceu as escadas escuras, parecia uma duende de casaco vermelho com gorro verde, quase não achava palavras de tanta alegria.

— Me sinto tão animada e viva, Srta. Shirley — ela comentou quando saímos. — Agora sou a Betty... sempre sou a Betty quando me sinto assim.

Caminhamos pela estrada que leva ao fim do mundo, tanto quanto ousamos e retornamos. O porto, esta noite, escuro sob um pôr do sol avermelhado, parecia estar repleto de inspirações de "terras feéricas perdidas" e ilhas em mares não venturados.

— Se corrêssemos rapidamente, Srta. Shirley, conseguiríamos entrar no pôr do sol? — perguntou. Isso me lembrou de Paul e suas fantasias sobre a "terra do pôr do sol".

— Precisamos aguardar o amanhecer, antes de conseguirmos fazer isso — eu disse. — Veja, Elizabeth, aquela ilha com nuvens douradas logo acima do reflexo do porto. Vamos imaginar que é a sua Ilha da Alegria.

— Tem uma ilha lá, em algum lugar — disse Elizabeth, imaginando. — E seu nome é Nuvem Voadora. Não é adorável... um nome que nasceu do Amanhã? Eu consigo vê-la pelas janelas do sótão. Ela pertence a um cavalheiro de Boston e ele possui uma casa de veraneio lá. Mas eu imagino que a ilha é minha.

Chegando à porta, abaixei-me e beijei Elizabeth, antes que ela entrasse. Nunca me esquecerei dos seus olhos. Gilbert, ela está faminta por amor.

— Esta noite, quando veio buscar o leite, percebi que ela estava chorando.

— Elas... elas me fizeram lavar o seu beijo, Srta. Shirley — ela disse, soluçando. — Eu não queria, de forma alguma, lavar o meu rosto. E havia prometido que não iria. Porque, entenda, não queria lavar o seu beijo. Fui até a escola hoje de manhã sem lavá-lo, porém, hoje à noite a Mulher me lavou e esfregou.

Eu fiquei com a cara séria.

— Você não poderia passar a vida sem lavar o rosto de vez em quando, querida. Porém, não se preocupe com o beijo. Porque eu a beijarei por todas as noites quando vier buscar o leite, e não importa se ela lavá-lo.

— Você é a única pessoa que me ama neste mundo — comentou Elizabeth. — Quando você conversa comigo, eu sinto o cheiro de violetas.

Alguém já lhe fez um elogio mais bonito? Mas não consegui deixar passar essa primeira frase.

— A sua avó a ama, Elizabeth.

— Ela não... ela me odeia.

— Como você é tolinha, querida. A sua avó e a senhorita Monkman são pessoas mais velhas, e as pessoas mais velhas se irritam e se preocupam muito facilmente. É claro que você, às vezes, as irrita. E... é certo... na juventude delas, as crianças eram criadas com muito mais rigidez do que são agora. Elas foram educadas à moda antiga.

Senti que não consegui convencer Elizabeth. Afinal de contas, elas não a amavam, e ela sabia. Então, ela olhou atentamente para a porta da casa, para ver se estava fechada. Então me disse propositalmente:

— A minha avó e a Mulher são duas velhas tiranas e, assim que o amanhã chegar, vou fugir delas para sempre.

Creio que ela esperava que eu morresse de medo... Tenho suspeita, de que Elizabeth tenha me dito isso somente para fazer um desabafo. Eu apenas sorri e a beijei. Gostaria que Martha Monkman tivesse visto pela janela da cozinha.

Consigo ver Summerside da janela esquerda do quarto da torre. Agora vejo um amontoado de telhados brancos amigáveis... certamente amigáveis, agora que os Pringles são meus amigos. Aqui e ali, uma luz brilha em telhados e em edículas. Vejo uma nuvem de fumaça que parece um fantasma cinza. E as grandes estrelas se debruçam sobre tudo isso. Estou em "uma cidade de sonhos". Não é uma frase adorável? Você se lembra de "Galahad, através de cidades de sonhos, se foi"?

Estou tão feliz, Gilbert. Não precisarei retornar para casa em Green Gables, derrotada e desanimada, neste Natal. A vida é maravilhosa... e muito boa! Como o bolo de libra da Srta. Sarah. Rebecca Dew fez um e seguiu todas as instruções... O que na verdade significa que ela embrulhou o bolo em várias camadas de papel pardo, em várias toalhas de pano e o deixou descansar por três dias. Eu recomendo.

Há ou não há, duas letras "c" em recomendo? Mesmo sendo bacharel, não consigo ter certeza. Imagine se os Pringles descobrissem isso antes que eu localizasse o velho diário de Andy!

CAPÍTULO 9

Trix Taylor se encontrava tranquila no quarto da torre, certa noite de fevereiro, enquanto pequenos flocos de neve uivavam contra as janelas, e aquele fogão absurdamente pequeno ronronava como um gato preto em chamas. Trix derramava seus lamentos para Anne. Anne estava se achando a ouvinte de confidências, por todos lados onde passava. Todos a conheciam por estar noiva, então, nenhuma garota de Summerside a temia como sendo uma possível rival, e havia algo em Anne que fazia com que as pessoas contassem seus segredos e se sentissem seguras.

Trix convidou Anne para jantar na noite seguinte. Ela era uma gordinha alegre, com olhos castanhos reluzentes e bochechas rosadas, e parecia que a vida não tinha peso no auge de seus vinte anos. Mas tudo indicava que ela tinha seus próprios problemas.

— O Dr. Lennox Carter irá em casa jantar amanhã à noite. Este é o motivo especial pelo qual queremos sua presença. Ele foi nomeado chefe do Departamento de Línguas Modernas de Redmond, é incrivelmente sagaz, e queremos alguém com tamanha inteligência para falar com ele. Certamente, sabe que não tenho nada para me gabar, nem Pringle... Quanto a Esme... então, Anne, Esme é a pessoa mais doce, e ela é muito inteligente, porém é muito tímida, é tão tímida que nem consegue usar seu cérebro quando o Dr. Carter está perto dela. Ela está terrivelmente apaixonada por ele. É uma lástima. E gosto muito de Johnny... porém, não me derreto desse jeito por ele!

— A Esme e o Dr. Carter já estão noivos?

— Ainda não... — formalmente. — Porém, oh, Anne, ela está aguardando que ele a peça em casamento desta vez. Ele viria à ilha para visitar sua prima, no meio do semestre, se não tivesse intenção de pedir? Tomara que sim, pelo bem de Esme, pois, caso contrário, ela morrerá. Mas, cá entre nós, não o vejo como um cunhado. Ele é muito exigente, disse a Esme, e está desesperadamente com medo de não nos aprovar. Caso não aprove, ela acredita que ele jamais a pedirá em casamento. Enfim, você não imagina o quanto ela está aguardando, para que corra tudo bem neste jantar de amanhã. Não sei por que não correria... A mamãe é uma cozinheira de mão cheia... temos uma excelente empregada e ofereci metade da minha mesada para o Pringle se comportar. É claro que ele também não admira o Dr. Carter... diz que ele se acha muito... mas gosta da Esme. Mas se ao menos o papai não ficar de mal humor!

— Mas você tem algum motivo para temer isso? — questionou Anne. — Todos aqui em Summerside sabem dos ataques de mal humor de Cyrus Taylor.

— Nunca se sabe quando ele terá um — disse Trix, angustiada. — Esta noite, ele estava muito chateado porque não havia encontrado seu pijama novo de flanela.

Esme tinha colocado em outra gaveta. Ele pode já ter superado isso amanhã à noite, ou talvez não. Caso não, ele jogará nossa família na desgraça, e o Dr. Carter terá certeza de que não pode se casar com alguém desta família. Ao menos, foi o que Esme comentou, e, certamente, ela tem razão. Lennox Carter ama Esme, eu acho, Anne... acredito que ela seria uma "esposa ideal" para ele... porém, não quer antecipar nada ou jogar fora seu ego. Disseram que ele comentou com seu primo que um homem não podia deixar de ter cuidado quanto ao tipo de família com quem se casa. E ele está a ponto de tomar uma decisão com base em uma trivialidade. E, se for o caso, um dos surtos do papai não é qualquer trivialidade.

— Cyrus não gosta do Dr. Carter?

— Então, ele acredita que seria um parceiro maravilhoso para Esme. Mas quando o papai surta do jeito que costuma fazer, ninguém consegue fazê-lo mudar de ideia. Eis um exemplo de Pringle para você, Anne. A avó Taylor era uma Pringle. Simplesmente, não se pode imaginar o que já passamos em nossa família. Ele não fica bravo, você sabe... como fica o tio George. Os familiares do tio George não se importam com a braveza dele. O seu temperamento explosivo... você consegue ouvi-lo gritando a três quarteirões de distância... e logo depois, ele é igual um cordeiro, e traz para cada uma da família, um vestido novo, como pedido de desculpas. Mas o pai só faz bico e fica bravo, e não fala nada para ninguém durante as refeições. Esme comenta que, apesar de tudo, é melhor do que seu primo Richard Taylor, que fica dizendo frases sarcásticas à mesa toda hora, e insultando a sua esposa, mas acredito que nada poderia ser pior do que os tenebrosos silêncios de papai. Acabam nos abalando, e ficamos com pavor de falar algo. É certo que, não seria tão ruim se acontecesse apenas quando estivéssemos sozinhos. Porém, acontece quando temos companhia. Eu e Esme estamos cansadas demais para explicar os silêncios tenebrosos de papai. Ela está enjoada de medo de que ele não supere a história do pijama antes de amanhã à noite... o que Lennox pensará? E ela quer que use o seu vestido azul. O vestido novo dela é azul porque Lennox adora azul. O pior é que o papai odeia. O seu vestido pode combinar com o dela.

— Mas, não seria melhor ela usar outro vestido?

— Ela não tem nada para usar além de vestidos que serviriam para um jantar da empresa, com exceção de um vestido verde de popelina que meu pai lhe deu de Natal. E é um vestido admirável por si só... Nosso pai gosta que tenhamos vestidos admiráveis... Mas você não consegue imaginar como Esme fica horrível usando verde. O Pringle diz que ela dá a impressão de estar nos últimos dias de sua vida. Já o primo de Lennox Carter comentou com Esme que jamais se casaria com uma pessoa delicada. Eu estou mais que feliz pelo Johnny não ser tão exigente.

— E você já comentou com seu pai sobre o seu noivado com Johnny? — questionou Anne, que sabia tudo do caso de amor de Trix.

— Ainda não — a pobre Trix tremeu. — Eu não consigo encontrar coragem, Anne! Sei que ele fará uma cena de horror. Papai nunca foi tão aficionado pelo Johnny, só porque ele é pobre. Papai se de esqueceu que ele era ainda mais pobre do que Johnny quando iniciou seus negócios de equipamentos mecânicos. É certo que terei que avisá-lo em breve... porém, vou aguardar até que o caso de Esme seja resolvido.

Certamente, papai não falará com nenhuma de nós por semanas assim que eu contar, e mamãe ficará angustiada. Ela não suporta ver papai aborrecido. Ficamos covardes diante de papai. É óbvio que Esme e mamãe são sempre tímidas com os outros, mas eu e os Pringle temos muita energia. Mas é apenas o papai que pode nos amedrontar. Às vezes, acredito que seria bom se houvesse alguém para nos auxiliar... porém, não temos, e ficamos apenas apáticas. Não consegue imaginar, Anne querida, como é um jantar de empresa quando papai está de péssimo humor. Contudo, caso se comporte bem amanhã, eu o perdoarei para sempre. Ele consegue ser muito agradável quando quer... Papai é definitivamente como uma garotinha de Longfellow... "quando é bom, é muito, muito bom, mas, quando é ruim, é terrível". Eu que sei!

— Na noite em que jantamos no mês passado, ele foi muito bacana.

— Ah, isso porque ele gosta de você, como já lhe disse. E essa é uma das razões pelas quais fazemos questão de você estar. Você consegue ser uma boa influência sobre ele. Não estamos esquecendo nada que possa agradá-lo. Mas quando está de mau humor, ele parece odiar tudo e a todos. De qualquer maneira, o jantar já está organizado, com uma belíssima sobremesa de creme de laranja. Mamãe diz que todos os homens do mundo, exceto papai, gostam de torta para a sobremesa, sendo melhor do que qualquer outra sobremesa... mesmo os professores de línguas contemporâneas. Para papai, não, por isso jamais faria esta sobremesa amanhã à noite, quando muito depende desse jantar. Porque creme de laranja é a sobremesa preferida de papai. Enquanto para o pobre Johnny e para mim, acredito que teremos que fugir algum dia, mas papai jamais irá me perdoar.

— Creio que se tiver coragem o bastante para lhe contar, e suportar o resultado, descobriria que ele aceitaria amavelmente, e você ficaria a salvo desta angústia.

— Fala isso porque não conhece o papai — comentou Trix tristemente.

— Quem sabe eu o conheça até melhor do que você. Você já perdeu suas esperanças.

— Perdi as minhas... o quê? Querida Anne, lembre-se de que não tenho formação. Só fui aprovada no colegial. Adoraria ter ido para a faculdade, mas papai não gosta que mulheres façam ensino superior.

— O que quis dizer é que você está muito próxima dele para poder entendê-lo. Uma pessoa estranha poderia muito bem entendê-lo com mais clareza... conseguiria entendê-lo melhor.

— Compreendo que nada pode influenciar papai a mudar de ideia, se ele já tiver resolvido, não... nada. E ele tem orgulho disso.

— Então por que todas vocês, não continuam falando como se não houvesse problema?

— Nós não conseguimos... Eu só falei que ele nos imobiliza. Irá ver amanhã à noite, se ele não tiver encontrado seu pijama. Não sei como, mas ele consegue. Nós não nos importamos tanto com o quão mal humorado ele ficará, se ele apenas falar. O silêncio é que nos magoa. Jamais perdoarei papai se ele agir assim amanhã à noite, quando muita coisa está para se resolver.

— Vamos crer no melhor, minha querida.

— Estou trêmula. E tenho certeza que você nos ajudará. Mamãe acha que devíamos ter convidado Katherine Brooke, mas sabemos que não causaria um bom resultado sobre o papai. Afinal, ele tem aversão a ela, e não devo culpá-lo por isso, acredito. Não vejo utilidade nela. Não sei como você consegue ser tão gentil com ela.

— Eu sinto pena dela, Trix.

— Sente pena! Mas é tudo culpa dela mesma. Então, bem, todos os tipos de pessoas, são necessárias para compor o mundo... Mas Summerside poderia nos poupar de ficar com Katherine Brooke...

— Mas ela é uma professora extraordinária, Trix...

— Oh, e eu não sei? Fui da classe dela. Ela ficou enchendo minha cabeça de coisas... E me esfolado os ossos, com todo o seu sarcasmo. E a forma como que ela se veste! Papai não suporta mulheres malvestidas. Ele comenta que mulheres descuidadas não prestam para nada, e ele tem certeza de que Deus também tem esse pensamento. Mamãe ficaria aterrorizada se descobrisse que comentei isso com você, Anne. Ela entende isso no papai por ele ser homem, mas nós tivemos que pedir desculpas! E o pobre Johnny, agora, quase não ousa ir lá em casa porque papai sempre foi muito grosseiro com ele.

Anne respirou aliviada assim que Trix foi embora, e pediu um lanche para Rebecca Dew.

— Ir jantar na casa dos Taylors? Bem, espero que o senhor Cyrus seja educado. Se sua família não tivesse tanto medo dos seus ataques de mau humor, provavelmente ele não os teria com tanta frequência, disso eu tenho certeza. Eu lhe digo, Srta. Shirley, ele gosta de ficar mau humorado. Agora, suponho que tenho que aquecer o leite daquele gato. Que animal mal-acostumado!

CAPÍTULO 10

Assim que Anne chegou à casa dos Taylor, na noite seguinte, sentiu aquele clima na atmosfera quando entrou pela porta. Uma serviçal elegante a levou até o quarto de hóspedes, porém, enquanto Anne subia as escadas, avistou a Sra. Taylor sair correndo da sala de jantar para a cozinha, e viu que ela estava limpando as lágrimas com seu vestido, mas mesmo desanimada, ainda se encontrava com uma feição doce. Era óbvio que Cyrus ainda não havia "superado" a questão do pijama.

O fato foi confirmado por Trix, que entrou angustiada pela sala e murmurou nervosa.

— Oh, Anne, papai está de mau humor. Ele estava muito amável esta manhã, então nós ficamos esperançosas. Porém, Hugh Pringle ganhou dele em um jogo de damas esta tarde, e papai não *suporta* perder em um jogo de damas. E é claro que tinha que acontecer justo hoje! Papai avistou Esme "se admirando em frente ao espelho", como ele mesmo disse, e simplesmente a tirou do quarto e trancou a porta. A pobre menina estava apenas se perguntando se ela estava bonita o suficiente para agradar o Dr. Lennox Carter. Não teve a oportunidade nem de colocar o seu colar de pérolas. E olhe para mim, mal consegui arrumar meu cabelo... Papai não gosta de cachos que não sejam naturais... e estou parecendo que levei um susto. Não que eu me importe com isso... estou apenas comentando com você. Papai jogou fora as flores que mamãe colocou na mesa da sala de jantar, e ela ficou muito chateada... ela teve tanto trabalho com elas... e ele não a deixou colocar os brincos de granada. Ele não teve uma crise tão ruim desde que chegou em casa na primavera passada e descobriu que mamãe havia trocado as cortinas e colocado as vermelhas na sala de estar, quando ele gostava das de cor de amora. Oh, Anne, converse o máximo que conseguir no jantar, se ele não conversar. Senão, será horrível!

— Eu farei o melhor — garantiu Anne, que certamente jamais se viu tão perdida, quanto ao que dizer.

Ela nunca se viu em uma situação tão desconfortável como aquela.

Estavam todos reunidos em volta da mesa... a mesa estava muito linda e decorada, apesar da falta das flores. A tímida Sra. Taylor usava um vestido de seda cinza e estava como o rosto ainda mais cinza que o seu vestido. Esme era a beleza da família... mas uma beleza bem pálida; com pálidos cabelos loiros, pálidos lábios rosados, pálidos olhos azuis como a flor Não-me-esqueças... estava tão pálida que parecia que ia desmaiar a qualquer momento. Pringle, que era um garoto gordinho e alegre de 14 anos, com olhos redondos, óculos e cabelos tão louros que eram quase brancos, estava parecendo um cachorro amarrado, e Trix estava com a aparência de uma garotinha de escola aterrorizada.

O Dr. Carter, que era inegavelmente elegante e de aparência distinta, com seus cabelos escuros, olhos escuros brilhantes e óculos com armação prateada, a quem Anne julgou, em sua época como professor-assistente em Redmond, como um jovem pomposo, agora lhe parecia estar pouco à vontade. Obviamente, ele pressentiu que algo estava diferente naquele lugar... era uma conclusão clara a se chegar quando seu anfitrião simplesmente se senta à cabeceira da mesa sem dizer uma só palavra para você ou qualquer outra pessoa.

Cyrus não fez as preces. A Sra. Taylor, avermelhando-se como uma beterraba, murmurou de forma quase inaudível:

— Graças, Senhor, pela refeição que estamos prestes a receber.

A refeição mal começou e Esme, nervosa, deixou o garfo cair no chão. Todos, exceto Cyrus, se assustaram, uma vez que seus nervos estavam à flor da pele. Cyrus encarou Esme com seus olhos azuis esbugalhados, em uma espécie de quietude enraivecida. Então, ele olhou furiosamente para todos, congelando-os em seus lugares. Ele fulminou a pobre Sra. Taylor quando ela tomou uma colher de sopa de rábano, com um olhar que a lembrou que seu estômago era fraco. A Sra. Taylor não conseguiu comer mais nada depois disso... e ela gosta muito de sopa. Ela não conseguia acreditar que aquilo lhe faria mal, mas, de qualquer forma, não conseguiu comer mais nada, e Esme tampouco. Elas apenas fingiram que estavam comendo. Aquela refeição continuou em um terrível silêncio, quebrado apenas por comentários sobre o tempo feitos por Trix e Anne. Trix implorava para Anne, com seus olhos, para falar alguma coisa, porém, Anne, pela primeira vez na vida, não conseguia dizer absolutamente nada. Ela sentia que deveria falar algo, mas apenas tolices lhe vieram à cabeça... coisas que jamais pronunciaria em voz alta. Estariam todos enfeitiçados? Era estranho o efeito que um homem zangado e teimoso podia causar, e Anne não imaginava que aquilo fosse possível. Sem dúvida alguma, ele estava muito feliz em saber que deixara todos em sua mesa muito desconfortáveis. Que diabos acontecia em sua cabeça? Ele saltaria caso alguém espetasse um palito nele? Anne gostaria de lhe dar um tapa... bater na ponta dos seus dedos... colocá-lo de castigo em um canto... tratá-lo como a criança mimada que ele era, apesar de ter cabelos grisalhos e bigode grosso.

Acima de tudo, ela queria fazer com que ele falasse. Anne sentia que nada no mundo o puniria tanto se conseguisse que ele falasse quando estava certo de que não o faria.

Imagine se ela se levantasse e quebrasse deliberadamente o grande vaso feio e antiquado que estava na mesa no canto... um objeto enfeitado e coberto por grinaldas de rosas e folhas que só serviam para acumular pó, mas deveriam ser mantidas imaculadamente limpas. Anne sabia que a família toda odiava o vaso, porém, Cyrus Taylor não queria saber de levá-lo para o sótão, porque tinha sido da sua mãe. Anne acreditou que o quebraria sem medo, se realmente soubesse que faria Cyrus estourar em fúria.

E por que Lennox Carter não falava nada? Se ele conversasse, Anne também conversaria, e talvez Trix e Pringle escapassem daquele feitiço que os unia, e alguma conversa sairia. Mas, simplesmente ficou quieto, sentado e comendo. Talvez acreditasse que realmente era a melhor coisa a fazer... certamente estava com medo de dizer algo que poderia enfurecer ainda mais aquele pai claramente enfurecido.

— Você poderia me passar os picles, Srta. Shirley? — pediu a Sra. Taylor.

Uma ideia perversa se agitou em Anne. Ela passou os picles... e algo mais. Sem parar para pensar, inclinou-se para a frente, seus olhos grandes cinza-esverdeados brilhavam, e disse cordialmente:

— Você sabia, Dr. Carter, que o Sr. Taylor ficou surdo de repente, na semana passada?

Anne se sentou após arremessar a bomba. Ela não previa exatamente o que lhe aguardava. Caso o Dr. Carter tivesse a impressão de que seu anfitrião era surdo, em vez de uma múmia silenciosa, poderia começar uma conversa. E ela não disse nenhuma mentira... não disse que Cyrus Taylor era completamente surdo! Quanto a Cyrus Taylor, quem ela esperava fazer falar, não obteve sucesso. Ele apenas a encarou, ainda com todo o seu silêncio.

Porém, o comentário de Anne surtiu um efeito sobre Trix e Pringle que jamais teria sonhado. Trix estava em uma fúria silenciosa. Ela havia, um momento antes de Anne lançar sua pergunta retórica, visto Esme enxugar furtivamente uma lágrima que escapou de um de seus desesperados olhos azuis. Estavam sem esperanças... Lennox Carter jamais pediria Esme em casamento agora... não importava mais o que dissessem ou fizessem. Trix estava possuída por um desejo ardente de afrontar o seu pai bruto. O comentário de Anne deu-lhe uma ideia peculiar, e Pringle, repleto de impiedade reprimida, piscou seus cílios brancos por um momento, e logo juntou-

-se a ela. Jamais, enquanto vivessem, Anne, Esme ou a Sra. Taylor esqueceriam os terríveis quinze minutos que se seguiram.

— Uma tremenda tragédia para o meu pobre papai — comentou Trix, dirigindo-se ao Dr. Carter, que estava do outro lado da mesa. — E ele tem apenas 68 anos.

Dois pequenos vincos surgiram nos cantos das narinas de Cyrus Taylor quando ouviu sua idade aumentada em seis anos. Porém, continuou calado.

— É muito prazeroso ter um jantar especial — comentou Pringle, clara e distintamente. — O que você pensaria, Dr. Carter, de um homem que faz com que sua família viva de frutas e ovos... nada mais que frutas e ovos... apenas por modismo?

— O seu pai...? — Carter começou a dizer, perplexo.

— O que pensaria de um marido que mordeu a sua esposa por ela ter colocado cortinas que ele não gostava... simplesmente a mordeu? — enfatizou Trix.

— Até o sangue escorrer — acrescentou Pringle.

— Quer dizer que seu pai...?

— E o que pensaria de um homem que cortou um vestido de seda de sua esposa apenas por achar que não combinava com ela? — Trix comentou.

— O que acha... — continuou Pringle — de um homem que recusa a ideia de sua esposa ter um cachorro?

— Sendo que ela adoraria ter um — adicionou Trix.

— O que você pensaria de um homem — continuou Pringle, que começava a se divertir imensamente — que daria à esposa um par de galochas de presente de Natal... nada além de um par de galochas?

— Galochas não aquecem o coração — admitiu o Dr. Carter. Os seus olhos encontraram com os de Anne, e ele sorriu. Anne recordou que jamais havia visto ele sorrir antes. Isso alterou seu rosto para melhor. O que Trix estava falando? Quem pensaria que ela poderia ser tão perversa?

— Já se perguntou, Dr. Carter, como deve ser terrível estar com um homem que não vê nenhum problema... nenhum... em pegar a carne assada, se não estiver do seu jeito, e arremessá-la na empregada?

— O Dr. Carter olhou aflito para Cyrus Taylor, como se surpreendesse que ele fizesse isso com alguém. Então, se recordou que seu anfitrião era surdo.

— E o que acharia de um homem que acredita que a Terra é plana? — perguntou Pringle.

Anne acreditou que Cyrus iria falar naquele momento. Um tremor passava por seu rosto, mas nenhuma palavra saiu de sua boca. Mesmo assim, ela tinha certeza que os seus bigodes estavam menos desafiadores.

— O que pensaria de um homem que permitiu que sua tia... sua única tia... fosse para um asilo? — perguntou Trix.

— E colocou sua vaca para pastar no cemitério? — comentou Pringle. — Summerside ainda não superou aquele ocorrido.

— O que pensaria de um homem que anota em seu diário, todos os dias, o que teve para o jantar? — perguntou Trix.

— O grande Pepys fazia isso — comentou Dr. Carter com outro sorriso.

Estava com uma voz de quem queria rir. Talvez não fosse tão pomposo, pensou Anne... apenas uma pessoa excessivamente tímida. Mas ela estava se sentindo aterrorizada, jamais quis que chegasse a este ponto. Ela descobriu que é muito mais fácil começar as coisas do que finalizá-las, e Trix e Pringle estavam sendo perversos. Eles não estavam dizendo que seu pai havia feito uma única dessas coisas. Anne imaginava Pringle dizendo, seus olhos ainda mais redondos com tamanha inocência: "Fiz essas perguntas ao Dr. Carter, somente para obter informações".

— O que acha — disse Trix — de um homem que lê as cartas de sua mulher?

— O que pensaria de um homem que foi a um funeral... funeral do pai... usando macacão? — Pringle perguntou.

O que mais eles diriam agora? A Sra. Taylor estava chorando e Esme estava calma, segurando o desespero. Nada importava. Ela olhou diretamente para o Dr. Carter, a quem achava que havia perdido para sempre. E pela primeira vez na em sua vida, teve que dizer uma coisa realmente sagaz.

— O que — ela calmamente perguntou — pensaria de um homem que passou o dia caçando gatinhos, filhotes de uma pobre gata que havia sido baleada, porque não conseguia pensar neles famintos?

Um silêncio esquisito ficou na sala. Trix e Pringle estavam envergonhados. Então a Sra. Taylor se impôs na conversa, sentindo-se no dever de apoiar Esme em relação ao seu pai.

— E ele consegue fazer crochê brilhantemente... fez a peça central mais linda para a mesa da sala no inverno passado, quando estava de cama com dores na lombar.

Todos temos algum limite, e Cyrus Taylor havia chegado ao seu. Furioso, deu um empurrão na cadeira para trás, que disparou rapidamente pelo chão liso e atingiu a mesinha em que estava o vaso. A mesa tombou e o vaso quebrou em mil pedacinhos. Cyrus, com suas sobrancelhas brancas e espessas repletas de ira, levantou-se e finalmente explodiu.

— Mulher, eu não faço crochê! Será possível que uma toalha desprezível vai acabar com a reputação de um homem para sempre? Fiquei tão mal com aquelas dores lombares que nem sabia o que estava fazendo. E eu sou surdo, Srta. Shirley? Surdo?

— Papai, ela não disse que você é — explicou Trix, que nunca teve medo do seu pai quando o seu temperamento o fazia falar.

— Bem, não, ela não disse. Nenhuma de vocês comentou nada! *Você* não disse que tenho 68 anos, quando tenho apenas 62, não é? E *você* não disse que não deixei sua mãe ter cachorro! Meu Deus, mulher, se quiser, pode ter mil cachorros, e sabe disso! Quando é que lhe neguei o que queria... quando?

— Nunca, querido, jamais — murmurou a Sra. Taylor. Jamais quis um cachorro. Eu nunca nem pensei em ter um cachorro.

— Quando li as suas cartas? Quando escrevi em um diário? Um diário! Quando fui de macacão a algum funeral? Quando levei uma vaca para o cemitério? Qual tia está no asilo? Alguma vez joguei um assado em alguém? Eu já fiz alguém comer somente frutas e ovos?

— Jamais, querido, jamais — disse a Sra. Taylor. — Sempre foi um bom marido, o melhor.

— Você não me disse que queria galochas no Natal?

— Ah, sim! É claro que sim, querido. Os meus pés ficaram confortáveis e quentinhos durante todo o inverno.

— Muito bem, então! — Cyrus lançou aquele olhar vitorioso na sala. Então, seus olhos encontraram com os de Anne. E de repente, aconteceu o inesperado: Cyrus sorriu! As suas bochechas tinham covinhas, e elas fizeram um milagre em sua expressão. Então, ele trouxe sua cadeira para a mesa e se sentou.

— Dr. Carter, tenho o mau hábito de ficar de péssimo humor. Todos temos algum hábito ruim... e este é o meu. E é o único. Venha, venha, mulher, e não chore mais. Sei que mereço tudo o que fizeram, exceto por aquela piada sobre o crochê. E Esme, minha menina, não me esquecerei de que você foi a única que me defendeu. Peça a Maggie para limpar essa bagunça... Sei que todos ficaram felizes que esse maldito vaso tenha quebrado... e traga o pudim.

Anne nunca poderia imaginar que uma noite que havia começado de forma tão pavorosa poderia terminar tão amigavelmente. Cyrus foi o anfitrião mais espetacular que poderia ter sido. E, notoriamente, não houve acerto de contas entre eles, porque quando Trix a procurou algumas noites após o ocorrido, foi só para dizer a Anne que finalmente teve coragem o suficiente para falar com seu pai sobre o Johnny.

— E ele ficou irado, Trix?

— Ele... ele não ficou irado — disse Trix, timidamente. — Apenas bufou e disse que já estava na hora de Johnny tomar uma atitude, depois de dois anos atrás de mim e afastando qualquer um que tentasse se aproximar. Acredito que ele tenha percebido que não poderia ter outro ataque de mau humor tão cedo após o último. E como bem sabe, Anne, dentre os mau-humorados, o papai é o que tem mais experiência.

— Seu pai é muito bom para você... mais do que você merece! — comentou Anne, à maneira de Rebecca Dew. — Naquele jantar, você foi simplesmente insolente, Trix!

— Bom, mas você sabe quem começou — falou Trix. — Sem falar que o bom e velho Pringle ajudou um pouco. Afinal, tudo fica bem quando se acaba bem... e, graças a Deus, não vou precisar lustrar aquele vaso de novo.

CAPÍTULO 11

(Retirado da carta para Gilbert, duas semanas depois.)

Esme Taylor e Dr. Lennox Carter anunciaram o noivado. Reunindo as várias fofocas locais, acho que o Dr. Carter decidiu naquela fatídica sexta-feira que iria protegê-la e salvá-la, tanto de seu pai, quanto de toda a sua família, e talvez até dos amigos! A situação dela claramente despertou o seu senso de cavalheirismo. Trix insiste em acreditar que foi eu quem a ajudou, e talvez eu tenha mesmo ajudado, mas acredito que nunca mais tentarei um experimento como esse. Foi como pegar um relâmpago pela cauda.

Sinceramente, não sei o que aconteceu comigo, Gilbert. Pode ter sido um resquício do meu antigo ódio por qualquer coisa que tenha a ver com os Pringles. Mas parece ser algo antigo agora. Quase me esqueci por completo, mesmo que as pessoas ainda fiquem se perguntando. Disseram que a Srta. Valentine Courtaloe comentou que não está nada surpresa por eu ter conquistado os Pringles, porque eu tenho "esse dom", e a esposa do pastor acredita que é uma resposta à oração que ela fez. Bem, quem sabe se não era?

Jen Pringle e eu caminhamos de volta da escola para casa ontem e falamos sobre "sapatos, veleiros e cera encarnada"... Falamos sobre quase tudo, menos sobre geometria. Procuramos evitar esse assunto. Jen sabe que não domino tanto a geometria, porém, o meu pequeno conhecimento sobre o capitão Myrom compensa tudo. Emprestei para Jen o meu "Livro dos Mártires", de Foxe. Odeio emprestar livros que adoro... não parece o mesmo livro quando me devolvem... mas amo os Mártires de Foxe, principalmente porque a Sra. Allan me entregou como prêmio, anos atrás, na escola dominical. Não gosto de ler sobre mártires porque me fazem sentir fútil e envergonhada... envergonhada em admitir que detesto levantar da cama nas manhãs frias e tremo só de pensar em ir ao dentista!

Então, fico feliz por Esme e Trix estarem felizes. Como meu pequeno romance está florescendo, fico ainda mais interessada no das outras pessoas. É um interesse do bem, como sabe. Sem malícia ou intromissão, mas apenas por estar feliz, por haver tanta felicidade espalhada no ar.

Ainda estamos em fevereiro, e "no telhado do convento, a neve está brilhando até chegar à lua"... Porém, não é um convento... é apenas o telhado do celeiro do Sr. Hamilton. Fico imaginando e pensando: "Faltam somente algumas semanas até a chegada da primavera... e mais algumas semanas até a chegada do verão... e minhas férias... e Green Gables... e a luz dourada do sol nas pradarias de Avonlea... e uma baía que é prateada ao amanhecer, safira ao meio-dia e rubra ao entardecer... e você".

A pequena Elizabeth e eu temos uma infinidade de planos para a primavera. Somos tão amigas! Levo o leite para ela todas as noites e, em alguns dias, ela sai para passear comigo. Descobrimos que fazemos aniversário no mesmo dia e as bochechas de Elizabeth coraram um "rosado divino" de tamanha excitação. Ela fica tão adorável quando está corada. Geralmente, ela é muito pálida, e não fica mais rosada por tomar leite. Quando retornamos da caminhada no crepúsculo com os ventos noturnos, ela fica com uma linda cor-de-rosa em nas bochechas. Certa vez, ela me perguntou seriamente: "A minha pele será linda e cremosa como a sua quando crescer, Srta. Shirley, se eu passar leite em meu rosto todas as noites?" Aqui em Spook's Lane, o cosmético preferido é o soro do leite coalhado. Fiquei sabendo que a Rebecca Dew utiliza. Ela me fez prometer que não contaria para as viúvas, porque achariam isso muito fútil para sua idade. A quantidade de segredos que devo guardar aqui em Windy Poplars está me fazendo envelhecer antes do tempo. Queria saber, se eu derreter manteiga em meu nariz, tiraria essas sete sardas? A propósito, já pensou, senhor, o quanto a minha pele é "adorável e cremosa"? Se você sabe, você nunca me falou. E, percebeu o quanto eu sou "relativamente bonita"? Porque descobri que realmente sou!

— E como é ser tão bonita, Srta. Shirley? — questionou Rebecca Dew seriamente outro dia... quando usava meu novo *voil* cor de creme.

— Sempre me perguntei — respondi.

— Mas você é linda — disse Rebecca Dew.

— Não imaginava que pudesse ser tão sarcástica, Rebecca — eu a repreendi.

— Mas não quis ser sarcástica, Srta. Shirley. Você é linda mesmo... visivelmente!

— Oh! Visivelmente?

— Olhe-se no espelho — comentou Rebecca Dew, apontando o espelho. — Comparada a mim, você é linda.

— Bom, eu sou mesmo!

No entanto, eu não havia terminado de falar sobre Elizabeth. Numa noite tempestuosa, quando o vento soprava ao longo de Spook's Lane, não podíamos sair para caminhar, então fomos desenhar um mapa com o caminho para o País das Fadas. Elizabeth sentou-se na almofada redonda azul para deixá-la mais alta, mas parecia um duendezinho quando se inclinou sobre o mapa (a propósito, nada de ortografia fonética para mim! "Duendezinho" é muito mais estranho e mágico do que "duende").

Nosso mapa ainda não está completo... todos os dias pensamos em algo mais para colocar nele. Ontem à noite localizamos a casa da Bruxa da Neve e desenhamos uma colina com três picos atrás dela, completamente coberta de cerejeiras silvestres florescendo. (A propósito, eu quero algumas cerejeiras silvestres perto de nossa casa dos sonhos, Gilbert.) É claro que temos um Amanhã no mapa... localizado a Leste de Hoje e a Oeste de Ontem... e há uma infinidade de "tempos" e "momentos" no País das Fadas. O momento da primavera, momento duradouro, momento breve, o momento da lua nova, o momento de dizer boa noite, do próximo momento... mas não do último momento, porque é um momento muito triste para o País das Fadas; os velhos tempos, os novos tempos... porque se há os velhos tempos, deveria haver os novos tempos também; o momento da montanha... porque isso soa fascinante; a hora noturna e a hora diurna... mas sem hora de ir para a cama ou hora de ir para a escola; o momento do Natal; mas nunca apenas "tempo", porque também é muito triste... mas tempo perdido, porque é tão bom encontrá-lo; algum momento, momento bom, tempo rápido, tempo lento, o momento de um beijo, da hora de ir para casa e dos tempos imemoriais... que é uma das frases mais bonitas do mundo. E temos pequenas setas vermelhas em todos os lugares, apontando para os diferentes "tempos". Eu sei que Rebecca Dew acha que sou muito infantil. Mas, ah, Gilbert, nunca vamos envelhecer e ser sábios demais... não, não muito velhos e tolos demais para o País das Fadas.

Tenho certeza de que Rebecca Dew não sabe que sou uma influência boa na vida de Elizabeth. Ela acredita que a incentivo a ser "fantasiosa". Certa noite, quando eu estava fora, Rebecca Dew levou o leite para Elizabeth e a encontrou já no portão, olhando para o céu com tanta atenção que nem ouviu os passos (nem um pouco) delicados de Rebecca.

— Escutei você, Rebecca! — explicou Elizabeth.

— Você está escutando demais — falou Rebecca descontente.

Elizabeth sorriu sarcasticamente. (Rebecca Dew não falou assim, mas sei exatamente como Elizabeth sorriu.)

— Você ficaria surpresa, Rebecca, se soubesse o que ouço às vezes — disse ela, de uma forma que fez com que Rebecca Dew arrepiasse até seus ossos... ou assim ela afirma.

— Mas Elizabeth está sempre no mundo das fadas, o que pode ser feito a respeito disso?

— A melhor Anne de todas, a SUA Anne.

P.S.1: Nunca, nunca, nunca vou esquecer do rosto de Cyrus Taylor quando sua esposa disse que ele faz crochê. Mas sempre vou gostar dele por ter caçado aqueles gatinhos. E gosto de Esme por defender seu pai mesmo quando acreditou que não havia mais esperanças.

P.S.2: Escrevi com uma caneta nova. E eu o amo porque você não é pomposo como o Dr. Carter... e eu o amo porque você não tem orelhas de abano como Johnny. E... a melhor razão de todas... eu o amo apenas por ser o meu Gilbert!

CAPÍTULO 12

Windy Poplars,
Spook's Lane,
Dia 30 de maio.

Meu caro, caríssimo:

Estamos na primavera!

Pode ser que não saiba, sei que está focado em uma série de provas em Kingsport. Mas eu estou ciente disso, da cabeça às pontas dos dedos dos pés. Summerside está ciente disso; até mesmo as ruas mais feias foram transformadas por ramos de flores que se estendem sobre velhas cercas de madeira e uma faixa de dentes-de-leão na grama que margeia as calçadas. Até a senhora de porcelana na minha estante sabe disso e sei que se eu pudesse acordar de repente, alguma noite, eu a pegaria dançando um *pas seul* em seus sapatos cor-de-rosa de salto dourado.

Tudo anuncia a "primavera" para mim... Os pequenos riachos risonhos, as névoas azuis em Rei da Tempestade, os bordos no bosque quando vou ler suas cartas, as cerejeiras brancas ao longo de Spook's Lane, os elegantes e atrevidos tordos desafiando Dusty Miller no quintal, a trepadeira verde pendurada sobre a meia-porta de onde a pequena Elizabeth vem para buscar o leite, os abetos ao redor do velho cemitério... até mesmo o velho cemitério em si, onde todos os tipos de flores plantadas nas cabeceiras das sepulturas estão brotando e florescendo, como se dissessem: "Mesmo aqui a vida é triunfante sobre a morte". Dei uma volta agradável pelo cemitério outra tarde (tenho certeza de que Rebecca Dew acha meu gosto por caminhadas terrivelmente mórbido. "Não consigo imaginar por que você gosta tanto daquele lugar estranho", diz ela.) Enquanto vagava sob a luz perfumada do bosque, me perguntei se a esposa de Nathan Pringle realmente tentou envenená-lo. Seu túmulo parecia tão inocente com sua grama nova e seus lírios de junho que concluí que ela havia sido totalmente caluniada.

Apenas mais um mês e estarei em casa para as férias! Continuo imaginando o velho pomar de Green Gables, com suas árvores cobertas pela neve... A antiga ponte sobre o Lago das Águas Brilhantes... o barulho do mar nos ouvidos... uma tarde de verão no Caminho dos Amantes... e você!

Hoje estou escrevendo com o tipo certo de caneta, Gilbert, sendo assim...

(Duas páginas omitidas.)

Fui à casa das Gibson, hoje à noite, para fazer uma visita. Marilla havia me pedido, há algum tempo, para visitá-los, pois os conhecia desde de que moravam em White Sands. Desde então, eu as visitava semanalmente, porque Pauline parecia gostar de minhas visitas, e, sinto muito por ela. Ela é certamente uma escrava de sua própria mãe... que é uma velha terrível.

A Sra. Adoniram Gibson tem 80 anos e passa seus dias em uma cadeira de rodas. Eles se mudaram para Summerside há quinze anos. Pauline, que tem 45 anos, é a caçula da família, todos os seus irmãos e irmãs são casados e todos eles estão determinados a não receber a Sra. Adoniram em suas casas. Pauline cuida da casa e faz tudo para sua mãe. Ela é uma senhorinha pálida de olhos castanhos e cabelos castanhos dourados que ainda são brilhantes e bonitos. Elas estão em uma situação bem confortável e, se não fosse por sua mãe, Pauline poderia ter uma vida muito agradável e fácil. Ela simplesmente adora o trabalho da igreja e ficaria perfeitamente feliz em frequentar as Sociedades Missionárias e Femininas, planejando jantares na igreja e eventos sociais de boas-vindas, sem falar em se orgulhar de ser a proprietária do lambari roxo mais bonito da cidade. Mas ela quase nunca consegue sair de casa, até mesmo para ir à igreja aos domingos. Não consigo ver nenhuma saída para ela, pois a velha Sra. Gibson provavelmente viverá até os cem anos. E, embora ela não possa usar as pernas, certamente não há nada de errado com a língua. Sempre me enche de raiva sentar lá e ouvi-la fazer da pobre Pauline o alvo de seu sarcasmo. E, no entanto, Pauline me disse que sua mãe "fala muito bem" de mim, e é muito mais gentil com ela quando estou por perto. Se for assim, estremeço só de pensar em como ela deve ser quando não estou por perto.

Pauline não faz nada sem antes perguntar à mãe. Ela não compra nem suas próprias roupas... Sequer um par de meias. Tudo tem que ser aprovado pela Sra. Gibson; tudo tem que ser usado até que tenha perdido a cor. Pauline usa o mesmo chapéu há quatro anos.

A Sra. Gibson não suporta nem uma rajada de ar fresco, e muito menos qualquer barulho na casa. Comentam que ela jamais sorriu em toda a sua vida... Nunca a vi sorrindo, e quando olho para ela, questiono como seu rosto ficaria se ela sorrisse. A coitada da Pauline não pode ter seu próprio quarto, sempre dorme no mesmo quarto com a mãe, e, tem que ficar acordada por várias horas da noite massageando a Sra. Gibson, dando-lhe pílulas, entregando a garrafa de água quente para ela... — tem que ser quente, morna não! —, até mesmo substituindo os travesseiros ou saindo da casa para ver qual barulho misterioso está vindo do quintal. A Sra. Gibson fica dormindo durante a tarde e fica as noites planejando afazeres para a pobre Pauline.

No entanto, nunca vi Pauline fazer uma reclamação a respeito. Ela é doce, altruísta e paciente e estou feliz que tenha um cachorro para amar. A única vez em que ela conseguiu algo para si foi ficar com aquele cachorro... e apenas porque houve um roubo em algum lugar da cidade e a Sra. Gibson pensou que seria uma proteção. Pauline nunca ousa deixar sua mãe ver o quanto ela ama o cachorro. A Sra. Gibson o odeia e reclama que ele traz ossos, mas ela nunca diz que devem se livrar dele, apenas por seu próprio motivo egoísta.

Enfim, terei a oportunidade de dar algo a Pauline e farei. Vou lhe dar um dia livre, embora isso signifique adiar minha ida a Green Gables.

Esta noite, assim que entrei na casa, pude ver Pauline chorando. A senhora Gibson não me deixou dúvidas do motivo.

— Srta. Shirley, Pauline quer me deixar — comentou ela. — Bem agradecida essa filha que eu tenho, não é?

— Mas é apenas por um dia, mamãe — falou Pauline, engolindo o choro e tentando sorrir.

— Apenas por um dia, é o que ela diz! Bem, você sabe como são meus dias, Srta. Shirley... todo mundo sabe como são meus dias. Mas o que você não sabe... ainda... Srta. Shirley, e espero que nunca precise saber, é quanto tempo pode durar um dia quando você está sofrendo.

Tinha certeza que a Sra. Gibson não sofria de nada no momento, então não fui solidária.

— Posso conseguir alguém para ficar com a Sra, mamãe — falou Pauline.

— Então — ela me explicou — a minha prima Louisa irá celebrar suas bodas de prata, em White Sands, no próximo sábado, e ela faz questão que eu vá porque fui a dama de honra dela em seu casamento com Maurice Hilton. Queria muito ir, se a mamãe me deixasse.

— Se eu morrer sozinha, que eu morra! — falou a Sra. Gibson. — Vai da sua consciência, Pauline.

Eu sabia que a batalha de Pauline estava perdida no momento em que a Sra. Gibson a deixou por conta de sua consciência. A Sra. Gibson conseguiu o que queria a vida toda apenas deixando as coisas para a consciência das pessoas. Ouvi dizer que, anos atrás, alguém queria se casar com Pauline e a Sra. Gibson impediu, deixando isso a cargo de sua consciência.

Pauline enxugou as lágrimas, forçou um sorriso piedoso e levou seu vestido que estava fazendo... um horroroso xadrez verde e preto.

— Não quero ninguém de mau humor, Pauline — comentou a Sra. Gibson. — Não suporto pessoas de mau humor. E não se esqueça de arrumar a gola desse vestido. Você acredita, Srta. Shirley, que ela iria usar este vestido sem gola? Ela usaria um vestido com decote, se eu permitisse.

Observei Pauline, com pescoço esbelto, que é um tanto rechonchudo e bonito, mas, envolto em uma gola alta de malha rígida.

— Os vestidos sem golas estão na moda — comentei.

— Os vestidos sem golas — comentou a Sra. Gibson — são indecentes!

P.S.: Eu estava vestindo um vestido sem golas.

— E, além disso — disse a Sra. Gibson, como se ainda estivesse no mesmo assunto — nunca gostei de Maurice Hilton. A mãe dele era uma Crockett. Ele nunca teve senso algum de decoro... sempre beijava sua esposa em lugares impróprios!

(Você tem certeza que me beija em lugares próprios, Gilbert? Acho que a Sra. Gibson acredita que seja na nuca, por exemplo, bem impróprio.)

— Mas, mamãe, você sabe que naquele dia ela havia escapado por pouco, de ser pisoteada pelo cavalo de Harvey Wither, que corria pelo gramado da igreja. É natural que Maurice estivesse ansioso.

— Por favor, Pauline, não me contradiga. Continuo achando que os degraus da igreja eram um lugar impróprio para se beijarem. Mas é claro que minhas opiniões não importam mais para ninguém. Tenho certeza de que todo mundo gostaria que eu já estivesse morrido. Enfim, tem espaço para mim no túmulo da família. Sempre fui um fardo para você, é melhor que eu esteja morta. Ninguém me quer.

— Não fale assim, mamãe — implorou Pauline.

— Eu quem digo! Está aqui determinada para ir a essa bodas de prata, embora saiba que eu não estou passando bem.

— Mamãe querida. Eu não irei... Não irei se você não estiver bem-disposta. Não fique agitada...

— Ah, eu não posso ter um pouco de empolgação para animar a minha vida tão monótona? Espero que você não vá embora tão cedo, Srta. Shirley?

Senti que, se eu ficasse mais tempo lá, enlouqueceria ou daria um belo tapa no rosto da Sra. Gibson. Sendo assim, pedi desculpas e falei que tinha que corrigir provas.

— Então, acredito que duas velhas como nós não sejam uma boa companhia para uma jovem como você — disse a Sra. Gibson, suspirando. — Pauline nunca está alegre... Não é Pauline? Você não é muito alegre. Não é de se admirar que a Srta. Shirley não queira ficar muito tempo.

Pauline me acompanhou até a varanda. A lua estava brilhando no pequeno jardim e no porto, uma brisa suave e deliciosa estava balançando uma macieira branca. Estamos na primavera... primavera... primavera... primavera! Nem mesmo a Sra. Gibson consegue impedir o desabrochar das ameixeiras. E os suaves olhos azul-acinzentados de Pauline estavam cheios de lágrimas.

— Queria tanto ir às bodas de prata de Louie — comentou com um longo suspiro desanimador.

— Você irá!— eu falei.

— Ah, não, Anne, eu não posso ir. Minha pobre mamãe não deixará. Vamos esquecer isso. Olhe como a lua está linda, esta noite? — ela comentou em um tom alto e feliz.

— Nunca ouvi falar de nada de bom em contemplar a lua — exclamou a Sra. Gibson da sala de estar. — Pare de tagarelar, Pauline, e entre e pegue minhas pantufas vermelhas com pelinhos na ponta para mim. Esses sapatos apertam meus pés de uma forma terrível. Mas ninguém se importa como eu sofro.

Eu senti que não me importava com o quanto ela sofria. Pobre e querida Pauline! Mas um dia de folga certamente é o que Pauline terá, e ela vai para as bodas de prata. Eu, Anne Shirley, o disse.

Então, assim que cheguei em casa, contei tudo para Rebecca Dew e para as viúvas. Nos divertimos muito, imaginando todas as coisas abomináveis e insolentes que eu poderia ter dito à Sra. Gibson. Tia Kate acha que não conseguirei convencer a Sra. Gibson a deixar Pauline ir; contudo, Rebecca Dew crê em mim.

— De qualquer maneira, se você não conseguir, ninguém mais conseguirá — comentou.

Recentemente, fui a um jantar com a Sra. Tom Pringle, que não quis me receber como hóspede. (Rebecca diz que eu sou a melhor hóspede de quem ela já ouviu falar, porque sou convidada para jantar fora com frequência.) Estou muito feliz por ela não ter feito isso. Ela é muito simpática, e suas tortas esplêndidas, mas sua casa não é Windy Poplars, ela não mora em Spook's Lane e ela não é tia Kate, tia Chatty e Rebecca Dew. Eu amo todas as três e vou me hospedar aqui no ano que vem e no ano seguinte. Minha cadeira é sempre chamada de "cadeira da Srta. Shirley" e tia Chatty me diz que quando não estou aqui, Rebecca Dew coloca meu lugar na mesa mesmo assim, para que não pareça tão solitário. Às vezes, os sentimentos de tia Chatty complicam um pouco as coisas, mas ela diz que agora me entende e sabe que eu nunca a magoaria intencionalmente.

Agora, a pequena Elizabeth e eu saímos para passear duas vezes por semana. A Sra. Campbell consentiu, mas não deve ser mais frequente e nunca aos domingos. Na primavera, a vida melhora para Elizabeth; o raio de sol entra naquela casa velha e mórbida; do lado de fora fica ainda mais bonito com as sombras das copas das árvores dançantes. Mesmo assim, Elizabeth se esquiva delas sempre que pode. De vez em quando vamos à cidade para Elizabeth apreciar as vitrines iluminadas. Mas, na maioria das vezes, vamos até onde ousamos pela Estrada que Leva ao Fim do Mundo, contornando cada esquina com aventura e expectativa, como se fôssemos encontrar o Amanhã após cada curva, enquanto todas as pequenas colinas verdes da noite se aninham perfeitamente à distancia. Uma coisa que a pequena Elizabeth fará no Amanhã é "ir para a Filadélfia e ver o anjo na igreja". Não cheguei a comentar com ela... Eu jamais, direi para ela... que o São João da Filadélfia não se referia à cidade nos Estados Unidos. Nós perdemos nossas ilusões muito cedo e, de qualquer forma, se pudéssemos entrar no Amanhã, quem sabe o que poderíamos encontrar lá? Anjos por toda parte, talvez.

Alguns dias, saímos para ver os navios chegando no porto, seguidos por um vento bom, em um caminho cintilante através do clima da primavera, e a pequena Elizabeth se questiona se o seu pai poderia estar a bordo de algum deles. Ela não perde a esperança de que algum dia ele volte. Eu não consigo entender por que ele não volta. Certamente, ele viria se soubesse que sua pequena e querida filha o aguarda aqui ansiosamente. Suponho que ele nunca perceba que ela é uma garota agora... suponho ele ainda pense nela como o bebezinho que custou a vida de sua esposa.

O meu primeiro ano em Escola de Summerside está chegando ao fim. Sinceramente, este primeiro semestre foi um pesadelo, mas os dois últimos serão muito mais agradáveis. Agora, os Pringles são pessoas encantadoras. Como eu poderia compará-los aos Pyes? Sid Pringle trouxe-me um buque de lírios-do-bosque. Jen será a líder da sala, e a Senhorita Ellen comentou que sou a única professora que conseguiu ensinar as crianças! O único problema da minha sala é Katherine Brooke, que permanece distante e hostil. Estou desistindo de tentar ser amiga dela. Enfim, como diz Rebecca Dew, tudo tem limites.

Ah, já estava me esquecendo de dizer... Sally Nelson me convidou para ser sua dama de honra. Ela se casará com Gordon Hill, em junho, na Bela Vista, que é a casa de verão do Dr. Nelson. Sendo assim, Nora Nelson será a única solteirona das seis filhas do Dr. Nelson. Jim Wilcox está cortejando ela há muitos anos... "às vezes", como Rebecca Dew fala, não parece chegar a lugar nenhum, e todos sabem que não acontecerá agora. Eu gosto tanto de Sally, mas nunca fiz esforço para me aproximar de Nora. Ela é bem mais velha que eu, e notoriamente muito orgulhosa e reservada. Contudo, gostaria de ser sua amiga. Ela não é bela, ou inteligente ou encantadora, mas de alguma maneira, ela tem algo especial que valeria a pena conhecer.

E, falando de casamento, Esme Taylor se casou com o seu doutor no mês passado. Mas, como foi em uma quarta-feira à tarde, não pude ir à igreja para vê-la, mas todos comentaram que ela estava linda e muito feliz. Lennox parecia saber que tinha feito a coisa certa e estava com a consciência tranquila. Cyrus Taylor e eu nos tornamos grandes amigos. Ele se refere àquele jantar com frequência como sendo uma grande piada para todos nós: "Jamais me atrevi a ficar de mau humor desde aquele dia", ele me falou. "Minha mulher pode até me acusar de costurar colchas, na próxima vez." Então, ele pediu para eu mandar lembranças para as "viúvas". Gilbert, as pessoas são maravilhosas, e a vida é maravilhosa, e eu sou

Para sempre
Sua!

P.S.: A nossa velha vaca vermelha, que está no Sr. Hamilton, teve um bezerro malhado. Há três meses que estamos comprando leite da Sra. Lew Hunt. Rebecca Dew comenta que agora só iremos tomar creme... Rebecca não queria que o bezerro nascesse. A tia Kate havia solicitado que dissesse ao Sr. Hamilton, que a vaca já era muito velha para ter um bezerro, antes de ela ter.

CAPÍTULO 13

— Ah, quando você ficar velha e acamada, verá que sou muito simpática — comentou a Sra. Gibson.

— Por favor, não pense que sou antipática, senhora Gibson — disse Anne, que, depois de meia hora de paciência, estava com vontade de torcer o pescoço da senhora Gibson.

Mas os olhos suplicantes da pobre Pauline impediam Anne de desistir e voltar para casa.

— Prometo que você não ficará sozinha e será bem cuidada. Ficarei aqui o dia todo e não deixarei que lhe falte nada.

— Ah, sei que não sou útil para ninguém — falou a Sra. Gibson, como se Anne não tivesse dito nada — Não precisa esfregar isso na minha cara, Srta. Shirley. Estou preparada para morrer a qualquer momento... a qualquer momento. Pauline poderá fazer tudo o que quiser então, e não estarei aqui para ficar dando trabalho. Os jovens de hoje não têm juízo algum. Tolos... muito tolos.

Anne ficou sem saber se aquele comentário era para Pauline ou para ela, a jovem tola e sem noção, mas ela fez uma última tentativa.

— Bem, senhora Gibson, você sabe que as pessoas vão falar coisas terríveis se Pauline não for nas bodas de prata de sua prima.

— Mentira! — falou a Sra. Gibson rispidamente. — O que vão falar?

— Querida Sra. Gibson... ("Perdoe-me o adjetivo!", pensou Anne) em sua vida longa a senhora aprendeu exatamente o que as más línguas podem dizer.

— Você não precisa me lembrar da minha idade — reclamou a Sra. Gibson. — Também não preciso que me digam como o mundo pode ser crítico. Pois bem... eu já sei disso. Não preciso que me digam que nesta cidade temos muitos intrometidos. Mas não quero saber, deixem eles falando de mim... comentando, suponho, que sou uma velha má. Não impedi Pauline de ir. Só deixei isso para ela resolver com a consciência dela.

— As pessoas não vão acreditar nisso — comentou Anne, com pesar.

A Sra. Gibson chupou rapidamente uma bala de hortelã por um ou dois minutos, e então disse:

— Fiquei sabendo que há casos de caxumba em White Sands.

— Mamãe, você sabe que eu já tive caxumba.

— Há pessoas que pegam duas vezes. Não seria a única a pegar por duas vezes, Pauline. Você pega todas as doenças que surgem por aqui. As noites que perdi cuidando de você, sem pensar no amanhã! Oh, tantos sacrifícios de uma mãe, nunca são lembrados por muito tempo. Ainda assim, como chegariam a White Sands? Você não pega um trem faz anos. E não há nenhum trem que retorne sábado à noite.

— Poderia pegar o trem de sábado de manhã — falou Anne. — E, certamente o Sr. James Gregor a trará de volta.

— Jamais gostei de Jim Gregor. A mãe dele era uma Tarbush.

— Ele vai em sua charrete de dois lugares, e partirá na sexta-feira, senão a levaria. Mas ela estará bem segura no trem, Sra. Gibson. É só embarcar sentido Summerside em White Sands... sem paradas.

— Tem algo por trás disso tudo — comentou a Sra. Gibson, desconfiada. — Por que ficou tão decidida em fazê-la ir, Srta. Shirley? Só me diga isso.

Anne riu para o rosto de olhos arredondados.

— Porque eu acredito que Pauline é uma filha boa e gentil com você, Sra. Gibson, e precisa de um dia de folga de vez em quando, assim como todo mundo.

Muitas pessoas acham difícil resistir ao sorriso encantador de Anne. Ou foi isso, ou então, foi o medo das fofocas que convenceu a Sra. Gibson.

— Acredito que nunca ocorreu a ninguém que eu gostaria de ter um dia de folga desta cadeira de rodas, se pudesse. Mas não posso... tenho que aceitar meu destino com paciência. Então, se ela quer ir, ela que vá. Ela sempre foi do tipo que vai. E, se ela pegar caxumba ou for picada por mosquitos esquisitos, não vou ser culpada. Terei que dar um jeito como puder. Você ficará aqui, mas você não está acostumada comigo, igual a Pauline. Acredito que posso aguentar um dia. Se não conseguir... bem, eu já passei da minha hora mesmo, então qual é a diferença?

Não foi uma aceitação agradável, mas, de qualquer forma, foi uma aceitação. Anne ficou aliviada e grata, sentiu que havia feito algo que nunca poderia imaginar... ela abaixou e beijou a bochecha da Sra. Gibson.

— Obrigada — ela falou.

— Não se preocupe em lamentar, disse a senhora Gibson. — Pegue uma bala de hortelã.

—Então, como posso lhe agradecer, Srta. Shirley? — Pauline comentou, enquanto desciam um trecho da rua.

— Pode me agradecer indo para White Sands com o coração feliz e aproveitando cada minuto.

— Oh, eu vou! Não sabe o que isso significa para mim, Srta. Shirley. Não é apenas por Louisa que desejo ir. A velha casa da vizinha de Luckley será vendida e gostaria de vê-la mais uma vez antes de ser vendida para estranhos. Mary Luckley... agora é a Sra. Howard Flemming e viverá no Oeste... ela era minha melhor amiga na infância. Éramos como duas irmãs. Eu ficava muito tempo na casa de Luckley e adorava. Sonhava em voltar. Mamãe falava que já estava velha demais para poder sonhar. Você acha que sou velha para sonhar, Srta. Shirley?

— Ninguém é velho demais para sonhar. Os sonhos jamais envelhecem.

— Fico tão feliz em escutar isso. Oh, Srta. Shirley, só de pensar que verei o golfo novamente. Não o vejo há quinze anos. O porto é lindo, mas não é igual ao golfo. Me sinto como se estivesse andando nas nuvens, e devo isso tudo a você. Mamãe só me deixou ir porque gosta de você. Você me trouxe felicidade... você está sempre deixando as pessoas felizes. Em todo lugar que você vai, Srta. Shirley, as pessoas ficam mais felizes.

— Esse foi o elogio mais admirável que já recebi, Pauline.

— Mas, há apenas uma coisa, Srta. Shirley... Não tenho nenhum vestido além daquele velho vestido preto de tafetá. Ele é muito triste para um casamento, não é? E ficou muito grande depois que eu emagreci. Sabia que faz seis anos desde a última vez que eu o vesti?

— Temos que convencer sua mãe a comprar um vestido novo — falou Anne, animada.

Mas isso provou estar além de seus poderes. A Sra. Gibson foi inflexível. O tafetá preto de Pauline estava bom o bastante para as bodas de Louisa Hilton.

— Há seis anos, eu paguei dois dólares pelo metro, e três dólares para Jane Sharp fazê-lo. Jane, filha de Smiley, era uma excelente costureira. Que ideia é essa de fazer algo "claro", Pauline Gibson! Ela iria vestida de escarlate da cabeça aos pés, se eu permitisse. Ela está apenas esperando que eu morra para fazer isso. Ah, bem, logo você vai se livrar de todos os problemas que eu estou causando a você, Pauline. Então você pode se vestir tão alegre e boba quanto quiser, mas enquanto eu estiver viva, você ficará decente. E qual é o problema com o seu chapéu? Já está na hora de você usar um gorro, de qualquer maneira.

Pauline tinha imenso pavor de ter que usar um gorro. Ela continuaria usando o seu velho chapéu, pelo resto da vida, antes de usar um gorro.

— Vou ficar feliz pela ocasião e me esquecer de minhas roupas — comentou com Anne, quando elas estavam no jardim colhendo flores de lírios e corações-sangrentos para as senhoras viúvas.

— Eu tenho um ideia — falou Anne, com aquele olhar misterioso, garantindo que a Sra. Gibson não estivesse escutando, embora ficasse observando através da janela da sala de estar. — Você sabe aquele meu vestido de popelina prateado? Vou lhe emprestar para ir ao casamento.

Pauline, com tamanha emoção, deixou a cesta de flores cair no chão, criando uma poça de flores rosas e brancas aos pés de Anne.

— Ah, minha querida, eu não poderia aceitar... Mamãe nunca permitiria.

— Sua mãe não saberá de nada. Então, no sábado de manhã, você vestirá embaixo do seu vestido de tafetá preto. Tenho certeza que servirá em você. Vai ficar um pouco longo, mas amanhã eu vou fazer algumas pregas nele, afinal, pregas estão na moda. Ele não tem gola, e suas mangas terminam no cotovelo, assim ninguém vai suspeitar. Então, quando chegar a Gull Cove, tire o vestido de tafetá. Quando terminar a festa, você pode tirar o vestido de popelina e deixar em Gull Cove, que eu o pego no próximo final de semana quando for para casa.

— Não seria jovial demais para mim?

— De forma alguma. O prateado fica bem em todas as idades.

— Acredita que seria... correto... enganar a mamãe? — Pauline questionou.

— No seu caso, completamente correto — falou Anne com certeza. — Pauline, não seria de bom tom usar um vestido preto nas bodas. Certamente, trará azar à noiva.

— Oh, eu nunca faria isso. E é claro que não magoaria a mamãe. Espero que ela fique bem no sábado, acredito que ela não comerá nada enquanto eu estiver fora... ela não comeu nada quando fui ao funeral da prima Matilda. A senhorita Prouty comentou que não... Senhorita Prouty cuidou dela. Ela ficou tão chateada pela morte da prima Matilda... A mamãe ficou, quero dizer.

— Ela vai comer... Vou cuidar disso.

— Sei que você consegue convencê-la — admitiu Pauline. — E, Anne querida, não vai se esquecer de dar o remédio para ela no horário? Ah, talvez seria melhor eu não ir.

— Vocês estão aí há tempo suficiente para fazer quarenta buquês — reclamou a Sra. Gibson. — Não sei porque as viúvas querem tanto essas flores, elas não são muito exclusivas. Eu ficaria muito tempo sem flores se tivesse que esperar que Rebecca Dew me mandasse alguma. Estou morrendo sede, mas não tem importância alguma.

Então, na sexta-feira à noite, Pauline ligou para Anne muito agitada. Ela estava com dor de garganta e queria saber se Anne achava que poderia ser caxumba. Anne correu para acalmá-la, levando o vestido de popelina prateado em um embrulho de papel marrom. Ela o escondeu no mato e, no final da noite, Pauline, suando frio, conseguiu levá-lo para o andar de cima, para o seu quarto, onde ficavam todas as roupas, mesmo não sendo permitido dormir lá. Pauline estava um pouco receosa em relação ao vestido. Talvez a dor de garganta fosse um pressentimento. Porém, ela não poderia ir às bodas de prata de Louisa usando aquele horrível e velho vestido de tafetá preto... simplesmente não podia!

No sábado de manhã, Anne chegou na casa dos Gibson cedinho. Anne sempre foi a luz brilhante de uma manhã de verão. Ela brilhava como o sol, e se movia pela brisa dourada como uma figura esbelta em uma urna grega. Aquele quarto monótono brilhou... viveu... assim que ela entrou nele.

— Andando como se você fosse a dona do mundo — disse a Sra. Gibson com sarcasmo.

— Eu sou — comentou Anne alegremente.

— Ah, isso porque você é bem jovem — falou a Sra. Gibson, embebecida.

— "Não privo o meu coração de alegria alguma" — citou Anne. — É o que está na Bíblia, Sra. Gibson.

— "O homem nasceu para resolver problemas, assim como as faíscas voam para o céu". Isso também está na Bíblia — afirmou a Sra. Gibson.

O fato de ela ter confrontado tão bem a Srta. Shirley a colocou em bom humor.

— Nunca fui de bajular, Srta. Shirley, mas esse seu chapéu de flor azul a embeleza. O seu cabelo não fica tão vermelho por baixo. Não é admirável uma aura jovem, Pauline? Não gostaria de ser jovem novamente, Pauline?

Pauline estava feliz e encantada demais para querer ser qualquer outra pessoa naquele momento. Anne subiu para o quarto do andar de cima, para ajudá-la a se vestir.

— É tão fascinante pensar em todas as coisas agradáveis que acontecerão hoje, Srta. Shirley. Estou com minha garganta melhor e minha mãe está de excelente humor. Você pode não pensar da mesma maneira, mas eu sei que ela está, mesmo sendo sarcástica. Se ela estivesse chateada ou irada, estaria emburrada. Descasquei as batatas, o bife está na geladeira e a sardinha de mamãe está no porão. Tem frango enlatado para o jantar e um bolo na despensa. Estou com receio de mamãe mudar de ideia. Eu não suportaria se ela mudasse de ideia. Oh, Srta. Shirley, acha mesmo que é melhor eu usar o vestido prateado...?

— Ponha-o — falou Anne, usando melhor voz de professora.

Pauline colocou o vestido e surgiu uma Pauline transformada. Aquele vestido prateado combinava perfeitamente. Não tinha golas e tinha babados bem delicados com renda nas mangas e no cotovelo. Depois que Anne a havia penteado, Pauline mal se reconhecia.

— Detesto ter que colocar aquele vestido tafetá preto velho e horrível, Srta. Shirley.

Mas ela tinha que vesti-lo. O tafetá cobriu o vestido com bastante segurança. O chapéu velho completou... mas também seria removido quando chegasse à casa de

Louisa... e Pauline ainda tinha um novo par de sapatos. A Sra. Gibson havia permitido que ela comprasse um novo par de sapatos, apesar de reclamar e de achar os saltos "muito escandalosos".

— Será um sacrifício ir embora sozinha no trem. Tomara que as pessoas não pensem que estou indo a um funeral. Não gostaria que a bodas de prata de Louisa fossem ligadas, de maneira alguma, a um momento fúnebre. Ah, e o perfume, Srta. Shirley! Aroma de flor de maçã! Não é adorável? Apenas uma brisa... tão feminino, eu acho. A mamãe não me deixa comprar nenhum perfume. Srta. Shirley, você não vai se esquecer de alimentar o cachorro, vai? Coloquei os ossos na despensa no prato coberto. Espero... — ela abaixou a voz em um sussurro envergonhado. — Que ele... não se comporte mal... enquanto você estiver por aqui.

Antes de sair, Pauline passou na inspeção de sua mãe. A empolgação por sua saída e a culpa em relação ao vestido de popelina escondido faziam com que ficasse com um rubor incomum. A Sra. Gibson a encarou, descontente.

— Oh... oh, meu Deus! Parece estar indo para Londres encontrar com a rainha, não é? Você está muita colorida. As pessoas vão pensar que você está pintada. Você tem certeza que vai assim?

— Oh, não, mamãe... Não! — com a voz chocada.

— Tenha modos agora e, quando se sentar, cruze os tornozelos com delicadeza. Lembre-se de não pegar friagem demais e nem falar demais.

— Não falarei, mãe — Pauline, prometeu com sinceridade, olhando nervosa para o relógio.

— Leve para Louisa uma garrafa de licor de salsaparrilha, para tomar com torradas. Nunca gostei de Louisa, porque a sua mãe era uma Tackaberry. Não se esqueça de trazer de volta a garrafa, e não deixe que ela lhe dê um gatinho. Louisa está sempre dando gatinhos para as pessoas.

— Eu não deixarei, mamãe.

— Tem certeza que não deixou o sabão na água?

— Tenho certeza, mãe — olhando novamente angustiada para o relógio.

— Os seus cadarços estão amarrados, Pauline?

— Estão mamãe.

— Você não está com um cheiro respeitável... encharcada de perfume.

— Ah, não, mamãe... coloquei somente um pouco... só um pouquinho...

— Se falei que está encharcada, é porque está encharcada. Não tem um rasgo embaixo do seu braço, tem?

— Ah, não, mamãe.

— Deixe-me ver.

Pauline estremeceu. E se a saia do vestido prateado aparecesse quando levantasse os braços?

— Bem, vá, então — após um longo suspiro. — Se eu não estiver viva quando voltar, não se esqueça que quero ser sepultada com meu xale de renda e meus chinelos preto de cetim. Certifique-se de que meu cabelo esteja arrumado.

— Está se sentindo pior, mamãe? — o vestido de popelina abalou a consciência de Pauline. — Se não estiver sentindo... Eu não irei...

— E desperdiçar dinheiro com os sapatos que comprou! Claro que você irá. E lembre-se de não ficar deslizando pelo corrimão parecendo um bicho.

— Mamãe! Você acha que eu faria isso?

— Você fez isso no casamento de Nancy Parker.

— Mas foi há trinta e cinco anos! Porque acha que eu faria isso hoje?

— Já está na hora de ir embora. Por que você está enrolando aqui? Quer perder o trem?

Pauline então se apressou, e Anne suspirou de alívio. Ela estava temendo que a velha Sra. Gibson tivesse um impulso diabólico no último instante e pudesse deter Pauline até a partida do trem.

— Enfim, um pouco de paz — falou a Sra. Gibson. — Esta casa está uma desordem, Srta. Shirley. Espero que entenda que nem sempre foi assim. Pauline não sabia para qual lado ir nos últimos dias. Por favor, afaste esse vaso um pouquinho para a esquerda? Não, afaste-o mais um pouco. O abajur está torto. Ah, sim, agora está um pouco mais reto. E essa cortina está um centímetro mais baixa do que a outra, queria que você a consertasse.

Anne, infelizmente, puxou a cortina rápido demais, que escapou de seus dedos e foi zunindo rapidamente para cima.

— Ah, veja o que você fez — falou a Sra. Gibson.

Anne, sem ver, ajustou a cortina meticulosamente.

— Então, agora a senhora não gostaria que eu lhe preparasse uma xícara de chá, senhora Gibson?

— Eu preciso de alguma coisa sim.... Essa preocupação e confusão me desgastaram tanto. Meu estômago parece estar saindo para fora de mim — disse a senhora Gibson, pateticamente. — Poderia me fazer uma xícara de chá decente? Prefiro beber lama ao chá que algumas pessoas fazem.

— Quem me ensinou a fazer chá foi Marilla Cuthbert. Não se preocupe. Mas, primeiramente, eu a levarei para a varanda, para que possa apreciar o sol.

— Há anos que não saio na varanda — reclamou a Sra. Gibson.

— Ah, mas está tão adorável hoje, não vai prejudicá-la. Quero que a senhora veja as flores brotando da macieira. Não poderá vê-las a menos que a senhora saia. Hoje a brisa está vindo do sul, trazendo o perfume de trevo do campo, vindo da casa de Norman Johnson. Levarei o seu chá e tomaremos juntas, depois pegarei seus bordados, ficaremos sentadas criticando todos que passarem por lá.

— Eu não consigo criticar as pessoas — falou a Sra. Gibson. — Isso não é atitude de cristão. Você se importaria de me responder se esse cabelo é seu mesmo?

— É sim — sorriu Anne.

— É uma pena que ele seja ruivo. Mesmo o cabelo ruivo sendo popular agora. Eu até gosto da sua risada. A risada forçada da pobre Pauline sempre me deixa nervosa. Então, se eu tiver que sair, acredito que provavelmente irei morrer de frio, e a responsabilidade será toda sua, Srta. Shirley. Lembre-se de que já tenho 80 anos... apesar de que ouvir dizer que o velho Davy Ackham comentou por todo o Summerside que tenho apenas 79 anos. A sua mãe era uma Watt. Os Watts sempre foram invejosos.

Anne empurrou rapidamente a cadeira de rodas, e mostrou que tinha jeito para arrumar travesseiros. Logo depois ela trouxe o chá e a Sra. Gibson, admirou seu trabalho.

— Sim, dá pra beber, Srta. Shirley. Ah, eu tive que me acostumar a beber somente líquidos por um ano. Todos pensavam que eu não conseguiria. Por diversas vezes, penso que poderia ter sido melhor se eu não tivesse conseguido. Aquela é a macieira de que tanto falou?

— É... não é adorável? Tão branca em contraste com o céu azul...

— Não acho poético — foi o único comentário que a Sra. Gibson fez. No entanto, ela ficou um pouco mais relaxada após duas xícaras de chá, e a tarde passou até que chegou a hora de pensar em jantar.

— Vou prepará-lo, e depois trago aqui para a senhora, em sua mesinha.

— Não, não vai, senhorita. Não quero saber desses absurdos. As pessoas achariam esquisito nós comermos aqui, em público. Não posso negar que está muito agradável aqui fora... mesmo com o cheiro de trevo, que sempre me deixa enjoada... e a tarde passou mais rápido do que o costume, mas eu não jantarei ao ar livre com ninguém. Eu não sou cigana. Por favor, lave bem as mãos antes de preparar o meu jantar. A senhora Storey deve estar aguardando mais visitas, ela tem muitas roupas de cama no varal. Não é um primor de hospitalidade... apenas desejo por atenção. Sua mãe era uma Carey.

O jantar que Anne fez agradou até mesmo a Sra. Gibson.

— Não acreditava que alguém que escrevesse para os jornais pudesse cozinhar tão bem. Certamente que foi Marilla Cuthbert quem a criou. Sua mãe era uma Johnson. Acredito que Pauline ficará doente naquele casamento. Ela não sabe quando parar... igual ao pai dela. Peguei-o devorando morangos, quando ele sabia que sentiria dores uma hora depois. Já lhe mostrei foto dele, Srta. Shirley? Bem, você vai encontrar a foto embaixo da cama. Não se esqueça de não mexer nas gavetas enquanto estiver por lá. Dê uma espiada, e veja se tem poeira abaixo da escrivaninha, não confio em Pauline... Ah, sim, este é ele. A sua mãe era uma Walker. Não existem homens como ele, hoje em dia. Esta juventude é corrompida, Srta. Shirley.

— Homero comentou a mesma coisa oitocentos anos atrás — riu Anne.

— Alguns escritores do Antigo Testamento estavam sempre resmungando — disse a Sra. Gibson. — Ouso dizer que você está chocada ao me ouvir dizer isso, Srta. Shirley, mas meu marido era muito amplo em suas opiniões. Ouvi dizer que você está noiva... de um estudante de medicina. Acredito que os estudantes de medicina bebam muito, Srta. Shirley... eles precisam, para aguentar a aula de dissecação. Nunca se case com um homem que bebe, Srta. Shirley, e nem com um que não seja um bom provedor. Não dá para viver só de bebida, eu posso lhe assegurar. Lembre-se de lavar e enxaguar os panos de prato. Eu não suporto panos de prato gordurosos. Suponho que você terá que alimentar o cachorro. Acho que está muito gordo agora, mas Pauline apenas o enche de comida. Às vezes, acredito que terei que me livrar dele.

— Ah, eu não faria isso, Sra. Gibson. Há muitos ladrões por aí, como sabe... E sua casa é tão isolada... Realmente, a senhora precisa de proteção.

— Ah, bem, que seja. Eu poderia fazer qualquer coisa para não discutir com as pessoas, especialmente quando sinto algo latejar na parte de trás do meu pescoço. Será que significa que terei um derrame?

— A senhora está precisando é de uma soneca. Depois de tirar um cochilo, a senhora se sentirá melhor. Vou aconchegá-la e abaixar a sua cadeira. Gostaria de sair para a varanda para tirar uma soneca?

— Cochilar em público! Isso seria pior do que comer em público. Suas ideias são muito esquisitas. Somente me ajeite aqui na sala de estar, feche todas as cortinas e feche a porta para evitar as moscas. Ouso dizer que a senhorita também gostaria um momento silencioso... sua língua deve estar bem cansada.

Enfim, a Sra. Gibson tirou uma longa soneca, porém, despertou de péssimo humor. Ela não deixou Anne levá-la novamente para a varanda.

— Você quer a minha morte nesse clima da noite, acredito — ela reclamou, embora fossem apenas cinco horas da tarde.

Nada estava bom. O chá que Anne trouxe para ela estava bem frio... o próximo não estava frio o bastante... óbvio que qualquer coisa estaria ruim para ela. E onde estava o cachorro? Está se comportamento mal, sem dúvida. As suas costas estavam doendo... os seus joelhos doíam... a sua cabeça doía... seus ossos doíam. Ninguém conseguia entender o que ela estava passando... Sua cadeira estava muito alta... ou a sua cadeira estava muito baixa... Gostaria de um xale nos ombros, um cobertor para os joelhos e uma pequena almofada para os pés. E será que a Srta. Shirley veria de onde vinha aquela terrível corrente de ar? Ela gostaria de uma xícara de chá, mas não queria dar trabalho para ninguém, dizia que logo estaria em repouso no túmulo. Talvez eles pudessem apreciá-la quando ela morresse.

"Seja o dia longo ou curto, ele sempre se transforma em noite." Por alguns momentos, Anne pensou que não aconteceria, porém, aconteceu. O pôr do sol veio e a Sra. Gibson começou a perguntar por que Pauline não chegava. O crepúsculo chegou... e ainda nada de Pauline. Noite e luar chegaram, e nada de Pauline.

— Eu já sabia — disse a Sra. Gibson inexplicavelmente.

— A senhora sabe que ela não pode voltar até que o Sr. Gregor volte, e, normalmente, ele é o último — acalmou Anne. — Você não quer ir para a cama, senhora Gibson? Você deve estar cansada... sei que não é fácil ficar com uma estranha por perto, ao invés de alguém com quem está acostumada.

As linhas franzidas no rosto da Sra. Gibson se aprofundaram nitidamente.

— Não dormirei até Pauline chegar em casa. Contudo, se está tão ansiosa para ir embora, então vá. Eu consigo ficar sozinha... ou mesmo morrer sozinha.

Quando eram nove e meia da noite, a Sra. Gibson concluiu que Jim Gregor não voltaria para casa até a segunda-feira.

— Não se pode depender de Jim Gregor para vir embora. Ele acha que não é certo viajar no domingo, mesmo sendo para voltar para sua casa. E ele está no colegiado escolar, não é? O que você acha dele? Dele e de suas opiniões a respeito de educação?

Anne estava irada. Afinal de contas, ela já tinha suportado a Sra. Gibson o bastante naquele dia.

— Creio que ele seja um anacronismo psicológico — ela disse repreensiva.
A senhora Gibson não piscou o olho.

— Concordo com você — disse ela. Mas logo depois disso, fingiu tirar um cochilo.

CAPÍTULO 14

Finalmente, às dez horas da noite, Pauline chegou... Uma Pauline com olhos brilhando e pele rosada, parecia ter menos dez anos, apesar do vestido tafetá e do velho chapéu. Chegou trazendo um lindo buquê, que apressadamente entregou à senhora em sua cadeira de rodas.

— Foi a noiva que lhe enviou esse buquê, mamãe. Não é lindo? Vinte e cinco rosas brancas.

— Deus me livre! Não acredito que ninguém pensou em me mandar um pedaço do bolo do casamento. Atualmente, as pessoas não parecem ter nenhum sentimento familiar. Oh, bem, na minha época...

— Mas mandaram, mamãe. Eu lhe trouxe um grande pedaço, está na minha bolsa. E todos perguntaram pela senhora e enviaram um abraço, mamãe.

— E você se divertiu? — perguntou Anne, ansiosa.

Então, Pauline se sentou em uma cadeira dura, porque tinha certeza que sua mãe ficaria brava caso se sentasse em uma cadeira macia.

— Foi muito bom! — ela comentou alegremente. Foi um jantar de bodas adorável e o Sr. Freeman, o pastor de Gull Cove, realizou o casamento de Louisa e Maurice novamente...

— Para mim, isso é um sacrilégio...

— O fotógrafo tirou todas as nossas fotos novamente. As flores estavam simplesmente encantadoras. A reunião foi em um caramanchão...

— Como em um funeral, acredito...

— Ah, mamãe. Mary Luckley saiu do Oeste para ir. Sra. Flemming, você sabe. A senhora se recorda que eu e ela éramos amigas. Costumavam nos chamar de Polly e Molly...

— Nomes tolos...

— Foi maravilhoso revê-la novamente e termos uma longa conversa sobre os velhos tempos. A sua irmã Eme foi também, levou seu bebê maravilhoso.

— Do jeito que fala, parece ser algo para comer — reclamou a Sra. Gibson. — Todos os bebês são iguais.

— Ah, não, bebês não são iguais — comentou Anne, trazendo um vaso de água para as rosas da Sra. Gibson. — Todos eles são um milagre.

— Então, já são dez horas e não ouvi nada milagroso sobre nenhum deles. Pauline, não comente nada que não seja de família. Você está me incomodando. Percebi que não perguntou como eu estou, se estou bem. Mas já poderia esperar.

— Eu posso ver que você está bem, sem precisar perguntar, mamãe... você parece tão contente e alegre.

Pauline ainda estava tão animada que naquele dia não teria um pequeno aborrecimento, mesmo com a sua mãe.

— Tenho absoluta certeza que a senhora e a Srta. Shirley se divertiram juntas.

— Nós nos demos bem o bastante. Apenas deixei ela seguir o caminho. Devo admitir que foi a primeira vez em anos que tive uma conversa interessante. Acredito que não estou tão perto da morte como algumas pessoas gostariam que estivesse. Obrigado por perguntar. Acho que a próxima viagem que você fará será para a lua. Certamente, nem se importaram com o vinho que lhes enviei?

— Oh, eles agradeceram. Eles acharam muito gostoso.

— Você nem se apressou para me dizer isso. Trouxe a garrafa de volta... ou seria querer demais que se lembrasse disso?

— Então, a... a garrafa se quebrou — confessou Pauline. — Alguém a derrubou na despensa. Mas Louisa me deu outra, exatamente igual, mamãe, então a senhora não precisa se preocupar.

— Cuidei dessa garrafa desde que vim para essa casa. Louisa não pode ter uma exatamente igual. Essas garrafas não são fabricadas atualmente. Queria que você me trouxesse o xale. Comecei a espirrar... acho que peguei um resfriado horrível. Nenhuma de vocês se lembra de não deixar o ar noturno me atingir. Certamente minha sinusite voltará.

Neste instante, um vizinho antigo da rua apareceu, e Pauline aproveitou a oportunidade para conversar um pouco com Anne.

— Boa noite, Srta. Shirley — falou a Sra. Gibson, educadamente. — Estou muito grata a você. Se tivesse mais pessoas como você nesta cidade, seria bem melhor morar aqui — ela riu sem mostrar os dentes e puxou Anne. — Não importo com o que as pessoas dizem... você é realmente linda — ela declarou.

Pauline e Anne caminharam pela rua durante aquela noite fria, e Pauline aproveitou, como jamais ousara fazer, antes da autorização de sua mãe.

— Ah, Srta. Shirley, foi encantador. Como posso lhe agradecer? Nunca passei um dia tão maravilhoso... Viverei por anos. E como foi divertido ser uma dama de honra novamente. E o Capitão Isaac Kent era o padrinho do casamento... Ele... ele foi meu antigo namorado... bem, não, definitivamente namorado... acredito que ele não tinha nenhuma intenção, mas caminhamos juntos... e ele me elogiou por duas vezes: "Me recordo de como você estava linda no casamento de Louisa, com aquele vestido vinho". Não foi encantador ele se recordar do meu vestido? E ele disse, também: "Seu cabelo se parece tanto com um doce". Não há nada de errado em dizer isso, Srta. Shirley?

— Não que eu ache.

— Lou, Molly e eu jantamos juntinhas, depois que todos se foram. E eu estava faminta... Não me lembro de estar com tanta fome há anos. Foi formidável comer tudo o que queria, sem ninguém me falando sobre coisas que não seriam boas para meu estômago. Após o jantar, Mary e eu caminhamos até sua antiga casa e passeamos pelo seu jardim, lembrando sobre os velhos tempos. Avistamos os arbustos cor de lilás que plantamos anos atrás, verões que passamos juntas quando éramos crianças. Então, assim que chegou o pôr do sol, fomos até a costa antiga, sentamos em uma pedra e ficamos em silêncio. Tinha um sino tocando no porto, o som era agradável, assim como sentir a brisa do mar e ver as estrelas brilhando no céu. Eu havia me esquecido que a noite no golfo era tão linda. E ao escurecer, retornamos porque o Sr. Gregor estava pronto para iniciar a cerimônia, e — concluiu Pauline com uma boa risada: "A senhora chegou em casa naquela noite".

— Eu adoraria... adoraria que você não tivesse tantos problemas em casa, Pauline...

— Ah, minha querida Srta. Shirley, agora não me importo — disse Pauline, prontamente. — Enfim, a pobre mamãe precisa de minha ajuda. E é bom poder ajudar, querida.

Sim, é bom poder ajudar. Anne ficou pensando nisso, em seu quarto da torre, onde Dusty Miller, após fugir de Rebecca Dew e das viúvas, estava deitado em sua cama. Pauline estava voltando para a sua escravidão, mas agora acompanhada pelo "espírito imortal de um dia muito feliz".

— Gostaria que alguém sempre precisasse de mim — comentou Anne a Dusty Miller. — É tão maravilhoso, Dusty Miller, poder fazer alguém ficar feliz. Isso fez eu me sentir muito rica. Como Pauline estava feliz hoje! Mas, oh, Dusty Miller, você acha que eu serei como a Sra. Adoniram Gibson, quando tiver oitenta anos de idade? Acha, Dusty Miller?

Dusty Miller, com um ronrronar gutural e forte, garantiu que não.

CAPÍTULO 15

Na sexta-feira à noite, Anne foi a Bonnyview, pouco antes do casamento. A família dos Nelsons estava servindo um jantar para alguns convidados e amigos da família, que chegaram de trem e de barco. A gigantesca e barulhenta casa, que era conhecida como "casa de verão" do Dr. Nelson, foi toda construída entre álamos vermelhos por todos os lados, com baía dos dois lados e um trecho de dunas de areia dourada que sabia tudo o que dava para saber sobre os ventos.

Anne adorou a casa no mesmo momento em que a viu. Uma antiga casa de pedra é sempre magnífica, pois não teme a chuva, os ventos ou as mudanças que a moda pode trazer. Naquela noite de junho, o local transbordava de vida jovial e felicidade, risadas de meninos, saudações de amigos antigos, carrinhos indo e vindo, crianças brincando por toda parte, presentes chegando, todo mundo no tumulto encantador de uma festa de casamento, enquanto o Dr. Nelson e seus dois gatos pretos, que tinham os nomes de Barnabé e Saulo, sentavam-se no parapeito da varanda observando tudo como duas zibelinas serenas e enigmáticas.

Sally saiu do meio da multidão e chamou Anne para o andar de cima.

— Separamos o quarto do norte para você, Anne. Certamente, você terá que compartilhá-lo com no mínimo três outras pessoas. Estava um tremendo tumulto aqui. O Dr. Nelson montou uma barraca para as crianças no meio dos álamos, e mais tarde colocaram um berço na varanda envidraçada dos fundos. Caso seja necessário, podemos levar a maioria das crianças para o sótão, é claro. Ah, Anne, estou tão feliz. Como é bom se divertir. Meu vestido acabou de chegar de Montreal, e ele é um sonho. Ele é feito de seda, com detalhes cor de creme, brilhantes. Tem renda e bordado feito com pérolas. Os melhores presentes chegaram. Separei esta cama para você. A Mamie Gray, Dot Fraser e Sis Palmer ficarão em outro local. A mamãe queria colocar Amy Stewart aqui, mas eu não permiti. A Amy nunca gostou de você porque ela gostaria de ser a minha dama de honra. Entretanto, não poderia ser alguém tão grande e gorda, não é verdade? Além do mais, parece que ela está enjoada, verde feito o rio Nilo. Ah, Anne, tia Ratinha está aqui. Ela chegou há alguns minutos e estamos, simplesmente, aterrorizadas. Infelizmente, tivemos que convidá-la, mas não imaginamos que ela chegaria antes de amanhã.

— Quem diabos é tia Ratinha?

— Ela é tia do meu pai, a Sra. James Kennedy. Ah, seu nome na realidade é tia Grace, mas Tommy colocou o apelido de tia Ratinha porque ela está sempre rodeando e procurando coisas que não queremos que ela descubra. Mas não tem como escapar da tia. Ela acorda de manhã bem cedo, com receio de perder alguma coisa, e é a última a ir dormir à noite, mas tem coisa pior. Se há algo errado, ela certamente dirá, e nunca aprendeu que existem conversas inconvenientes. Papai chama de discursos de "felicidades da tia Ratinha". Certamente, ela atrapalhará o nosso jantar. Lá vem ela.

Então, a porta abriu e tia Ratinha chegou... uma senhora obesa, morena, com olhos arregalados, verificando tudo e demonstrando uma expressão notoriamente preocupada. Excluindo a expressão, ela se parecia muito com um felino caçador.

— Ah, você é a Srta. Shirley, de quem muito ouvi falar. Você não se parece com a Srta. Shirley que eu já conhecia. Ela tinha olhos muito belos. Então, Sally, até que enfim irá se casar. Sendo assim, a pobre Nora é a única que resta. Contudo, sua mãe tem sorte de conseguir se livrar de cinco filhas. Há oito anos, eu comentei com ela: "Jane", eu disse, "você acredita que alguma dia conseguirá casar todas as suas meninas?" Bem, um homem só nos dá problemas, do meu ponto de vista, e de todas as coisas incertas, o casamento é o mais incerto, mas o que mais pode haver para uma mulher neste mundo? É o que falei para pobre Nora. "Guarde o que eu digo, Nora", eu disse , "não tem graça nenhuma ser uma velha senhora. O que Jim Wilcox, está pensando?", eu disse para ela.

— Ah, tia Grace, gostaria que você não comentasse nada! Jim e Nora tiveram uma discussão em janeiro passado, e, desde então, ele não voltou aqui.

— Falarei o que penso. Prefiro dizer o que penso. Fiquei sabendo desta discussão. Foi proposital a pergunta para ela. Ela ficou vermelha de raiva e saiu. Mas, o que Vera Johnson está fazendo aqui? Não tem nenhuma relação com os noivos.

— Tia Grace, a Vera sempre foi minha grande amiga. Ela tocará a marcha nupcial da cerimônia.

— Ah, ela vai, não é? Então, espero que ela não se engane e toque a marcha fúnebre, assim como a Sra. Tom Scott fez na cerimônia de Dora Best. Isso é um mau presságio. Não sei onde ficará toda essa gente. Alguns de nós terão que dormir nas barracas da varanda, acredito.

— Ah, não, vamos acomodar todos, tia Grace.

— Então, Sally, espero que você não mude de ideia de última hora, como aconteceu com Helen Summers. Isso estraga tudo. Seu pai está com um péssimo humor. Eu nunca procurarei problemas, mas todos esperamos que esse evento não seja o causador de um infarto. Eu já vi isso acontecer.

— Ora, tia Ratinha, papai está muito bem. Ele só está um pouco agitado.

— Oh, Sally, mas você é muito nova para saber tudo o que poderá acontecer. A sua mãe me falou que o casamento será amanhã ao meio-dia. A moda das cerimônias está mudando, como tudo está, e não é para melhor. Na época do meu casamento, que foi à noite, meu pai serviu 20 litros de bebida para os convidados. Oh, meu Deus, os tempos não são mais como costumavam ser antigamente. O que aconteceu com Mercy Daniels? Eu a encontrei nas escadas, e, a sua aparência estava péssima.

— "A qualidade da Misericórdia não é forçada; cai como a chuva suave do céu" — sorriu Sally, ajeitando-se em seu vestido de jantar.

— Não cite versículos da Bíblia em vão — reclamou tia Ratinha. — Pode desculpá-la, Srta. Shirley. Ela não está acostumada com o matrimônio. Mas, tudo que espero é que o noivo não esteja com um semblante assustado, como muitos têm. Acredito que ele se sinta assim, mas não precisa demonstrar. E tomara que ele não se esqueça do anel. Upton Hardy fez isso. Flora e ele tiveram que se casar com um anel de presilha de cortina. Mas, olhando para os seus presentes de casamento: você ganhou muitas coisas interessantes, Sally. Espero que não seja muito difícil manter todas as hastes das colheres bem polidas como acho que será.

Naquela noite, o jantar feito na grande varanda envidraçada foi um caso à parte. Havia muitas lanternas chinesas penduradas, iluminando os lindos vestidos longos, os cabelos brilhantes e as sobrancelhas maquiadas. Barnabé e Saulo ficaram sentados iguais estátuas de ébano, nos largos braços da cadeira do doutor, onde ele os dava petiscos, hora para um, hora para outro.

— Eram tão ruins quanto o Parker Pringle — comentou a tia Ratinha. — Ele tem um cachorro que fica sentado à mesa, com cadeira e guardanapo próprio. Bem, cedo ou tarde, haverá julgamento.

Foi uma linda festa, pois todas as filhas casadas do Dr. Nelson e seus maridos estavam presentes, além de serviçais e damas de honra; foi muito alegre, mesmo com as "alegrias" de tia Ratinha... ou talvez por causa delas. Ninguém levou a sério a tia Ratinha, claramente, ela era uma piada entre os convidados. Quando ela disse, ao ser apresentada para Gordon Hill: "ora, ora, você não é nem um pouco como eu esperava. Imaginei que Sally escolheria um rapaz bonito e esbelto", risadas e gargalhadas se espalharam pela varanda. Gordon Hill, que fazia parte da gangue dos nanicos e era "até que ajeitadinho", de acordo com seus melhores amigos, ainda não tinha ouvido todas as piadas. Então, tia Ratinha disse para Dot Fraser: "Oh, todas as vezes que a vejo está com um vestido novo! Espero que a carteira de seu pai seja capaz de tolerar isso, por mais alguns anos". Dot poderia, com certeza, ter dado uma resposta à altura, mas as outras garotas acharam divertido. E assim, tia Ratinha disse, com amargura, sobre os preparativos do jantar da festa: "Espero que todos devolvam suas colheres de chá no final. Depois do casamento de Gertie Paul, faltaram cinco. E, nunca apareceram". Mas o Dr. Nelson falou alegremente que havia emprestado três dúzias de colheres às cunhadas, que entregaram a todos que pareciam angustiados.

— Vamos fazer todos virarem os bolsos antes de saírem, tia Grace.

— Oh, ria mesmo, Samuel. Não é engraçado ter algo assim acontecendo na família. Alguém deve ter pegado essas colheres de chá. Eu não vou a lugar algum, mas mantenho os olhos abertos para todos. Eu reconheceria, onde quer que eu as visse, mesmo se passando vinte e oito anos. A pequena Nora era somente um bebê. Você se recorda daquela ocasião, Jane em um pequeno vestido bordado de branco? Vinte e oito anos atrás! Oh, Nora, você sabe do que eu estou falando, mesmo que essa luz não mostre tanto a sua idade.

Naquele momento, Nora não se juntou às risadas seguintes. Parecia que poderia soltar raios a qualquer instante. Mesmo com a soberba de seu vestido com pérolas, e seus cabelos escuros, ela fazia Anne pensar em uma mariposa preta. Contrastando com Sally, que era loira e fria como a neve, Nora Nelson tinha cabelos pretos maravilhosos, olhos escuros, sobrancelhas negras pesadas e bochechas avermelhadas e aveludadas. O seu nariz estava começando a ficar pontudo, e ela jamais fora considerada bela, mas Anne sentiu uma estranha afeição por ela, mesmo tendo uma expressão sombria e intensa. Naquele instante, Anne preferia ser amiga de Nora, em vez da popular Sally.

Todos dançaram após o jantar. A música e os risos tomaram conta da antiga casa de pedra. Às dez horas, Nora saiu. Anne estava um pouco cansada do barulho e da festa. Ela atravessou pelo corredor até a porta dos fundos, que se abria para a baía e desceu rapidamente os degraus rochosos até a costa, passando pelo pequeno bosque de abetos pontiagudos. Quão divina era a brisa fresca e salgada após uma noite tão abafada! Quão maravilhosos eram os reflexos prateados do luar na baía! Que encanto aquele navio, que navegara na luz do luar e, agora, se aproximava do porto! Era uma noite em que se esperava dar de cara com um baile de sereias.

Nora estava sentada na sombra negra de uma rocha à beira da água e nunca foi tão parecida com uma tempestade.

— Eu posso me sentar com você um pouquinho? — perguntou Anne. — Fiquei um pouco cansada de dançar, e é uma pena perder esta noite magnífica. Eu invejo você por ter um porto como esse como quintal.

— E como se sentiria se, em um momento igual a esse, você não estivesse namorando? — perguntou Nora de repente e com péssimo humor. — Ou mesmo sem a probabilidade de estar? — acrescentou, ainda mais repentinamente.

— Acredito que deve ser sua própria culpa, se você não tiver — disse Anne, sentada ao seu lado. Nora se pegou contando suas perturbações para Anne. Havia algo em Anne que fazia com que as pessoas confiassem nela.

— Mas está dizendo isso por educação, é claro. Você não tem esse problema. Você sabe bem que não sou o tipo de garota pela qual os rapazes se apaixonam... sou simplesmente a Senhorita Nelson. Não é culpa minha que eu não tenha ninguém. Eu não estava aguentando ficar lá. Tive que vir aqui para não mostrar minha infelicidade. Estou cansada de ser agradável e ficar sorrindo para todos fingindo não me importar, quando todos me reprimem por não estar casada. Não irei fingir por mais tempo. Eu me importo, sim... eu me importo tanto. Sou a única das filhas do Dr.

Nelson que não está casada. Das seis, cinco são casadas ou estarão amanhã. Escutou tia Ratinha espalhando a minha idade no jantar. E a ouviu dizer, antes do jantar, que "envelheci só um pouco" desde o último verão. É verdade que envelheci. Eu já tenho vinte e oito anos. Mais doze anos, chegarei aos quarenta. E, como irei suportar a vida depois dos quarenta anos, Anne, se não tiver minhas próprias raízes até lá?

— Se fosse você, não me importaria com o que uma velha tola fala.

— Ah, não se importaria? Você não tem um nariz feio como o meu. Eu ficarei tão nariguda quanto o papai daqui a dez anos. E creio que você também não se importaria em esperar anos pelo pedido de um rapaz... e ele simplesmente não o fizer?

— Ah, isso sim, me importaria com isso.

— Essa é a minha situação, atualmente. Certamente, você já ouviu falar sobre eu e Jim Wilcox. Foi um caso muito antigo. Ele fica me rondando há anos... mas jamais comentou algo sobre casamento.

— E você gosta dele?

— É claro que eu gosto. Eu sempre disfarcei, mas, como disse, estava mesmo era fingindo. E desde janeiro passado ele não chega nem perto de mim. Nós discutimos... mas já tivemos centenas de brigas. E ele sempre voltava... mas, desta vez, ele não voltou... e não o fará. Ele não quer mais. Veja a casa dele, fica do outro lado da baía, onde está brilhando o luar. Creio que ele esteja por lá... e eu, aqui... e todo este porto entre nós dois. E será assim para sempre. É... é horrível! E não consigo fazer nada.

— E você o chamou, ele não quis?

— Chamá-lo! Você acredita que eu faria isso? Eu morreria antes. Caso ele queira vir, não há nenhum empecilho. Se ele não quer, eu também não quero que ele venha. É certo que eu o amo... amo o Jim... e queria me casar. Gostaria de ter minha própria casa e ser "Sra", além de calar a boca da velha tia Ratinha. Ah, gostaria de poder ser Barnabé ou Saulo por alguns instantes, apenas para poder xingá-la! Ah, se ela me chamar novamente de "pobre Nora", jogarei um vaso nela. Enfim, ela falou o que todos pensam: a minha mãe se desenganou do meu casamento, há muito tempo, por isso ela me deixa em paz, mas o restante da cidade me amola. Eu detesto Sally... é claro que sou terrível por isso, mas eu a invejo! Ela conseguiu um bom marido e um lar amoroso. Não é nada justo ela ter tudo e eu não ter nada. Ela nunca foi melhor, mais bonita ou mais inteligente que eu... apenas teve mais sorte. Acredito que você esteja me achando horrível... não que eu esteja me importando com o que pensa.

— Suponho que você esteja muito, muito exausta, após todas essas semanas de preparação, e que as coisas penosas se tornaram muito mais penosas neste período.

— Você me entende... Ah, sim, eu sempre soube que entenderia. Eu sempre quis ser sua amiga, Anne Shirley! Eu adoro o seu jeito de sorrir. Sempre desejei sorrir assim. Não sou tão mal-humorada quanto estou parecendo... são as minhas sobrancelhas. Certamente, elas que assustam todos os homens. Nunca tive uma amiga de verdade em toda a minha vida. É óbvio que eu sempre tive o Jim. Somos amigos... desde que éramos crianças... não sei por que eu costumava acender a luz do sótão sempre que queria vê-lo, e ele vinha prontamente. Nós já fomos a vários lugares juntos, em diversas oportunidades... nenhum outro garoto teve chance... não que algum deles quisesse uma, eu acredito. Mas agora está tudo terminado. Ele se cansou de mim, e aproveitou a desculpa de uma briga para poder se livrar de mim. Oh, amanhã eu vou detestá-la por ter lhe contado isso!

— Por quê?

— Sempre detestamos as pessoas que guardam os nossos segredos, acredito — disse Nora com tristeza. — Mas alguma coisa dá em nós nos casamentos... e eu simplesmente não me importo... eu não me importo com mais nada. Ah, Anne Shirley, estou tão infeliz! Quero apenas chorar no seu ombro. Todo dia de manhã, tenho que sorrir e parecer feliz para todos. Sally acha que sou supersticiosa, por isso não aceitei ser sua dama de honra.... Fui três vezes dama de honra, mas nunca uma noiva, entende? Não é superstição! Eu simplesmente não aguentaria ficar lá e escutá-la dizendo “sim”, sabendo que eu jamais teria a chance de falar isso para Jim. Eu teria berrado a palavra. Eu quero ser a noiva... e quero ter um enxoval... e roupa de cama com grafismo... e presentes admiráveis. Até mesmo o pratinho de manteiga prateado, presente de tia Ratinha. Ela sempre dá para as noivas um pratinho de manteiga... coisas horrorosas com enfeites como os da cúpula de São Pedro. Gostaria de colocar na mesa do café da manhã, somente para Jim achar engraçado. Anne, acredito que estou ficando louca.

A música terminou quando as meninas voltaram para casa de mãos dadas. Todos estavam se arrumando para passarem a noite. Tommy Nelson estava indo ao celeiro, levando Barnabé e Saulo. Tia Ratinha continuava sentada em um sofá, pensando nas coisas horríveis que gostaria que não acontecessem no dia da cerimônia.

— Tomara que ninguém se levante, e haja uma razão para não ter casamento. Foi o que aconteceu no casamento de Tillie Hatfield.

— Gordon não é tão sortudo assim — comentou o padrinho. Tia Ratinha o encarou com um olhar congelante.

— Meu rapaz, casamento não é uma piada.

— Pode apostar que não — falou o impertinente. — Olá, Nora, quando vamos ter a chance de poder dançar em seu casamento?

Nora não deu a resposta usando palavras. Ela intencionalmente se aproximou dele e lhe deu um tapa, primeiro do lado esquerdo, depois do lado direito. E não eram tapas de brincadeira. Na sequência, ela subiu as escadas sem olhar para trás.

— Essa moça — comentou a tia Ratinha — está estressada.

CAPÍTULO 16

Houve uma avalanche de últimos detalhes naquela manhã de sábado. Anne, embrulhada no avental da Sra. Nelson, passou a ajudar Nora na cozinha fazendo as saladas. Nora estava evidentemente nervosa e arrependida por ter comentado as suas confidências na noite anterior.

— Ficaremos exaustas por um mês — ela esbravejou — e papai não tem condições de dar tanto luxo para ela. Mas a Sally resolveu ter o que ela chama de "casamento maravilhoso", e o papai concedeu. Ele sempre a mimou muito.

— Isso é ciúmes — comentou a tia Ratinha, esticando a cabeça da despensa, onde estava a empolgada Sra. Nelson com todas as suas esperanças.

— É isso mesmo — falou Nora amargamente para Anne. — Ela está certa. Sou mau-caráter e ciumenta... detesto ver o rosto de pessoas felizes. E, mesmo assim, não me arrependo dos tapas no rosto de Jud Taylor, na noite passada. Só sinto mesmo por não ter torcido o seu nariz. Bem, as saladas estão terminadas. Elas já estão bonitas. Adoro fazer coisas quando estou me sentindo bem. Ah, afinal, gostaria que tudo corresse bem, pelo amor que tenho por Sally. Acredito que eu ainda a ame apesar de tudo, embora esteja sentido ódio de cada um de vocês, e de Jim Wilcox, mais ainda.

— Bem, eu só espero que o noivo não suma logo antes do casamento — atravessou a despensa com o mesmo tom sombrio da tia Ratinha. — Austin Creed sumiu. Ele simplesmente se esqueceu do seu casamento, justamente no dia. A família dos Creeds sempre foi muito esquecida, mas isso foi longe demais.

Anne e Nora se entreolharam e riram. O rosto de Nora se transformava quando ela ria... ficava iluminado... renascia. Então, alguém apareceu dizendo que o Barnabé estava passando mal nas escadas... provavelmente comeu muitos fígados de galinha. Nora foi correndo para ampará-lo e tia Ratinha se retirou da despensa, aguardando que não desaparecesse o bolo de casamento, como havia ocorrido dez anos atrás, no casamento de Alma Clark.

Ao meio-dia em ponto, tudo estava arrumado e imaculado... a mesa estava posta, as camas estavam lindamente bem-vestidas, havia cestas de flores por toda parte, e, na enorme sala norte no andar superior, Sally e as três damas de honra aguardavam tremendo de ansiedade. Anne estava com seu vestido e chapéu verdes, olhara-se no espelho e veio o desejo de Gilbert estar ao seu lado.

— Está maravilhosa — disse Nora com uma pitada de inveja.

— Você também está linda, Nora. Aquele vestido de chiffon azul-claro e o chapéu acentuaram o brilho do seu cabelo e a cor azul de seus olhos.

— Ninguém se importará com a minha aparência — comentou Nora tristemente. — Bem, é hora de sorrir, Anne. Eu não quero ser um aestraga-prazeres, suponho. Afinal, vou tocar a marcha nupcial... Vera está com uma dor de cabeça horrível. Tenho vontade de tocar a marcha fúnebre como tia Ratinha havia previsto.

A tia Ratinha, que passeava toda a manhã falando da vida de todo mundo e vestimdo um velho quimono com aparência suja e um "chapéu de dormir", agora parecia radiante em um vestido gorgorão marrom, e comentou com a Sally que uma de suas mangas não estava servindo e esperava que a saia de ninguém aparecesse por baixo do vestido, como havia acontecido no casamento de Annie Crewson. A Sra. Nelson entrou e se emocionou, pois Sally estava maravilhosa em seu vestido de noiva.

— Calma, não seja tão sentimental, Jane — acalmava a tia Ratinha. — Ainda tem uma filha... E, certamente, a terá em todos os momentos. As lágrimas não trazem sorte para os casamentos. Bem, tudo que eu espero é que ninguém morra, como o velho tio Cromwell, no casamento de Roberta Pringle, teve um infarto no meio da cerimônia. A noiva ficou por duas semanas na cama em estado de choque.

Com esse comentário inspirador, a noiva desceu a escadaria, acompanhada pela marcha do casamento tocada por Nora, um tanto revoltada, então, Sally e Gordon se casaram, sem que alguém caísse morto e sem o esquecimento do anel. Fizeram um lindo casamento, e até mesmo tia Ratinha desistiu de incomodar o universo por alguns instantes.

— No final das contas — ela comentou, esperançosa, para Sally, logo após —, mesmo que não seja feliz no casamento, provavelmente seria mais infeliz sozinha.

Nora continuou a olhar furiosa sentada no banquinho do piano, mas foi até Sally e lhe deu um abraço forte, com véu de noiva e tudo mais.

— E assim termina — disse Nora, com tristeza, quando o jantar e a festa terminaram e todos os convidados se foram. Olhou ao seu redor, a sala que parecia tão desanimada e desarrumada, como os cômodos sempre ficam depois... uma toalha desbotada e pisoteada no chão... cadeiras tortas... um pedaço de renda rasgada... lenços caídos... farelos que as crianças haviam deixado... uma marca escura no teto, onde a água que tia Ratinha derramara em um quarto de hóspedes havia infiltrado.

— Tenho que arrumar essa bagunça — continuou Nora, irritada. — Há um monte de jovens aguardando o trem para o barco. Algumas pessoas ficarão aqui até domingo. Eles vão fazer uma fogueira na praia e dançar rock ao luar. Você pode imaginar o quanto eu gostaria de dançar ao luar. Eu quero ir para a minha cama e chorar.

— Realmente, uma casa depois de um casamento se parece com um lugar abandonado — disse Anne. — Mas vou ajudá-la a organizar tudo, e depois tomaremos um chá.

— Anne Shirley, você acredita que uma xícara de chá é um remédio para todos os males? Você quem deve ser a serviçal de idade, e não eu. Não importa. Não quero ser terrível, mas creio que seja minha genética. Detesto pensar nessa dança na praia mais do que o casamento. Jim costumava estar nessas danças na praia. Anne, resolvi estudar para ser enfermeira. Sei que vou odiar isso... e que Deus ajude meus futuros pacientes... mas não ficarei mais em Summerside para ser provocada por estar solteira. Então, vamos encarar essa pilha de pratos ensebados e fingir que gostamos.

— Mas, eu gosto... sempre gostei de lavar a louça. É interessante tirar toda a sujeira e deixar tudo limpo e brilhante de novo.

— Ah, deveria estar no museu — reclamou Nora.

Ao clarão da lua, já estava tudo arrumado para a dança na praia. Os rapazes haviam feito uma enorme fogueira, com chamas flutuantes, a maré estava alta no porto e a lua iluminava o cenário. Anne queria muito se divertir, porém, o desânimo no rosto de Nora, assim que desceram as escadas, levando a cesta com os sanduíches, a fez parar.

"Está tão infeliz. Quem dera houvesse algo que eu pudesse fazer!"

Anne teve uma ideia momentânea. Ela sempre foi impulsiva em seus pensamentos. Anne pegou um abajur aceso na cozinha, subiu as escadas dos fundos até o sótão e colocou o abajur na janela do sótão em direção ao porto. As árvores escondiam os jovens dançando na praia.

— Acredito que ele possa vir. A Nora ficará furiosa comigo por isso, porém, não se importará se ele vier. Agora, embrulharei um pequeno pedaço do bolo de casamento para a Rebecca Dew.

Infelizmente, Jim Wilcox não apareceu. Anne desistiu de aguardá-lo passado algum tempo, e esqueceu dele com a alegria daquela noite. Anne não viu mais Nora, e a tia Ratinha felizmente foi dormir. Eram onze horas da noite quando a festança acabou e os cansados dançarinos da praia começaram a bocejar e subirem as escadas. Anne estava com muito sono, e acabou se esquecendo da luz do sótão. Às duas horas da madrugada, tia Ratinha entrou pela sala e acendeu uma vela no rosto das garotas.

— Pelo amor de Deus, o que aconteceu? — reclamou Dot Fraser, levantando-se na cama.

— Ssss-sh — avisou tia Ratinha, com os olhos arregalados — acredito que alguém entrou em casa... escutei entrando. E que barulho foi esse?

— Acho que é um gato miando ou um cachorro latindo — sorriu Dot.

— Não é nada disso — falou tia Ratinha preocupada. — É claro que tem um cachorro latindo no curral, mas não foi o que me acordou. Foi uma pancada... uma pancada alta e diferente.

— Será que é um fantasma, uma besta de pernas grandes ou aberrações da noite, meu Deus, abençoai-nos — murmurou Anne.

— Por favor, Srta. Shirley, não é motivo de riso. Será que há ladrões na casa? Ligarei para Samuel.

A tia Ratinha sumiu e as garotas se entreolharam.

— Será que... os presentes do casamento ficaram na biblioteca? — comentou Anne.

— Irei me levantar de qualquer maneira — comentou Mamie. — Anne, você já viu algo tão bizarro quanto o rosto de tia Ratinha quando ela estava segurando a vela, sob a penumbra... e os fios de cabelo pendurados? Pareceu a bruxa de Endor!

Então, saíram quatro jovens de quimono pelo corredor. Tia Ratinha as acompanhava, atrás do Dr. Nelson, vestido de roupão e chinelos. A Sra. Nelson ficou tão nervosa que não conseguia encontrar o seu quimono, e, ficou espiando pela porta.

— Ah, Samuel... não se arrisque... se for um ladrão, ele pode atirar...

— Tolice! Acho que não há nada de anormal — comentou o doutor.

— Mas estou lhe dizendo que ouvi uma pancada — tremia de medo a tia Ratinha.

Dois rapazes se juntaram a eles. Desceram as escadas com bastante cuidado, o Dr. estava na frente da tia Ratinha, com a vela na mão e um atiçador de brasa, pela retaguarda.

Não havia dúvidas, os barulhos estavam vindo da biblioteca. Então, o Dr. abriu a porta e entrou.

O Barnabé, que se escondeu para passar a noite na biblioteca quando Saulo foi levado ao celeiro, estava sentado no cantinho do sofá, piscando os olhos alegremente. Nora estava no meio da sala, com um rapaz de pé, que estava mal iluminado por outra vela. O rapaz estava abraçando a Nora que segurava um grande lenço branco na mão.

— Ele está sufocando ela! — berrou a tia Ratinha, deixando o atiçador de brasa cair, fazendo um tremendo barulho.

O rapaz se virou, largou o lenço e pareceu assustado. Era um rapaz jovem com boa aparência, com olhos avermelhados e cabelos castanho-avermelhados, sem esquecer do queixo, que era um queixo daqueles.

Nora apanhou o lenço e o colocou no rosto.

— Oh! Jim Wilcox, o que isso é isso? — perguntou o doutor, com muita severidade.

— Não sei o que dizer — disse Jim Wilcox sem entender. — Tudo o que sei, é que a Nora me enviou um sinal. Eu não havia visto a luz até retornar de um jantar maçônico em Summerside. Assim que avistei, vim correndo.

— Mas, eu não sinalizei para você — comentou Nora. — Por Deus, não fique assim, papai. Eu não fui dormir... Fiquei sentada na minha janela, ainda com roupas... Então, avistei um homem que vinha da costa. Assim que chegou perto de casa, reconheci que era Jim, então desci. E... viemos para a biblioteca porque meu nariz começou a sangrar. Ele estava me ajudando.

— Pulei a janela e derrubei a cadeira...

— Eu falei que tinha ouvido uma pancada — disse tia Ratinha.

— E agora, Nora disse que não fez sinal para mim, vou poupá-la da minha presença indesejada, pedindo desculpas a todos.

— É horrível ter atrapalhado sua noite de descanso, tendo levado você por toda a baía em vão — disse Nora o mais fria possível, insistindo em procurar um lugar sem sangue no lenço de Jim.

— Em vão, está certa — comentou o Dr.

— É melhor você ir embora por uma porta — comentou tia Ratinha.

— Fui eu quem colocou a luz na janela — comentou Anne envergonhada — e me esqueci...

— Como se atreve! — esbravejou Nora: — Nunca irei te perdoar...

— Vocês todas estão loucas? — disse o doutor, irado. — Mas, qual o motivo para todo essa algazarra? Por Deus, feche a janela, Jim... tem um vento frio soprando que congela até os ossos. Nora, coloque a cabeça para trás e seu nariz parará de sangrar.

Nora estava derramando lágrimas de raiva e vergonha. Misturadas com o sangue no rosto, faziam daquela uma visão assustadora. Jim Wilcox parecia querer que o chão se abrisse e o jogasse gentilmente no porão.

— Bem — falou tia Ratinha combatente —, o que você pode fazer agora é pedi-la em casamento, Jim Wilcox. Ela jamais conseguirá um bom marido caso saibam que foi encontrada com você às duas horas da madrugada.

— Pedir ela em casamento? — disse Jim apavorado. — Quis fazer isso por toda a minha vida, pedir ela em casamento... nunca quis qualquer outra coisa!

— Mas por que você não pediu antes? — reclamou Nora, encarando-o.

— Como assim? Você sempre me esnobou, me deixou de lado e zombou de mim por vários anos. Por inúmeras vezes mostrou o quanto me desprezava. Nunca achei que fosse correto lhe propor. Você me disse janeiro passado...

— Você me forçou a dizer aquilo...

— Eu a forcei? Assim, desse jeito? Quis brigar comigo só para se livrar de mim...

— Eu não... eu...

— E mesmo assim, eu fui inocente o bastante para vir aqui tarde da noite, porque pensei que havia colocado nosso velho sinal na janela e quisesse me ver! Pedir para se casar contigo? Eu vou pedir agora, e, depois você pode se divertir recusando-me diante de toda a sua família. Nora Edith Nelson, você aceita se casar comigo?

— Não vou... não vou! — respondeu Nora, tão envergonhada que Barnabé ficou vermelho por ela.

Jim encarou-a, incrédulo... e, de repente, avançou na sua direção. Nem pensou no nariz sangrando... talvez já tivesse parado de sangrar. Não importava.

— Acho que vocês esqueceram que já é manhã de sábado — comentou tia Ratinha, que tinha acabado de se lembrar. — Eu gostaria de tomar uma xícara de chá, se alguém me acompanhar. Não estou acostumada a demonstrações desse tipo. O que espero é que a jovem Nora realmente o tenha amarrado. Pelo menos, ela tem testemunhas.

Assim, foram todos para a cozinha, a Sra. Nelson desceu e fez chá para todos... menos para Jim e Nora, que continuaram na biblioteca acompanhados por Barnabé. Anne não viu Nora até o amanhecer... uma Nora dez anos mais nova, corada de felicidade e muito diferente.

— Devo o que aconteceu a você, Anne. Se não tivesse acendido a luz... ainda que, por uns dois minutos e meio, eu pudesse ter arrancado suas orelhas na noite passada!

— E só em pensar que dormi, acontecendo tudo isso — reclamou Tommy Nelson de coração partido.

Mas a última a falar foi a tia Ratinha.

— Bem, tudo o que espero é que não seja um casamento às pressas, e de arrependimento tardio.

CAPÍTULO 17

(Parte retirada da carta para Gilbert.)

As aulas terminaram. Dois meses em Green Gables com gotas de orvalho, esplêndidas samabaias na altura do joelho ao longo do riacho, pingando, preguiçosamente, o Caminho dos Amantes com sombras. Morangos silvestres dos pastos do Sr. Bell e a beleza sombria dos álamos na Floresta Assombrada! Minha alma tem asas.

Recebi um buquê de lírios do vale de Jen Pringle, com desejo de boas férias. Ela desceu para passar um tempo comigo no final de semana. Um verdadeiro milagre!

A pequena Elizabeth está de coração partido. Eu também gostaria que me visitasse, porém, a Sra. Campbell não deixou. Por sorte, não comentei com a Elizabeth sobre o ocorrido, o que a poupou de uma decepção.

— Durante tempo que você estiver ausente, Srta. Shirley, serei a Lizzie. Me sentirei como Lizzie de qualquer forma — disse-me ela.

— Mas pense como será divertido quando eu voltar! — comentei. — É claro que você não será a Lizzie. Não existe uma Lizzie em você. Irei lhe escrever toda semana, pequena Elizabeth.

— Ah, Srta. Shirley, irá mesmo? Nunca recebi uma carta em toda a minha vida. Será divertido! E escreverei respondendo, caso me derem um selo. Senão, você saberá que estou pensando na senhorita da mesma forma. Batizei um esquilo no quintal com o seu nome... Shirley. Você não se incomoda, não é? Pensei, primeiro, em chamá-lo de Anne Shirley... mas achei que isso seria falta de respeito... e, de qualquer forma, a senhorita não se parece com um esquilo. E ainda, poderia ser um senhor esquilo. Esquilos são bichinhos tão queridos, não são? Porém, a Mulher me disse que eles comem as raízes das flores.

— Mentira! — respondi.

Perguntei a Katherine Brooke onde ela passaria este verão. Prontamente ela me respondeu: "Aqui mesmo. Onde pensou que fosse?"

Pensei em sugerir que ela fosse para Green Gables, mas simplesmente não consegui. De qualquer forma, tenho certeza que ela não iria. Eu a vejo como uma estraga-prazeres. Mas quando penso nela, sozinha, naquela pensão barata por todo o verão, minha consciência me dá desconfortáveis socos.

Certo dia, Dusty Miller trouxe uma cobra viva e a deixou no chão da cozinha. Se Rebecca Dew pudesse ficar mais pálida, ela ficaria. "Essa foi a gota d´água!" A sorte do Dusty é que Rebecca Dew está muito cansada, porque perde todo o seu tempo livre colhendo enormes besouros verde-acinzentados das roseiras e jogando-os em uma lata de querosene. Ela acha que existem insetos demais no mundo.

Em Setembro, Nora Nelson se casará com Jim Wilcox, em uma pequena cerimônia... sem festas, sem convidados e sem damas de honra. Nora comentou que era a única forma de escapar da tia Ratinha, e ela não terá que ver a tia Ratinha no seu casamento. Contudo, devo estar presente, mesmo que de forma não oficial. Nora comentou que Jim jamais voltaria, se eu não tivesse acendido a luz da janela. Ele planeja vender a sua loja e se mudar para o Oeste. Bem, quando penso em todos os casais que formei...

Sally falou que eles vão brigar a maior parte do tempo, mas que ficarão mais felizes brigando entre eles do que em paz com qualquer outra pessoa. Não acho que eles brigarão... tanto. Acho, apenas, que são mal-entendidos que fazem parte de todos os problemas do mundo. Você e eu fomos assim por muito tempo, agora...

Boa noite, meu querido. Que o seu sono seja doce se houver alguma influência dos desejos...

De SUA ANNE.

P.S.: Retirei a frase acima de uma carta da avó da tia Chatty.

O SEGUNDO ANO
CAPÍTULO 1

Windy Poplars,
Spook's Lane,
14 de setembro.

Eu mal posso acreditar no fato de que nossos lindos dois meses acabaram. Eles foram lindos, não foram, querido? E, agora, somente daqui dois anos...

(Vários parágrafos omitidos.)

Mas tive muito prazer em voltar para Windy Poplars... para minha própria torre particular, minha própria cadeira especial e minha própria cama alta... e até mesmo para Dusty Miller se aquecendo no parapeito da janela da cozinha.

As viúvas ficaram felizes em me ver e Rebecca Dew disse, francamente: "É bom ter você de volta". A pequena Elizabeth sentiu o mesmo.Tivemos um encontro maravilhoso no portão verde.

— Eu estava com um pouco de medo de que você tivesse chegado no Amanhã antes de mim — disse a pequena Elizabeth.

— Não é uma noite adorável? — eu disse.

— Onde você está é sempre uma noite adorável, Srta. Shirley — disse a pequena Elizabeth.

— Isso sim é um elogio!

— O que fez durante seu verão, querida? — perguntei.

— Pensei — disse a pequena Elizabeth suavemente — em todas as coisas adoráveis que acontecerão no Amanhã.

Então subimos para a sala da torre e lemos uma história sobre elefantes. A pequena Elizabeth está muito interessada em elefantes no momento.

— Há algo fascinante no próprio nome "elefante", não? — ela disse seriamente, segurando o queixo com as mãozinhas, como sempre faz. — Espero encontrar muitos elefantes no Amanhã.

Colocamos um parque de elefantes em nosso mapa do país das fadas. Não adianta se sentir superior e desdenhar, meu Gilbert, o que eu sei que você estará fazendo quando ler isto. Não adianta de forma alguma. O mundo sempre terá fadas. Não é um lugar melhor sem elas, e alguém tem que fornecê-las.

É muito bom estar de volta à escola também. Katherine Brooke não é tão mais sociável, mas meus alunos pareciam felizes em me ver e Jen Pringle quer que eu a ajude a fazer as auréolas de lata para as cabeças dos anjos em uma apresentação da turma da catequese. Incrível.

Acho que as aulas deste ano serão muito mais interessantes que as do ano passado. A história canadense foi adicionada ao currículo. Tenho que dar uma "aulinha" amanhã sobre a Guerra de 1812. É tão estranho reler as histórias daquelas velhas guerras... coisas que nunca mais podem acontecer. Acho que nenhum de nós jamais terá mais do que um interesse acadêmico nessas "batalhas históricas". É impossível pensar no Canadá em guerra novamente. Estou muito agradecida por essa fase da história ter terminado.

Vamos reorganizar o Clube de Drama de uma vez e recolher assinaturas de todas as famílias ligadas à escola. Lewis Allen e eu vamos tomar a Dawlish Road como se fosse nosso território e começar as buscas no próximo sábado à tarde. Lewis tentará matar dois pássaros com uma cajadada só, pois ele está competindo por um prêmio oferecido pela Country Homes para a melhor fotografia de uma casa de fazenda bonita. O prêmio é de vinte e cinco dólares e isso significa um novo terno e casaco, muito necessários para Lewis. Ele trabalhou em uma fazenda durante todo o verão e está fazendo trabalhos domésticos e aguardando pela vaga de uma pensão novamente este ano. Ele deve odiar isso, mas nunca diz uma palavra reclamando. Eu gosto de Lewis... ele é tão corajoso e ambicioso, tem um sorriso encantador. E ele não é muito musculoso. Eu estava com medo, no ano passado, que ele fosse se partir. Mas seu verão na fazenda parece tê-lo tornado mais forte. Este é seu último ano no colégio e, então, ele espera conseguir uma vaga na Queen's. As viúvas vão convidá-lo para jantar nas noites de domingo com a maior frequência possível durante este inverno. Tia Kate e eu tivemos uma conversa sobre formas e maneiras de isso acontecer, e eu a convenci a me deixar arcar com as despesas adicionais. Claro que não tentamos persuadir Rebecca Dew. Eu simplesmente perguntei à tia Kate, na presença de Rebecca, se eu poderia receber Lewis Allen nas noites de domingo pelo menos duas vezes por mês. Tia Kate disse friamente que temia que eles não pudessem arcar com isso, além de sua garota solitária de sempre.

Rebecca Dew soltou um grito de angústia.

— Esta foi a gota d'água. Somos tão pobres que não podemos dar uma refeição de vez em quando para um menino pobre, trabalhador e honesto que está tentando obter uma educação! Você paga mais pelo fígado daquele gato e ele está prestes a explodir. Bem, tire um dólar do meu salário e alimente o rapaz.

O evangelho segundo Rebecca foi aceito. Lewis Allen está chegando e nem o fígado de Dusty Miller nem o salário de Rebecca Dew serão menores. Querida Rebecca Dew!

Tia Chatty entrou sorrateiramente em meu quarto ontem à noite para me dizer que queria uma capa feita de contas, mas que tia Kate a achava velha demais para isso, e, assim, ela feriu seus sentimentos.

— Você acha que sou, Srta. Shirley? Não quero ser indigna... mas eu sempre quis uma capa feita de contas, e agora, elas estão na moda de novo.

— Velha demais? É claro que não, querida — assegurei-lhe. — Ninguém nunca é velha demais para vestir exatamente o que se quer vestir. Você não iria querer usá-la se fosse velha demais.

— Vou comprá-la e desafiar Kate — disse tia Chatty, de qualquer forma, menos desafiadora, mas acho que vai... e acho que sei como reconciliar tia Kate.

Estou sozinha na minha torre. Do lado de fora, a noite é silenciosa, e este silêncio é aveludado. Nem mesmo os álamos se movem. Acabei de me inclinar para fora da minha janela e mandar um beijo na direção de alguém que está a menos de cinquenta quilômetros de distância de Kingsport.

CAPÍTULO 2

A Dawlish Road era uma espécie de estrada sinuosa, e a tarde parecia perfeita para caminhar... ou assim Anne e Lewis pensaram enquanto percorriam-na, parando de vez em quando para apreciar um súbito vislumbre safira do estreito através das árvores, ou para tirar fotos de um cenário particularmente adorável ou de uma casinha pitoresca em uma colina arborizada. Não era exatamente agradável bater de porta em porta pedindo assinaturas para ajudar o Clube de Drama, mas Anne e Lewis se revezavam na fala... ele convencia as mulheres enquanto Anne manipulava os homens.

— Fale com os homens se você for com esse vestido e chapéu — Rebecca Dew aconselhou. — Tive uma boa experiência em levantamento de fundos na minha época e tudo serviu para mostrar que, quanto mais bem-vestida e mais bonita você for, mais dinheiro... ou promessa dele... você terá, se são os homens que você tem que enfrentar. Mas se são as mulheres, vista as coisas mais velhas e feias que você tem.

— Uma estrada não é uma coisa interessante, Lewis? — disse Anne, sonhadoramente. — Não é uma estrada reta, mas com pontas e curvas em torno das quais qualquer coisa bela e surpreendente pode estar à espreita. Sempre adorei as curvas nas estradas.

— Para onde vai a Dawlish Road? — Lewis perguntou, diretamente... embora, ao mesmo tempo, ele estivesse refletindo que a voz da Srta. Shirley sempre o fazia pensar na primavera.

— Poderia ser uma professora horrível, Lewis, e dizer que não vai a lugar nenhum... que ela fica bem aqui. Mas não vou. Quanto ao lugar para onde leva... quem se importa? Até o fim do mundo e de volta, talvez. Lembre-se do que Emerson disse... "Oh, o que eu tenho a ver com o tempo?" Esse é o nosso lema de hoje. Espero que o universo siga em frente se o deixarmos em paz um pouco. Olhe para as sombras daquelas nuvens... e a tranquilidade dos vales verdes... e aquela casa com uma macieira em cada um de seus cantos. Imagine na primavera. Este é um daqueles dias em que as pessoas se sentem vivas e cada vento do mundo é uma irmã. Estou feliz que haja tantos pés de samambaia ao longo desta estrada... samambaias com teias finas. Isso traz de volta os dias em que eu fingia... ou acreditava... acho que realmente acreditava... que teias de aranha eram toalhas de mesa de fadas.

Eles encontraram uma nascente à beira do caminho em uma cavidade dourada e sentaram-se em um musgo que parecia feito de pequenas samambaias, para beber de um copo que Lewis fez da casca de uma bétula.

— Você nunca sente a verdadeira alegria de beber, até ficar seco de sede e encontrar água — disse ele. — Naquele verão eu trabalhei no Oeste, na ferrovia que eles estavam construindo, eu me perdi na pradaria em um dia quente e vaguei por horas. Eu pensei que morreria de sede e então cheguei à cabana de um colono, e ele tinha um broto assim em um amontoado de salgueiros. Como eu bebi! Compreendi melhor a Bíblia e seu amor pela boa água desde então.

— Vamos pegar um pouco de água em outro bairro — disse Anne, bem ansiosa. — Há uma chuva chegando e... Lewis, eu adoro chuvas, mas estou com meu melhor chapéu e meu segundo melhor vestido. E não há uma casa sequer dentro de oitocentos metros.

— Há uma velha forja de ferreiro abandonada ali — disse Lewis —, mas teremos que correr até ela.

Eles correram e de seu abrigo aproveitaram a chuva como haviam desfrutado de tudo naquela tarde cigana e despreocupada. Um silêncio velado caiu sobre o mundo. Todas as jovens brisas que sussurravam e cochichavam com tanta importância ao longo da Dawlish Road haviam dobrado suas asas e se tornado imóveis e silenciosas. Nem uma folha se mexia, nem uma sombra tremeluzia. As folhas de bordo na curva da estrada viraram do lado e errado até as árvores pareciam estar empalidecendo de medo. Uma enorme sombra fria parecia cercá-los como uma onda verde... e a nuvem os havia alcançado. E então, a chuva, com uma forte rajada de vento. A chuva batia pesadamente nas folhas, dançava ao longo da estrada vermelha fumegante e batia no telhado da velha forja com alegria.

— Se ela durar muito… — disse Lewis.

Mas isso não aconteceu. Tão repentinamente quanto surgiu, ela se foi, e o sol brilhava nas árvores molhadas e brilhantes. Vislumbres deslumbrantes do céu azul apareceram entre as nuvens brancas rasgadas. Ao longe, eles podiam ver uma colina ainda escurecida pela chuva, mas abaixo deles a curva do vale parecia transbordar com névoas cor de pêssego. A floresta ao redor estava enfeitada com um brilho e reluzia como na primavera, e um pássaro começou a cantar no grande bordo sobre a forja, como se tivesse sido enganado, acreditando que realmente era primavera, de tão incrivelmente fresco e doce que tudo parecia ao redor.

— Vamos explorar isso — disse Anne, quando eles retomaram sua caminhada, olhando ao longo de uma pequena estrada lateral que corria por entre velhas cercas de trilhos cobertas de solidagos.

— Acho que não há ninguém morando naquela estrada — disse Lewis, duvidoso. — Acho que é apenas uma estrada que vai até o porto.

— Não importa... vamos em frente. Sempre tive uma queda por estradas laterais... alguma coisa distante da trilha batida, perdida, verde e solitária. Cheire a grama molhada, Lewis. Além disso, sinto em meus ossos que há uma casa nela... um certo tipo de casa... uma casa ótima para fotografar.

Os ossos de Anne não a enganaram. Logo havia uma casa... e uma casa ótima para fotografar. Era uma pitoresca e antiquada, de beiral baixo, com janelas quadradas de pequenas vidraças. Grandes salgueiros estendiam braços patriarcais sobre ela e uma aparente selva de plantas perenes e arbustos crescia ao seu redor. Era cinza e pobre, mas os grandes celeiros além dela eram confortáveis e de aparência próspera, modernos em todos os sentidos. — Eu sempre ouvi, Srta. Shirley, que quando o celeiro de um homem é melhor do que sua casa, é um sinal de que sua renda excede suas despesas — disse Lewis, enquanto passeavam pela alameda gramada e sulcada.

— Acho que significa que ele pensava mais em seus cavalos do que em sua família — riu Anne. — Não estou esperando uma assinatura do nosso clube aqui, mas essa é a casa mais provável de vencer o concurso que encontramos até agora. Seu cinza não terá importância em uma fotografia.

— Esta estrada não parece ser muito movimentada — disse Lewis, com um encolher de ombros. — É bem claro que as pessoas que vivem aqui não são muito sociáveis. Temo que descobriremos que eles nem sabem o que é um Clube de Drama. De qualquer forma, vou garantir minha foto antes de despertar qualquer um deles de seu covil.

A casa parecia deserta, mas depois que a foto foi tirada eles abriram um pequeno portão branco, atravessaram o quintal e bateram em uma porta azul desbotada da cozinha; ficou evidente que a porta da frente era como as de Windy Poplars, mais como decoração do que para uso... se é que uma porta praticamente escondida na hera americana pudesse ser considerada como decoração.

Eles esperavam pelo menos a civilidade que até então haviam encontrado em suas visitas, respaldadas por generosidade ou não. Consequentemente, eles ficaram muito surpresos quando a porta foi escancarada e, no limiar, apareceu, não a sorridente esposa ou filha de fazendeiro que eles esperavam ver, mas um homem alto, de ombros largos, cinquenta anos, cabelos grisalhos e sobrancelhas espessas, que questionou sem cerimônia:

— O que vocês querem?

— Gostaríamos de saber se o senhor tem interesse em nosso Clube de Drama do Ensino Médio — começou Anne, um tanto sem jeito. Mas ela foi poupada de mais esforços.

— Nunca ouvi falar. Não quero saber. Nada tenho a ver com isso — foi uma interrupção intransigente, e a porta foi prontamente fechada na cara deles.

— Acredito que fomos desprezados — disse Anne enquanto se afastavam.

— Bom e amável cavalheiro, esse — sorriu Lewis. — Sinto muito pela esposa dele, se ele tiver uma.

— Eu não acho que ele tenha, ou ela iria civilizá-lo um pouco — disse Anne, tentando recuperar sua postura abalada. — Eu queria que Rebecca Dew tivesse falado com ele. Mas, pelo menos, nós fotografamos a casa dele, e eu tenho a sensação de que ela vai ganhar o prêmio. Droga! Entrou uma pedra no meu sapato e eu vou me sentar no muro de pedra do cavalheiro, com ou sem permissão, e removê-la.

— Felizmente, está fora da vista da casa — disse Lewis.

Anne tinha acabado de amarrar o cadarço quando eles ouviram algo atravessando suavemente a selva de arbustos à direita. Então, um garotinho com cerca de oito anos de idade apareceu e ficou olhando para eles timidamente, com um grande pedaço de torta de maçã apertado firmemente em suas mãos gorduchas. Ele era uma criança bonita, com cachos castanhos brilhantes, grandes olhos castanhos confiantes e feições delicadamente modeladas. Havia um ar de refinamento nele, apesar do fato de estar com a cabeça e as pernas descobertas, vestindo apenas uma camisa de algodão azul desbotada e uma bermuda de veludo puído. Mas ele parecia um pequeno príncipe disfarçado.

Logo atrás dele estava um grande cachorro preto da raça Terra-Nova, cuja cabeça estava quase na altura do ombro do rapaz.

Anne olhou para ele com um sorriso que sempre conquistava o coração das crianças.

— Olá, garoto — disse Lewis. — De onde você é?

O menino deu alguns passos para a frente, com um sorriso de resposta, estendendo seu pedaço de papel.

— Isto é para vocês comerem — disse ele timidamente. — Papai fez para mim, mas prefiro dá-lo para vocês. Tenho muitos para comer.

Lewis, um tanto sem tato, estava prestes a recusar o lanche do garotinho, mas Anne lhe deu uma cutucada rápida. Entendendo o sinal, ele aceitou com seriedade e entregou a Anne, que, com a mesma seriedade, partiu-o em duas partes e devolveu a metade para ele. Eles sabiam que deviam comê-lo e tinham dúvidas dolorosas quanto à habilidade do "papai" na cozinha, mas a primeira mordida os tranquilizou. "Papai" pode não ser bom com cortesias, mas certamente sabe fazer tortas.

— Isso é delicioso — disse Anne. — Qual é o seu nome, querido?

— Teddy Armstrong — disse o pequeno benfeitor. — Mas papai sempre me chama de Companheirinho. Sou tudo o que ele tem, sabe? Papai gosta muito de mim e eu gosto muito do papai. Receio que você pense que meu pai seja indelicado porque ele fechou aquela porta tão rápido, mas ele não quer ser. Eu ouvi vocês pedindo algo para comer.

"Nós não pedimos, mas isso não importa", pensou Anne.

— Eu estava no jardim, atrás das malvas-rosas, então pensei em trazer para vocês minha torta, porque sempre sinto muito pelas pessoas pobres que não têm o suficiente para comer. Sempre tive. Meu pai é um esplêndido cozinheiro. Você deveria ver o arroz-doce que ele sabe fazer.

— Ele coloca uvas passas neles? — perguntou Lewis, num piscar de olhos.

— Muitas e muitas. Não há nada que meu pai faça que não seja bom.

— Você não tem mamãe, querido? — perguntou Anne.

— Não. Minha mamãe morreu. A Sra. Merrill me disse uma vez que ela foi para o céu, mas meu papai diz que esse lugar não existe e acho que ele deveria saber. Meu papai é um homem muito sábio. Ele leu milhares de livros. Pretendo ser, simplesmente, igual a ele quando crescer... só que sempre darei coisas para as pessoas comerem quando elas quiserem. Meu pai não gosta muito de pessoas, sabe, mas ele é muito bom para mim.

— E você frequenta a escola? — Lewis perguntou.

— Não. Meu papai me ensina lá em casa. Mas os conselheiros tutelares me disseram que eu tenho que ir no próximo ano. Acredito que irei gostar de ir à escola, e ter outros garotos para poder brincar. É maravilhoso brincar com papai e com o Carlo, quando ele tem tempo para isso. Meu papai está sempre muito ocupado, como sabem. Sozinho, ele tem que cuidar da nossa fazenda e manter a casa limpa. E é por isso que ele não gosta de pessoas por perto para incomodá-lo. Assim que eu crescer, poderei ajudá-lo bastante, e aí ele terá tempo para ser mais educado com as pessoas.

— Essa torta veio bem na hora, Companheirinho — comentou Lewis, engolindo o último pedaço.

Os olhos do Companheirinho brilhavam de orgulho.

— Fico muito feliz por ter gostado — disse ele.

— Posso tirar uma foto sua? — disse Anne, sentindo que nunca seria justo oferecer dinheiro a essa pequena alma generosa. — E, se você preferir, Lewis pode tirá-la.

— Ah, eu adoraria! — disse o Companheirinho, ansioso. — Carlo também?

— Certamente, Carlo também.

Anne posicionou os dois lindamente diante de um fundo de mata. O rapaz em pé com o braço em volta do pescoço enorme e encaracolado de seu amigo de brincadeiras. O cachorro e o garoto pareciam igualmente satisfeitos, então, Lewis tirou a foto com seu filme restante.

— Caso ela fique boa, enviarei uma cópia pelo correio — prometeu. Como devo endereçá-la?

— Teddy Armstrong, aos cuidados do Sr. James Armstrong, estrada Glencove — disse o Companheirinho. — Ah, como será divertido ter algo vindo para mim pelos correios! Eu digo a você que vou sentir muito orgulho. Não direi uma palavra ao papai sobre isso, para que seja uma esplêndida surpresa para ele.

— Bem, receberá seu pacote em duas ou três semanas — disse Lewis, quando se despediram dele. Mas Anne de repente se abaixou e beijou o rostinho queimado de sol. Havia algo sobre isso que puxou seu coração. Ele era tão doce... tão galante... tão órfão de mãe!

Eles olharam para ele antes de uma curva na estrada e o viram parado no açude, com seu cachorro, acenando para eles.

Claro que Rebecca Dew sabia tudo sobre os Armstrongs.

— James Armstrong nunca superou a morte de sua esposa há cinco anos — disse ela. — Ele não era tão hostil antes disso... muito agradável, embora um pouco isolado. Meio que nasceu assim. Ele estava simplesmente apaixonado pela sua pequena esposa... ela era vinte anos mais nova. Ouvi dizer que a morte dela foi um choque terrível para ele... simplesmente, pareceu mudar sua natureza completamente. Ele ficou azedo e rabugento. Não arranjava nem mesmo uma governanta... cuidava de sua casa e do filho sozinho. Ele viveu sozinho por anos antes de se casar, então ele não tem dificuldades em cuidar da casa.

— Mas isso não é vida para uma criança — disse tia Chatty. — Seu pai nunca o leva à igreja ou a qualquer lugar onde ele veja pessoas.

— Ele adora o menino, ouvi dizer — disse tia Kate.

— "Não terás outros deuses diante de mim" — citou Rebecca Dew, de repente.

CAPÍTULO 3

Passaram-se quase três semanas antes que Lewis tivesse tempo para revelar suas fotos. Ele as trouxe para Windy Poplars na primeira noite de domingo em que veio jantar. Tanto a casa quanto o Companheirinho ficaram esplêndidos. O Companheirinho sorria na foto, que era "tão real quanto a vida", como disse Rebecca Dew.

— Ora, ele se parece com você, Lewis! — exclamou Anne.

— Parece mesmo. — concordou Rebecca Dew, olhando para ele como uma juíza. — No minuto em que o vi, seu rosto me lembrou de alguém, mas não consegui dizer quem.

— Ora, os olhos... a testa... todo o rosto... é seu, Lewis — disse Anne.

— É difícil acreditar que eu já fui um garotinho tão bonito — disse, Lewis, encolhendo os ombros. — Eu tenho uma foto minha em algum lugar, tirada quando eu tinha oito anos. Devo procurá-la e compará-la. Você riria ao vê-la, Srta. Shirley. Eu tinha olhos bem alertas, cachos longos e uma camiseta com gola de renda, eu parecia rígido como uma vareta. Acho que tinha prendido minha cabeça em uma daquelas engenhocas de três garras que costumavam usar. Se esta foto realmente se parece comigo, deve ser apenas uma coincidência. O Companheirinho não deve ser parente meu. Não tenho nenhum na Ilha... no momento.

— Onde você nasceu? — tia Kate perguntou.

— New Brunswick, papai e mamãe morreram quando eu tinha dez anos e vim morar aqui com uma prima da mamãe... chamava-a de tia Ida. Ela também morreu, sabe... três anos atrás.

— Jim Armstrong veio de New Brunswick — disse Rebecca Dew. — Ele não é um ilhéu de verdade... não seria tão esquisito se fosse. Temos nossas peculiaridades, mas somos civilizados.

— Não tenho certeza se quero descobrir ser parente do amável Sr. Armstrong. — Lewis sorriu, atacando a torrada de canela de tia Chatty. — No entanto, acho que quando terminar de revelar a fotografia, vou levá-la pessoalmente para Glencove Road e investigar um pouco. Ele pode ser um primo distante ou algo assim. Eu realmente não sei nada sobre a família de minha mãe, se ela teve algum parente vivo. Sempre tive a impressão de que não. Papai não, disso eu sei.

— Se você levar a foto pessoalmente, o Companheirinho não ficará um pouco desapontado por perder a emoção de receber algo pelo correio? — perguntou Anne.

— Vou compensá-lo... vou lhe enviar outra coisa pelo correio.

Na tarde do sábado seguinte, Lewis veio dirigindo pela Spook's Lane em uma charrete antiquada atrás de uma égua ainda mais antiquada.

— Estou indo para Glencove para entregar a foto do pequeno Teddy Armstrong, Srta. Shirley. Se minha aparência elegante não lhe causar uma parada cardíaca, eu gostaria que você viesse também. Eu acho que nenhuma das rodas cairá.

— Onde diabos você pegou essa relíquia, Lewis? — perguntou Rebecca Dew.

— Não zombe de meu galante corcel, senhorita Dew. Tenha algum respeito pela idade dele. Sr. Bender me emprestou o cavalo e a charrete em troca de um favor em Dawlish Road. Eu não teria tempo para caminhar até Glencove e voltar ainda hoje.

— Tempo! — disse Rebecca Dew. — Eu poderia andar até lá e voltar mais rápido do que esse animal.

— E levar um saco de batatas para o Sr. Bender? Que mulher maravilhosa!

Rebecca Dew ficou com as bochechas ainda mais vermelhas.

— Não é certo tirar sarro dos mais velhos — disse ela, repreendendo. Mas, após isso, se acalmou... — Você gostaria de comer algumas rosquinhas antes de partir?

A égua branca, no entanto, desenvolveu surpreendentes poderes de locomoção quando estava mais uma vez ao ar livre. Anne riu para si mesma enquanto eles corriam ao longo da estrada. O que a Sra. Gardiner, ou mesmo a tia Jamesina, diriam se pudessem vê-la agora? Bem, ela não se importava. Era um dia maravilhoso para um passeio por uma terra que mantinha seu antigo e adorável ritual de outono, e Lewis era um bom companheiro. Lewis alcançaria suas ambições. Ninguém mais de seu conhecimento, ela refletiu, sonharia em convidá-la para ir passear de charrete atrás da égua de Bender. Mas nunca ocorreu a Lewis que havia algo estranho nisso. Que diferença faz na maneira como você viajou desde que chegue lá? As bordas calmas das colinas das terras altas eram tão azuis, as estradas tão vermelhas, os bordos tão lindos, não importava em qual veículo você andasse. Lewis era um filósofo e se importava tão pouco com o que as pessoas pudessem dizer quanto quando alguns dos alunos do ensino médio o chamavam de "Menininha" porque ele fazia tarefas domésticas para o conselho. Deixe-os falar! Algum dia, seria ele a dar risada. Seus bolsos podiam estar vazios, mas sua cabeça não. Enquanto isso, a tarde era linda e eles iam ver o Companheirinho de novo. Eles contaram ao cunhado do Sr. Bender sobre sua missão quando ele colocou o saco de batatas na parte de trás do carrinho.

— Você quer dizer que tem uma foto do pequeno Teddy Armstrong? — exclamou o Sr. Merrill.

— Isso eu tenho, e uma das boas. — Lewis desembrulhou-a e estendeu com orgulho. — Não acredito que um fotógrafo profissional pudesse ter tirado uma foto melhor.

O Sr. Merrill deu-lhe um tapa na perna.

— Ora, se isso não é inacreditável! Veja, o pequeno Teddy Armstrong está morto...

— Morto?! — exclamou Anne, horrorizada. — Oh, Sr. Merrill... não... não me diga... aquele querido garotinho...

— Desculpe, senhorita, mas é um fato. O pai dele está desconsolado, e o pior é que ele não tem nenhuma foto do menino. E agora você tem uma linda. Ora, ora!

— É... parece impossível — disse Anne, com os olhos cheios de lágrimas. Ela estava vendo a pequena figura esbelta acenando sua despedida do açude.

— Lamento dizer que é bem verdade. Ele morreu há quase três semanas. Pneumonia. Sofreu muito, mas foi tão corajoso e paciente quanto qualquer um poderia ser, dizem. Não sei o que será de Jim Armstrong agora. Dizem que ele parece um homem louco, só se lamenta e resmunga consigo mesmo o tempo todo. "Se eu ao menos tivesse uma foto do meu companheirinho", ele fica dizendo.

— Sinto muito por aquele homem — disse a Sra. Merrill, de repente. Ela não havia falado até então, ao lado de seu marido, uma mulher magra e grisalha, de corpo quadrado, vestindo uma roupa de chita balançada pelo vento e avental xadrez. — Ele é próspero e sempre achei que ele nos desprezava porque éramos pobres. Mas temos nosso filho... e não importa o quão pobre você seja, desde que tenha alguma coisa para amar.

Anne olhou para a Sra. Merrill com uma nova perspectiva. Ela não era bonita, mas quando seus olhos cinzentos fundos encontraram os de Anne, algum parentesco espiritual foi reconhecido entre elas. Anne nunca tinha visto a Sra. Merrill antes e nunca mais a viu, mas ela sempre se lembraria dela como uma mulher que descobriu o segredo supremo da vida: você nunca será pobre enquanto tiver algo para amar.

Aquele dia dourado foi estragado para Anne. De alguma forma, o Companheirinho conquistou seu coração naquele breve encontro. Ela e Lewis dirigiram em silêncio pela Glencove Road e pela alameda coberta de grama. Carlo estava deitado na pedra diante da porta azul. Ele se levantou e desceu até eles, enquanto desciam do carrinho, lambendo a mão de Anne e olhando para ela com grandes olhos melancólicos, como se pedisse notícias de seu amiguinho. A porta estava aberta e, além do cômodo escuro, eles viram um homem com a cabeça inclinada sobre a mesa.

Quando Anne bateu na porta, ele se levantou e foi até lá. Ela ficou chocada com a mudança nele. Ele tinha um semblante abatido, um rosto esquelético e com a barba por fazer, e seus olhos fundos brilhavam como fogo em brasa.

Ela esperava uma repulsa a princípio, mas ele pareceu reconhecê-la, pois disse com indiferença:

— Então você voltou? O Companheirinho disse que você conversou com ele e o beijou. Ele gostou de você. Lamento ter sido tão grosseiro. O que precisa?

— Queremos lhe mostrar uma coisa — disse Anne, gentilmente.

— Vocês podem entrar e se sentar? — ele disse, com tristeza.

Sem dizer mais nenhuma palavra, Lewis tirou a foto do Companheiro do embrulho e estendeu-a para ele. Ele agarrou-a, a olhou com espanto e voracidade, depois deixou-se cair na cadeira e começou a chorar e soluçar. Anne nunca tinha visto um homem chorar tanto antes. Ela e Lewis mantiveram uma solidariedade muda até que ele recuperou o autocontrole.

— Oh, vocês não sabem o que isso significa para mim — ele disse, finalmente. — Eu não tinha nenhuma foto dele. E não sou como as outras pessoas... não consigo me lembrar de um rosto... não consigo ver rostos como a maioria das pessoas consegue em suas mentes. Tem sido horrível desde que o Companheirinho morreu... eu nem conseguia me lembrar de como ele era. E agora vocês me trouxeram isso... depois de eu ter sido tão rude com vocês. Sentem-se... sentem-se. Eu gostaria de poder expressar minha gratidão de alguma forma. Acho que você salvou minha sanidade... talvez minha vida. Oh, senhorita, não é típico dele? Você sente como se ele fosse começar a falar. Meu querido Companheirinho! Como vou viver sem ele? Não tenho nada para viver agora. Primeiro a mãe dele... agora ele.

— Ele era um menino querido — disse Anne, com ternura.

— Ele era. Pequeno Teddy... Theodore, sua mãe o batizou... seu "presente dos deuses" ela dizia. E ele era tão paciente, nunca reclamou. Uma vez ele sorriu bem na minha cara e disse: "Pai, acho que você se enganou em uma coisa... só em uma. Acho que existe um paraíso, não existe? Não existe, papai?" Eu disse a ele que sim, havia... Deus me perdoe por tentar ensinar outra coisa a ele. E então ele sorriu novamente, daquele jeito que só ele sorria, e disse: "Pai, eu estou indo, mamãe está lá, e Deus também, então ficarei muito bem. Mas estou preocupado com você, papai. Você ficará tão solitário sem mim. Mas, apenas faça o melhor que puder e seja educado com as pessoas que vêm até nós de vez em quando". Ele me fez prometer que eu tentaria, mas quando ele se foi, eu não poderia suportar o vazio disso. Eu teria enlouquecido se vocês não tivessem me trazido isso. Não vai ser tão difícil agora.

Ele falou sobre seu Companheirinho por algum tempo, como se encontrasse alívio e prazer nisso. Sua reserva e rudeza pareciam ter caído dele como uma roupa. Por fim, Lewis apresentou uma pequena fotografia desbotada de si mesmo e mostrou-a para ele.

— Você já viu alguém assim, Sr. Armstrong? — perguntou Anne.

O Sr. Armstrong olhou para a foto com perplexidade.

— É horrível como o Pequeno Companheiro — disse ele, por fim. — De quem pode ser?

— É minha — disse Lewis — de quando eu tinha sete anos. Foi por causa da estranha semelhança com Teddy que a Srta. Shirley me fez trazê-lo para mostrar a você. Eu creio que seja possível que eu tenha uma relação distante com você ou com o Companheirinho. Meu nome é Lewis Allen e meu pai era George Allen. Nasci em New Brunswick.

O Sr. James Armstrong balançou sua cabeça, e perguntou:

— Qual era o nome da sua mãe?

— Mary Gardiner.

O Sr. James Armstrong olhou novamente para ele, depois ficou um momento em silêncio.

— Ela era minha meia-irmã — disse ele, finalmente. — Eu mal a conhecia... nunca a vi, exceto uma vez. Fui criado na família de um tio após a morte de meu pai. Minha mãe se casou novamente e se mudou. Ela veio me ver uma vez e trouxe sua filhinha. Ela morreu logo depois e nunca mais vi minha meia-irmã. Quando vim morar na Ilha, perdi todos os rastros dela. Você é meu sobrinho e primo do Companheirinho.

Esta foi uma notícia surpreendente para um rapaz que se imaginava sozinho no mundo. Lewis e Anne passaram a noite inteira com o Sr. Armstrong e o consideraram um homem culto e inteligente. De alguma forma, ambos gostaram dele. Sua antiga recepção inóspita foi totalmente esquecida e eles viram apenas o valor real do caráter e temperamento sob a casca pouco promissora que até então os havia escondido.

— Claro que o Companheirinho não amaria tanto o pai se ele não fosse assim — disse Anne, enquanto ela e Lewis voltavam para Windy Poplars durante o pôr do sol.

Quando Lewis Allen foi visitar seu tio no fim de semana seguinte, ele lhe disse:

— Rapaz, venha morar comigo. Você é meu sobrinho e posso fazer bem por você... o que eu teria feito pelo meu Companheirinho se ele tivesse vivido. Você está sozinho no mundo e eu também. Eu preciso de você. Ficarei bruto e amargo de novo se morar aqui sozinho. Quero que você me ajude a cumprir minha promessa ao Companheirinho. O lugar dele está vazio.

— Obrigado, tio, vou pensar — disse Lewis, estendendo a mão.

— E traga aquela sua professora aqui de vez em quando. Eu gosto daquela garota. O Companheirinho gostava dela. "Papai", ele me disse, "eu nunca pensei que gostaria que alguém além de você me beijasse, mas eu gostei quando ela me beijou. Havia algo em seus olhos, papai".

CAPÍTULO 4

— O velho termômetro da varanda marca zero e o novo da porta lateral indica dez graus acima — observou Anne, numa noite fria de dezembro. — Então, não sei se devo pegar meu regalo ou não.

— Melhor confiar no velho termômetro — disse Rebecca Dew, cautelosamente. — Provavelmente está mais acostumado com o nosso clima. Aonde você vai nesta noite fria, afinal?

— Vou até Temple Street convidar Katherine Brooke para passar as férias de Natal comigo em Green Gables.

— Então você vai estragar suas férias — disse Rebecca Dew, solenemente. — Ela esnobaria até os anjos, aquelazinha... isto é, se ela alguma vez aceitasse entrar no céu. E o pior de tudo é que ela se orgulha de suas más maneiras... acha que isso mostra que sua força de espírito não tem dúvidas!

— Meu cérebro concorda com cada palavra que você diz, mas meu coração simplesmente não — disse Anne. — Apesar de tudo, sinto que Katherine Brooke é apenas uma garota tímida e infeliz sob sua casca desagradável. Nunca poderei fazer nenhum progresso com ela em Summerside, mas se conseguir levá-la para Green Gables, acredito que isso a descongelará.

— Você não vai conseguir levá-la. Ela não vai — previu Rebecca Dew. — Provavelmente ela vai considerar um insulto ser convidada... achar que você está oferecendo caridade a ela. Nós a convidamos aqui uma vez para o jantar de Natal... um ano antes de você vir... você se lembra, Sra. MacComber, o ano em que recebemos dois perus e não sabíamos como iríamos comê-los... e tudo o que ela disse foi: "Não, obrigada. Se há algo que odeio é a palavra Natal!"

— Mas isso é tão terrível... odiar o Natal! Algo tem que ser feito, Rebecca Dew. Vou convidá-la e tenho uma sensação estranha em meus polegares que me diz que ela virá.

— De alguma forma — disse Rebecca Dew, relutantemente —, quando você diz que uma coisa vai acontecer, todo mundo acredita que vai. Você não é sensitiva, é? A mãe do capitão MacComber era. E me causava arrepios.

— Acho que não tenho nada que vá lhe dar arrepios. É só que... há algum tempo tenho a sensação de que Katherine Brooke está quase louca de solidão sob seu exterior amargo e que meu convite será aceito no momento certo, Rebecca Dew.

— Eu não sou bacharel — disse Rebecca, com terrível humildade — e não nego seu direito de usar palavras que nem sempre posso entender. Nem nego que você tenha as pessoas na mão. Veja como você lidou com os Pringles. Mas eu digo que tenho pena de você se levar aquele iceberg e ralador de noz-moscada para casa com você no Natal.

Anne não estava tão confiante quanto fingia estar durante sua caminhada até Temple Street. Katherine Brooke andava realmente insuportável ultimamente. Repetidas vezes Anne, rejeitada, disse tão severamente quanto o corvo de Poe: "Nunca mais". Ainda ontem Katherine havia sido muito ofensiva em uma reunião de equipe. Mas, em um momento de descuido, Anne viu algo saindo dos olhos da garota mais velha... algo apaixonado, meio frenético, como uma criatura enjaulada enlouquecida de descontentamento. Anne passou a primeira metade da noite tentando decidir se convidaria Katherine Brooke para Green Gables ou não. Por fim, ela adormeceu com a decisão irrevogável.

A senhoria de Katherine conduziu Anne à sala de estar e deu de ombros quando ela perguntou pela Srta. Brooke.

— Vou dizer a ela que você está aqui, mas não sei se ela vai descer. Ela está de mau humor. Eu disse a ela no jantar, esta noite, que o Sr. Rawlins acha que ela se veste de forma muito escandalosa para uma professora da Summerside, e ela levou isso muito a sério, como de costume.

— Eu não acho que você deveria ter dito isso à Srta. Brooke — disse Anne, em tom de reprovação.

— Mas eu acho que ela deveria saber — disse a Sra. Dennis, um tanto mal-humorada.

— Você também acha que ela deveria saber que o inspetor disse que é uma das melhores professoras da região? — perguntou Anne. — Ou você não sabia?

— Ah, eu sabia. Mas ela já é presunçosa o suficiente, ninguém precisa deixá-la pior. "Orgulhosa" é apelido... embora do que ela tenha orgulho, eu não sei. É claro que ela estaria brava de qualquer maneira esta noite porque eu disse que não poderia ter um cachorro. Ela colocou na cabeça que gostaria de ter um cachorro. Disse que pagaria por suas rações e garantiria que ele não incomodasse. Mas o que eu faria com ele quando ela estivesse na escola? Eu bati o pé. "Não vou hospedar cachorros", eu disse.

— Ah, Sra. Dennis, você não vai deixá-la ter um cão? Ele não iria incomodá-la... muito. Você poderia mantê-lo no porão enquanto ela estivesse na escola. E um cachorro, realmente, é uma ótima proteção durante a noite. Eu queria que você aceitasse... por favor.

Sempre havia algo nos olhos de Anne Shirley quando ela dizia "por favor" que as pessoas achavam difícil resistir. A Sra. Dennis, apesar dos ombros largos e da língua intrometida, não era cruel de verdade. Katherine Brooke simplesmente a irritava, às vezes, com seus modos rudes.

— Eu não sei por que você deveria se preocupar se ela tem um cão ou não. Eu não sabia que vocês eram tão amigas. Ela não tem nenhum amigo. Eu nunca tive uma pensionista tão mesquinha.

— Acho que é por isso que ela quer um cão, Sra. Dennis. Nenhum de nós pode viver sem algum tipo de companhia.

— Bem, é a primeira coisa humana que noto nela. — disse a Sra. Dennis. — Não sei se tenho alguma objeção terrível a um cachorro, mas ela meio que me irritou com seu jeito sarcástico de perguntar... "Dennis, suponho que você não se importaria se eu tivesse um cão" ela disse, arrogante como sempre. E é isso mesmo! "Você achou errado", disse eu, tão arrogante quanto ela. Eu não gosto de engolir minhas palavras mais do que a maioria das pessoas, mas você pode dizer a ela que ela pode ter um cachorro se garantir que ele não se comportará mal na sala de estar.

Anne não achava que a sala ficaria muito pior se o cachorro se comportasse mal. Ela olhou para as cortinas de renda sujas e as horríveis rosas roxas no tapete com um arrepio.

"Tenho pena de quem tem de passar o Natal numa pensão como esta", pensou. "Não me surpreende que Katherine odeie a palavra. Eu gostaria de dar a este lugar uma boa ventilação... cheira a mil refeições. Por que Katherine fica hospedada aqui quando ela tem um bom salário?"

— Ela disse que você pode subir — foi a mensagem que a Sra. Dennis trouxe de volta, um tanto duvidosa, pois a Srta. Brooke não agiu conforme ela esperava.

A escada estreita e íngreme parecia querer repelir quem quer que tentasse ir ao segundo andar. Ninguém subiria se não precisasse e o linóleo do corredor estava em pedaços. O quartinho dos fundos onde Anne se encontrava era ainda mais triste do que a sala de estar. Era iluminado por uma lamparina a gás, havia uma cama de ferro com um colchão afundado no meio e uma janela estreita, com cortinas esparsas, que dava para um quintal onde parecia florescer uma grande plantação de latas. Mas além dela havia um céu maravilhoso e uma fileira de lombardias destacando-se contra longas colinas roxas e distantes.

— Oh, senhorita Brooke, veja aquele pôr do sol — disse Anne, em êxtase da cadeira de balanço estridente e sem almofadas para a qual Katherine a conduziu de forma deselegante.

— Já vi muitos crepúsculos — disse ela, friamente, sem se mexer. ("Condescendente comigo com seu pôr do sol!" Ela pensou amargamente.)

— Você não viu este. Não há dois pores de sol iguais. Apenas sente-se aqui e vamos deixá-lo penetrar em nossas almas — disse Anne. Anne pensou: "Você, em algum momento, diz algo agradável?"

— Não seja ridícula, por favor.

As palavras mais ofensivas do mundo! Com um toque de insulto no tom desdenhoso de Katherine. Anne virou-se de seu pôr do sol e olhou para Katherine, inclinada a se levantar e sair. Mas os olhos de Katherine pareciam um pouco estranhos. Ela estava chorando? Certamente não... você não poderia imaginar Katherine Brooke chorando.

— Você não faz eu me sentir muito bem-vinda — disse Anne, lentamente.

— Eu não posso fingir coisas. Não tenho o seu dom notável para fazer o papel de rainha... dizendo exatamente a coisa certa para todos. Você não é bem-vinda. Que tipo de quarto é esse para receber alguém?

Katherine fez um gesto desdenhoso para as paredes desbotadas, as cadeiras surradas e nuas e a penteadeira bamba com sua anágua de musselina frouxa.

— Não é um bom quarto, mas por que você fica aqui se não gosta?

— Ora... porque... por quê? Você não entenderia. Não importa. Não me importo com o que as pessoas pensam. O que a trouxe aqui esta noite? Suponho que você não veio apenas para mergulhar no pôr do sol.

— Eu vim perguntar se você não gostaria de passar as férias de Natal comigo em Green Gables.

"Agora," pensou Anne, "para outro sarcasmo! Eu gostaria que ela pelo menos se sentasse.

Mas, por um momento, houve silêncio. Então, Katherine falou vagarosamente:

— Por que você me pergunta? Não é porque você gosta de mim... nem você pode fingir isso.

— É porque não consigo pensar em nenhum ser humano passando o Natal em um lugar como este — disse Anne, com franqueza.

Aí, o sarcasmo chegou:

— Ah, entendo. Uma explosão oportuna de caridade. Ainda não estou um cadastrada para isso, Srta. Shirley.

Então, Anne se levantou. Ela estava perdendo a paciência com aquela criatura estranha e indiferente. Ela atravessou a sala e olhou Katherine diretamente nos olhos.

— Katherine Brooke, quer você saiba disso ou não, o que você quer é uma boa surra!

Então, elas se entreolharam por um instante.

— Deve tê-la aliviado dizer isso — disse Katherine. Mas de alguma forma o tom ofensivo havia sumido de sua voz. Houve até uma leve contração no canto da boca.

— Aliviou — disse Anne. — Eu estou querendo lhe dizer há algum tempo. Eu não a convidei para Green Gables por caridade... você sabe disso muito bem. Eu lhe disse meu verdadeiro motivo. Ninguém deveria passar o Natal aqui... a própria ideia é indecente.

— Você me chamou para Green Gables só porque você sente muito por mim.

— Sinto muito por você. Porque você se excluiu da vida... e agora a vida está excluindo você. Pare, Katherine. Abra suas portas para a vida... e a vida entrará.

— A versão de Anne Shirley do velho ditado, "se você traz um rosto sorridente para o espelho, você encontra um sorriso" — disse Katherine com um encolher de ombros.

— Como todos os ditados, é absolutamente verdade. Agora, você vem para Green Gables ou não?

— O que você diria se eu aceitasse... por você, não por mim?

— Eu diria que você está mostrando o primeiro vislumbre de bom senso que já vi em você — retrucou Anne.

Katherine riu... surpreendentemente. Ela caminhou até a janela, franziu a testa para o traço de fogo que era tudo o que restava do pôr do sol desprezado, e então se virou.

— Muito bem... eu irei. Agora você pode me dizer que está maravilhada e que vamos nos divertir.

— Estou maravilhada. Mas não sei se você vai se divertir ou não. Isso vai depender muito de você, Srta. Brooke.

— Oh, eu vou me comportar decentemente. Você ficará surpresa. Você não vai me achar uma convidada muito eufórica, eu suponho, mas eu prometo a você que não vou comer com minha faca ou insultar as pessoas quando elas me disserem que é um bom dia. Digo-lhe francamente que a única razão pela qual estou indo é porque nem eu consigo suportar a ideia de passar o feriado aqui sozinha. A Sra. Dennis vai passar a semana de Natal com a filha em Charlottetown. É uma chateação pensar em fazer minhas próprias refeições. Eu sou uma péssima cozinheira. É um triunfo da matéria sobre a mente. Mas você vai me dar sua palavra de honra de que não vai me desejar um feliz Natal? Eu simplesmente não quero ser feliz no Natal.

— Não vou. Mas não posso responder pelos gêmeos.

— Eu não vou pedir para você se sentar aqui... você congelaria... mas vejo que há uma bela lua no lugar do seu pôr do sol e me ofereço para caminhar contigo até sua casa e ajudar você a admirá-la se quiser.

— Eu adoraria — disse Anne — mas quero deixar claro para você que temos luas muito melhores em Avonlea.

— Então ela vai? — disse Rebecca Dew enquanto enchia a garrafa de água quente de Anne. — Bem, senhorita Shirley, eu espero que você nunca tente me induzir a me tornar maometana... porque você provavelmente conseguiria. Onde está aquele gato? Lá fora fazendo bagunça por Summerside e o tempo está congelante.

— Não de acordo com o novo termômetro. E Dusty Miller está encolhido na cadeira de balanço ao lado do meu fogão na torre, roncando de felicidade.

— Ah, bem — disse Rebecca Dew, com um pequeno estremecimento enquanto fechava a porta da cozinha — eu gostaria que todos no mundo estivessem tão aquecidos e protegidos quanto nós esta noite.

CAPÍTULO 5

Anne não sabia que uma pequena e melancólica Elizabeth estava olhando de uma das janelas da Mansão Evergreens enquanto ela se afastava de Windy Poplars... uma Elizabeth com lágrimas nos olhos, que sentia como se tudo o que fazia a vida valer a pena tivesse ido embora de sua vida, por enquanto, e que ela era a mais Lizzie de todas as Lizzies. Mas quando o trenó desapareceu de sua vista na esquina da Spook's Lane, Elizabeth se ajoelhou ao lado da cama.

— Querido Deus — ela sussurrou — eu sei que não adianta pedir a Ti um feliz Natal para mim porque a Vovó e a Mulher não poderiam estar felizes, mas por favor, deixe minha querida Srta. Shirley ter um Natal muito, muito feliz, e traga-a de volta segura para mim quando acabar.

— Agora — disse Elizabeth, levantando-se — eu fiz tudo o que podia.

Anne já estava saboreando a felicidade do Natal. Ela quase reluzia de tanta animação quando o trem deixou a estação. As ruas feias passaram por ela... ela estava indo para casa... para casa em Green Gables. Lá fora, em campo aberto, o mundo era todo branco-dourado e violeta pálido, tecido aqui e ali com a magia negra dos abetos e a delicadeza sem folhas das bétulas. O sol baixo atrás da floresta nua parecia correr por entre as árvores como um deus esplêndido, enquanto o trem avançava. Katherine ficou em silêncio, mas não parecia grosseira.

— Não espere que eu converse — ela advertiu Anne, secamente.

— Não esperarei. Espero que você não pense que sou uma daquelas pessoas terríveis que fazem você sentir que tem que falar com elas o tempo todo. Nós só conversaremos quando tivermos vontade. Eu admito, é provável que eu tenha vontade de fazer isso boa parte do tempo, mas você não tem obrigação de prestar atenção no que estou dizendo.

Davy os encontrou em Bright River com um grande trenó de dois lugares cheio de mantos peludos... e um abraço de urso para Anne. As duas garotas se aconchegaram no banco de trás. A viagem da estação para Green Gables sempre foi uma parte muito agradável dos fins de semana de Anne em casa. Ela sempre se lembrava de sua primeira viagem de carro de Bright River para casa com Matthew. Isso foi na primavera e era dezembro, mas tudo ao longo da estrada dizia a ela: “Você se lembra?” A neve estalava sob os patins; a música dos sinos tilintava nas fileiras de altos abetos pontiagudos, carregados de neve. O Caminho Branco do Prazer tinha pequenos festões de estrelas emaranhados nas árvores. E na penúltima colina eles viram o grande golfo, branco e místico sob a lua, mas ainda não coberto de gelo.

— Há apenas um ponto nesta estrada onde eu sempre sinto que, de repente... “Estou em casa” — disse Anne. — É o topo da próxima colina, onde veremos as luzes de Green Gables. Só estou pensando no jantar que Marilla vai preparar para nós. Acho que posso sentir o cheiro daqui. Oh, que bom... bom... que bom estar em casa de novo!

Em Green Gables, cada árvore no quintal parecia recebê-la de volta... cada janela iluminada estava acenando. E como cheirava bem a cozinha de Marilla quando abriram a porta. Houve abraços, gritos e risadas. Nem mesmo Katherine parecia uma estranha, mas uma delas. A Sra. Rachel Lynde havia colocado sua querida luminária na mesa de jantar e a acendeu. Era realmente uma coisa hedionda, com um globo vermelho horrível, mas que luz quente e rosada ela lançava sobre tudo! Quão quentes e amigáveis eram as sombras! Como Dora estava ficando linda! E Davy realmente parecia quase um homem.

Havia novidades para contar. Diana tinha uma filha pequena... Josie Pye, na verdade, estava com um jovem rapaz... e Charlie Sloane estava noivo. Era tudo tão emocionante quanto as notícias do império poderiam ter sido. A nova colcha de retalhos da Sra. Lynde, recém-concluída, contendo cinco mil peças, estava em exibição e recebeu sua homenagem.

— Quando você chega em casa, Anne — disse Davy —, tudo parece ganhar vida.

— Ah, é assim que a vida deveria ser — ronronou a gatinha de Dora.

— Sempre achei difícil resistir à tentação de uma noite de luar — disse Anne, depois do jantar. — Que tal um passeio com sapatos de neve, Srta. Brooke? Acho que já ouvi falar que você sabe andar com eles.

— Sim... é a única coisa que sei fazer... mas não faço isso há seis anos — disse Katherine, com um encolher de ombros.

Anne tirou seus sapatos de neve do sótão e Davy disparou para Orchard Slope para pegar emprestado um velho par de sapatos da Diana para Katherine. Eles passaram pelo Caminho dos Amantes, cheia de adoráveis sombras de árvores, e através de campos onde pequenos abetos margeavam as cercas e através de bosques que estavam cheios de segredos, que pareciam sempre a ponto de sussurrar para você, mas nunca o faziam... e através de clareiras abertas que eram como poças de prata.

Eles não conversaram, nem quiseram. Era como se tivessem medo de falar por temer estragar algo bonito. Mas Anne nunca se sentiu tão próxima de Katherine Brooke antes. Por alguma magia própria, a noite de inverno as uniu... quase juntas, mas não totalmente.

Quando chegaram à estrada principal e um trenó passou, com sinos tocando e risadas tilintando, as duas garotas deram um suspiro involuntário. Parecia a ambos que elas estavam deixando para trás um mundo que não tinha nada em comum com aquele para o qual elas estavam voltando... um mundo onde o tempo não existia... que era um jovem de juventude imortal... onde as almas comungavam umas com as outras por algum meio que não precisava de nada tão grosseiro quanto palavras.

— Tem sido maravilhoso — disse Katherine, para si mesma, tão obviamente que Anne não respondeu.

Elas desceram a estrada e subiram a longa viela de Green Gables, mas pouco antes de chegarem ao portão do quintal, ambas pararam como por um impulso comum e ficaram em silêncio, encostadas na velha cerca coberta de musgo e olhando para a velha casa taciturna e maternal à vista, vagamente, por entre seu véu de árvores. Como Green Gables era linda em uma noite de inverno!

Abaixo dela, o Lago das Águas Brilhantes estava totalmente congelado, com sombras de árvores estampadas em suas bordas. O silêncio estava por toda parte, exceto pelo som do trotar de um cavalo na ponte. Anne sorriu ao recordar quantas vezes tinha ouvido aquele som enquanto estava deitada em seu quarto e fingia para si mesma que era o galope de cavalos mágicos passando pela noite.

De repente, outro som quebrou o silêncio.

— Katherine... você... ora, você está chorando!

De alguma forma, parecia impossível pensar em Katherine chorando. Mas ela estava. E suas lágrimas de repente a humanizaram. Anne não sentia mais medo dela.

— Katherine... querida Katherine... qual é o problema? Posso ajudar?

— Ah... você não consegue entender! — disse Katherine, engasgada. — As coisas sempre foram fáceis para você. Você... você parece viver em um pequeno círculo encantado de beleza e romance. "Eu me pergunto que descoberta deliciosa farei hoje"... essa parece ser sua atitude para com a vida, Anne. Quanto a mim, eu esqueci como viver... não, eu nunca soube como. Eu sou... eu sou como uma criatura presa em uma armadilha. Eu nunca consigo sair... e me parece que alguém está sempre me cutucando com paus através das grades. E você... você tem mais motivos para ser feliz do que é capaz de contar... amigos em todos os lugares, um amante! Não que eu queira um amante… Eu odeio homens... mas se eu morresse esta noite, nenhuma alma viva sentiria minha falta. Você gostaria de ser absolutamente sem amigos no mundo?

Katherine perdeu a voz, com um soluço.

— Katherine, você diz que gosta de franqueza. Serei franca. Se você não tem amigos como diz, a culpa é sua. Eu queria ser sua amiga. Mas você sempre foi hostil e amarga comigo.

— Oh, eu sei... eu sei. Como eu a odiei quando você chegou! Ostentando sua aliança de pérolas...

— Katherine, eu não a "ostentei"!

— Ah, suponho que não. Isso é apenas meu ódio natural. Mas parecia se exibir... não que eu invejasse seu namorado... eu nunca quis me casar... já vi o suficiente disso com meu pai e mãe... mas eu odiava você estar acima de mim sendo mais jovem do que eu... fiquei feliz quando os Pringles criaram problemas para você. Você parecia ter tudo o que eu não tinha... charme... amizade... juventude. Juventude! Eu nunca tive nada além de uma juventude faminta. Você não sabe como é. Você não sabe... você não tem a menor ideia do que é não ser desejada por ninguém... ninguém!

— Ah não, é? — gritou Anne.

Em algumas frases comoventes, ela esboçou sua infância antes de vir para Green Gables.

— Eu queria saber disso — disse Katherine. — Teria sido diferente. Para mim você parecia uma das favoritas da sorte. Eu fiquei verde de inveja de você. Você conseguiu a posição que eu queria... ah, eu sei que você é mais qualificada do que eu, mas ainda assim. Você é bonita... pelo menos faz as pessoas acreditarem que você é bonita. Minha lembrança mais antiga é de alguém dizendo: "que criança feia!" Você entra em uma sala deliciosamente... oh, eu me lembro de como você entrou na escola naquela primeira manhã. Mas acho que a verdadeira razão do meu ódio é que você parecia ter um deleite secreto… como se todo dia da sua vida fosse uma aventura. Apesar do meu ódio, houve momentos em que reconheci para mim mesma que você poderia ter vindo de alguma estrela distante.

— De verdade, Katherine, você me tira o fôlego com todos esses elogios. Mas você não me odeia mais, não é? Podemos ser amigas agora.

— Não sei... nunca tive nenhum tipo de amigo, muito menos alguém da minha idade. Não pertenço a lugar nenhum... nunca pertenci. Acho que não sei como ser uma amiga. Não, eu não a odeio mais... eu não sei o que eu sinto por você... ah, eu suponho que seja o seu charme notável que começa a funcionar em mim. Eu só sei disso. Sinto que gostaria de lhe contar como tem sido minha vida. Eu nunca poderia ter contado a você se não tivesse me contado sobre sua vida antes de vir para Green Gables. Quero que você entenda o que me tornou como eu sou. Não sei por que eu deveria querer que você entendesse... mas eu quero.

— Diga-me, querida Katherine. Eu realmente quero entender você.

— Você sabe o que é não ser querida, eu admito... mas não o que é saber que seu pai e sua mãe não querem você. Os meus não. Eles me odiaram desde o momento em que nasci... e antes... e eles se odiavam. Sim, eles se odiavam. Eles brigavam continuamente... apenas brigas más, chatas e mesquinhas. Minha infância foi um pesadelo. Eles morreram quando eu tinha sete anos e fui morar com a família do tio Henry. Eles também não me queriam. Todos me desprezavam porque eu estava "vivendo da caridade deles". Lembro-me de todas as reprovações que recebi... todas. Não consigo me lembrar de uma única palavra gentil. Tive que usar as roupas descartadas dos meus primos. Lembro-me de um chapéu em particular... me fez parecer um cogumelo. E eles zombavam de mim sempre que eu o colocava. Um dia, rasguei-o e joguei-o no fogo. Tive que usar a mais velha e horrível boina para ir à igreja o resto do inverno. Nunca tive um cachorro… e eu queria muito um. Eu tinha alguma inteligência... eu ansiava por um curso de bacharelado... mas, naturalmente, eu poderia muito bem ter ansiado pela lua. No entanto, tio Henry concordou em me colocar no Queen's se eu pagasse de volta quando eu trabalhasse em uma escola. Ele pagou meu aluguel em uma pensão miserável de terceira categoria onde eu tinha um quarto em cima da cozinha que era gelada no inverno e fervente no verão, e cheia de cheiros rançosos de comida de todas as estações. E as roupas que eu tinha que usar no Queen's! Mas tirei minha licença e consegui o segundo quarto no Colégio Summerside... a única sorte que eu já tive. Mesmo desde então eu tenho economizado cada centavo para pagar ao tio Henry... não apenas o que ele gastou me colocando no Queen's, mas o que minha pensão durante todos os anos que vivi lá custou a ele. Eu estava determinada a não lhe dever um centavo. É por isso que me hospedei com a Sra. Dennis e me vesti miseravelmente. E acabei de pagar a ele. Pela primeira vez na vida me sinto livre. Mas, enquanto isso, eu segui pelo caminho errado. Eu sei que sou antissocial... sei que nunca consigo pensar na coisa certa a dizer. Eu sei que é minha própria culpa que sempre sou negligenciada e ignorada em eventos sociais. Sei que transformei o ato de ser desagradável em uma bela arte. Eu sei que sou sarcástica. Sei que sou considerada uma megera pelos meus alunos. Eu sei que eles me odeiam. Você acha que não me machuca saber disso? Eles sempre parecem ter medo de mim... Eu odeio pessoas que parecem ter medo de mim. Oh, Anne... o ódio deve ser uma doença para mim. Eu queria ser como as outras pessoas... e agora nunca poderei. Isso é o que me tornou tão amargurada.

— Ah, mas você pode! — Anne passou o braço em volta de Katherine. — Você pode tirar o ódio de sua mente... curar-se disso. A vida está apenas começando para você agora... já que finalmente você está tão livre e independente. E você nunca sabe o que pode estar por vir na próxima curva da estrada.

— Eu já ouvi você dizer isso antes... eu ri da sua "curva da estrada". Mas o problema é que não há curvas em minha estrada. Posso vê-la estendendo-se diante de mim até a linha do horizonte... monotonia sem fim. Oh, a vida alguma vez a assustou, Anne, com seu vazio... seus enxames de pessoas frias e desinteressantes? Não, claro que não. Você não precisa continuar ensinando o resto de sua vida. E você parece achar todo mundo interessante, até mesmo aquele pequeno ser vermelho e redondo que você chama de Rebecca Dew. A verdade é que eu odeio ensinar... e não há mais nada que eu possa fazer. Um professor é simplesmente um escravo do tempo. Oh, eu sei que você gosta... Não vejo como você conseguiu. Anne, eu quero viajar. É a única coisa que eu sempre desejei. Eu me lembro da única foto pendurada na parede do meu quarto no sótão na casa do tio Henry... uma velha impressão desbotada que havia sido descartada dos outros quartos com desprezo. Era uma imagem de palmeiras ao redor de uma nascente no deserto, com uma fileira de camelos marchando ao longe. Isso literalmente me fascinou. Sempre quis sair e encontrá-la... quero ver o Cruzeiro do Sul, o Taj Mahal e os pilares de Karnak. Eu quero saber... não apenas acreditar... que o mundo é redondo. E eu nunca poderei fazer isso com o salário de uma professora. Vou ter que continuar, para sempre, tagarelando sobre as esposas do rei Henrique VIII e os recursos inesgotáveis do Domínio.

Anne riu. Era seguro rir agora, pois a amargura havia sumido da voz de Katherine. Ela soava apenas triste e impaciente.

— De qualquer forma, seremos amigas... e teremos dez dias agradáveis aqui para começar nossa amizade. Sempre quis ser sua amiga, Katherine... se escreve com K! Sempre achei que, por baixo de todos os seus espinhos, havia algo que faria você valer a pena como amiga.

— Então é isso que você realmente pensava de mim? Eu sempre me perguntei. Bem, o leopardo tentará mudar suas manchas, se for possível. Talvez seja. Posso acreditar em quase tudo nesta sua Green Gables. É o primeiro lugar que eu já estive que parecia um lar. Eu gostaria de ser mais como as outras pessoas... se não for tarde demais. Vou até praticar um sorriso ensolarado para aquele seu Gilbert quando ele chegar amanhã à noite. É claro que eu esqueci como falar com homens jovens... se é que algum dia eu soube. Ele vai pensar que sou uma velha solteirona. Eu me pergunto se, quando eu for para a cama esta noite, ficarei furiosa comigo mesma por tirar minha máscara e deixar você ver minha alma trêmula desse jeito.

— Não, você não vai. Você vai pensar, "estou feliz que ela tenha descoberto que sou humana". Vamos nos aconchegar entre os cobertores macios e quentes, provavelmente com duas bolsas de água quente, pois provavelmente Marilla e a Sra. Lynde colocarão uma cada para nós, com medo de que a outra tenha esquecido. E você vai se sentir deliciosamente sonolenta depois desta caminhada no luar gelado... e quando perceber, será de manhã e você se sentirá como se fosse a primeira pessoa a descobrir que o céu é azul. E você vai ter que aprender tudo sobre pudins de ameixa, porque você vai me ajudar a fazer um para terça-feira... um grande pudim de ameixa.

Anne ficou maravilhada com a boa aparência de Katherine quando elas entraram. Sua tez estava radiante depois de sua longa caminhada no ar puro e as cores faziam toda a diferença do mundo para ela.

"Ora, Katherine ficaria bonita se usasse o tipo certo de chapéus e vestidos", refletiu Anne, tentando imaginar Katherine com um certo chapéu de veludo vermelho-escuro que ela tinha visto em uma loja de Summerside, com seus cabelo pretos arrumados sob os olhos âmbar. "Eu simplesmente tenho que ver o que pode ser feito quanto a isso."

CAPÍTULO 6

Os dias de sábado até segunda-feira foram cheios de atividades alegres em Green Gables. O pudim de ameixa foi preparado e a árvore de Natal, trazida para casa. Katherine, Anne, Davy e Dora foram para a floresta para pegá-la... um belo pequeno abeto cujo corte Anne só aceitou pelo fato de que estava em uma pequena clareira do Sr. Harrison, que seria desmatada e arada na primavera de qualquer maneira.

Eles vagaram, colhendo pinheirinhos e galhos de pinheiros para guirlandas... até mesmo algumas samambaias que permaneceram verdes em uma certa depressão profunda da floresta durante todo o inverno... até que o dia sorriu de volta para a noite sobre colinas de cumes brancos, e eles voltaram para Green Gables, triunfantes... onde encontraram um jovem alto com olhos castanhos e o começo de um bigode que o fazia parecer tão mais velho e maduro que Anne teve um terrível momento de questionamento se era realmente Gilbert ou um estranho.

Katherine, com um sorrisinho que tentava ser sarcástico, mas não conseguia, deixou-os na sala e foi brincar com os gêmeos na cozinha a noite toda. Para sua surpresa, ela descobriu que estava gostando. E como era divertido descer ao porão com Davy e descobrir que ainda havia coisas como maçãs doces no mundo.

Katherine nunca tinha estado em um porão rural antes e não tinha ideia de como poderia ser um lugar encantador, assustador e sombrio à luz de velas. A vida já parecia mais quente. Pela primeira vez Katherine percebeu que a vida poderia ser bela, até mesmo para ela.

Davy fez barulho suficiente para acordar os Sete Adormecidos, em uma hora sobrenatural da manhã de Natal, tocando um velho chocalho, subindo e descendo as escadas. Marilla ficou horrorizada por ele fazer tal coisa quando havia um hóspede na casa, mas Katherine desceu rindo. De alguma forma, uma estranha camaradagem surgiu entre ela e Davy. Ela disse a Anne, francamente, que não se dava muito bem com a impecável Dora, mas que Davy era, de alguma forma, parecido com ela.

Eles abriram a sala e distribuíram os presentes antes do café da manhã porque os gêmeos, mesmo Dora, não comeriam nada se não abrissem. Katherine, que não esperava nada, exceto, talvez, um presente de Anne por obrigação, viu-se recebendo presentes de todos. Uma alegre manta de crochê da Sra. Lynde... um sachê de raiz de orris de Dora... um espátula de Davy... uma cesta cheia de potes minúsculos de compota e geleia de Marilla... até mesmo um pequeno gato rajado feito de bronze, para usar como peso de papel, de Gilbert.

E, amarrado sob a árvore, enrolado em um pedaço de cobertor quente de lã, um cachorrinho querido de olhos castanhos, orelhas alertas e sedosas e uma cauda insinuante. Um cartão amarrado ao pescoço trazia a legenda: “De Anne, que se atreve, afinal, a desejar-lhe um Feliz Natal”.

Katherine juntou seu corpinho contorcido em seus braços e falou com voz trêmula.

— Anne... ele é um amor! Mas a Sra. Dennis não me deixa ficar com ele. Eu perguntei a ela se poderia ter um cachorro e ela não permitiu.

— Combinei tudo com a Sra. Dennis. Você verá que ela não vai se opor. E, de qualquer maneira, Katherine, você não vai ficar lá muito tempo. Você deve encontrar um lugar decente para morar, agora que você "Pagou o que você achava que eram suas obrigações". Olhe para a linda caixa de papelaria que Diana me enviou. Não é fascinante olhar para as páginas em branco e imaginar o que estará escrito nelas?

A Sra. Lynde agradeceu por ser um Natal branco... não há cemitérios gordos quando o Natal é branco... mas para Katherine parecia um Natal roxo, carmesim e dourado. E a semana que se seguiu foi igualmente linda. Katherine muitas vezes se perguntou, amargamente, como seria ser feliz, e agora ela descobriu. Ela floresceu da maneira mais surpreendente. Anne encontrou-se desfrutando de sua companhia.

"E pensar que eu estava com medo de que ela estragasse minhas férias de Natal!" ela refletiu com espanto.

— E pensar — disse Katherine para si mesma, — que eu estava prestes a me recusar a vir aqui quando Anne me convidou!

Elas tiveram longas caminhadas... pelo Caminho dos Amantes e pela Floresta Assombrada, onde o próprio silêncio parecia amigável... sobre colinas onde a neve leve rodopiava em uma dança invernal de goblins... por entre velhos pomares cheios de sombras violetas... através da glória dos bosques do pôr do sol. Não havia pássaros para chilrear ou cantar, nem riachos para gorgolejar, nem esquilos para fofocar. Mas o vento fazia uma música ocasional que tinha em qualidade o que faltava em quantidade.

— Sempre se pode encontrar algo adorável para se ver ou ouvir — disse Anne.

Elas falavam de "repolhos e reis", atrelavam suas carroças sob as estrelas e voltavam para casa com apetites que esgotavam até mesmo a despensa de Green Gables. Um dia choveu e elas não puderam sair. O vento leste batia nos beirais e o abismo cinzento rugia. Mas mesmo uma tempestade em Green Gables tinha seus próprios encantos. Era aconchegante sentar perto do fogão e observar, sonhadoramente, a luz do fogo piscando no teto enquanto mastiga maçãs e doces. Quão alegre foi o jantar com a tempestade uivando lá fora!

Uma noite, Gilbert as levou para ver Diana e sua filha recém-nascida.

— Nunca segurei um bebê na minha vida antes — disse Katherine, enquanto voltavam para casa. — Por um lado, eu não queria, e por outro eu teria medo de que se partisse em pedaços nas minhas mãos. Você não pode imaginar como me senti... tão grande e desajeitada com aquela coisa minúscula, requintada em meus braços. Eu sei que a Sra. Wright pensou que eu iria derrubar a bebê o tempo todo. Eu podia vê-la fazendo um grande esforço para conter o seu horror. Mas isso mexeu comigo... digo, segurar o bebê... eu só ainda não consegui entender como.

— Bebês são criaturas tão fascinantes — disse Anne, sonhadoramente. — Eles são o que ouvi alguém em Redmond chamar de "feixes incríveis de potencialidades". Pense nisso, Katherine... Homero já deve ter sido um bebê... um bebê com covinhas e grandes olhos cheios de luz... ele não era cego nessa época, é claro.

— Uma pena que a mãe dele não sabia que ele seria o Homero — disse, Katherine.

— Mas acho que estou feliz porque a mãe de Judas não sabia que ele seria Judas — disse Anne, suavemente. — Espero que ela nunca tenha sabido.

Houve um concerto no salão uma noite, seguido de uma festa na casa de Abner Sloane, e Anne convenceu Katherine a ir a ambos.

— Eu quero que você faça uma leitura para o nosso evento, Katherine. Ouvi dizer que você lê lindamente.

— Eu costumava recitar... acho que até gostava de fazê-lo. Mas no verão retrasado recitei em um evento na praia que um grupo de veranistas organizou... e, depois, os ouvi rindo de mim.

— Como você sabe que eles estavam rindo de você?

— Certamente era de mim. Não havia mais nada para rir.

Anne segurou um sorriso e insistiu em pedir a leitura.

— Declame Genevra, como um bis. Disseram que você faz isso esplendidamente. A Sra. Stephen Pringle me disse que ela não conseguiu fechar os olhos na noite em que ouviu você declamar essa.

— Não, nunca gostei de Genevra. Faz parte da leitura na escola, então eu vivo ensinando a turma a lê-lo. Não tenho, mesmo, paciência para Genevra. Por que ela não gritou quando se percebeu presa? Quando eles estavam procurando por ela, em todos os lugares, certamente alguém a teria ouvido.

Katherine finalmente prometeu a leitura, mas duvidou da festa.

— Eu irei, é claro. Mas ninguém vai me convidar para dançar e eu vou me sentir sarcástica, discriminada e envergonhada. Eu sempre fico infeliz em festas... nas poucas em que já fui. Ninguém parece pensar que eu posso dançar... e você sabe que eu posso muito bem, Anne. Eu aprendi na casa do tio Henry, porque uma criada pobre queria aprender, e nós costumávamos dançar juntas na cozinha à noite, ao som da música que tocava no salão. Acho que gostaria... com o tipo certo de parceiro.

— Você não vai se sentir infeliz nesta festa, Katherine... você não vai ser deixada de lado. Há um mundo de diferença, sabe, entre ser deixada de lado e se colocar de lado. Você tem um cabelo tão lindo, Katherine. Você se importa se eu testar um novo penteado?

Katherine deu de ombros.

— Ah, vá em frente. Eu suponho que meu cabelo esteja horrível... mas eu não tenho tempo para estar sempre arrumando. Eu não tenho um vestido de festa. Será que o meu, de tafetá verde, serve?

— Vai ter que servir... embora o verde seja a cor que, acima de todas as outras, você nunca deveria usar, minha Katherine. Mas você vai usar uma gola de chiffon pregada com alfinetes que fiz para você. Sim, você vai. Você deveria ter um vestido vermelho, Katherine.

— Sempre odiei vermelho. Quando fui morar com o tio Henry, a tia Gertrude sempre me fazia usar aventais de um vermelho peru brilhante. As outras crianças na escola costumavam gritar "fogo", quando eu chegava com um desses aventais. De qualquer forma, não me importo com roupas.

— Deus me dê paciência! As roupas são muito importantes — disse Anne, severamente, enquanto trançava e enrolava. Então ela olhou para seu trabalho e viu que era bom. Ela passou o braço sobre os ombros de Katherine e a virou para o espelho.

— Você realmente não acha que somos um par de garotas muito bonitas? — ela riu. — E não é muito bom pensar que as pessoas vão encontrar algum prazer em olhar para nós? Há tantas pessoas sem graça que ficariam realmente muito atraentes caso se preocupassem um pouco consigo mesmas. Três domingos atrás, na igreja... você lembra do dia em que o pobre Sr. Milvain pregou e estava com um resfriado tão terrível que ninguém conseguia entender o que ele estava dizendo?... bem, eu passei o tempo fazendo as pessoas ao meu redor ficarem bonitas. Dei um nariz novo para a Sra. Brent, alisei o cabelo de Mary Addison e dei um enxágue de limão no de Jane Marden... vesti Emma Dill de azul em vez de marrom... vesti Charlotte Blair com listras em vez de xadrez... removi várias verrugas... e raspei as longas e arenosas costeletas de Thomas Anderson. Você não os reconheceria quando terminei com eles. E, exceto talvez pelo nariz da Sra. Brent, eles poderiam ter feito tudo o que eu fiz por conta própria. Ora, Katherine, seus olhos são da cor do chá... chá âmbar. Agora, faça jus ao seu nome esta noite... um riacho deve ser brilhante... límpido... alegre.

— Tudo o que eu não sou.

— Tudo o que você foi semana passada. Então você pode ser.

— Isso é apenas a magia de Green Gables. Quando eu voltar para Summerside, o relógio terá tocado à meia-noite para Cinderela.

— Você vai levar a magia de volta com você. Olhe para si mesma... aparenta ser, agora, como você deveria aparentar o tempo todo.

Katherine olhou para seu reflexo no espelho como se duvidasse de sua identidade.

— Eu pareço anos mais jovem — ela admitiu. — Você estava certa... as roupas fazem coisas com você. Oh, eu sei que tenho aparentado ser mais velha do que a minha idade. Eu não me importo. Por que eu deveria? Ninguém mais se importava. E eu não sou como você, Anne. Aparentemente você nasceu sabendo como viver. E eu não sei nada sobre isso... nem mesmo o ABC. Eu me pergunto se é tarde demais para aprender. Tenho sido sarcástica por tanto tempo, eu não sei se posso ser outra coisa. O sarcasmo me parecia ser a única maneira de impressionar as pessoas. E também me parece que sempre tive medo quando estava na companhia de outras pessoas… medo de dizer algo estúpido… medo de ser ridicularizada.

— Katherine Brooke, olhe-se naquele espelho; carregue essa foto sua com você... cabelo magnífico emoldurando seu rosto em vez de tentar puxá-lo para trás... olhos brilhando como estrelas negras... um rubor de excitação em suas bochechas... e você não sentirá medo. Venha, agora. Vamos nos atrasar, mas felizmente todos os artistas têm o que ouvi Dora se referir como assentos "preservados".

Gilbert os levou para o corredor. Como nos velhos tempos... só que era Katherine quem estava com ela no lugar de Diana. Anne suspirou. Diana tinha tantos outros interesses agora. Para ela, havia acabado essa vida de correr para shows e festas.

Mas que noite era aquela! Que estradas de cetim prateado com um céu verde pálido a Oeste depois de uma leve nevasca! Orion estava trilhando sua marcha majestosa pelos céus, e colinas e campos e bosques se estendiam ao redor deles em um silêncio perolado.

A leitura de Katherine capturou seu público desde a primeira linha e, na festa, ela não conseguiu encontrar danças para todos os seus possíveis parceiros. De repente, ela se viu rindo sem amargura. Então, de volta para casa em Green Gables, aquecendo os dedos dos pés na lareira da sala de estar à luz de duas velas agradáveis sobre a lareira; e a Sra. Lynde entrou nas pontas dos pés no quarto delas, por mais tarde que fosse, para perguntar se elas gostariam de outro cobertor e garantir a Katherine que seu cachorrinho estava confortável e quentinho em uma cesta atrás do fogão da cozinha.

"Tenho uma nova visão da vida", pensou Katherine enquanto caía no sono. "Eu não sabia que havia pessoas assim."

— Venha de novo — disse Marilla quando ela partiu.

Marilla nunca dizia isso a ninguém, a menos que fosse sincero.

— Claro que ela virá de novo — disse Anne. — Nos fins de semana... e durante semanas no verão. Acenderemos fogueiras e trabalharemos no jardim... e colheremos maçãs e cuidaremos das vacas... e remaremos no lago e nos perderemos na floresta. Eu quero mostrar a você o jardim da pequena Hester Gray, Katherine, e Echo Lodge e o Vale das Violetas quando está cheio de violetas.

CAPÍTULO 7

Windy Poplars,
5 de janeiro,
A rua onde os fantasmas caminham (ou deveriam).

MEU ESTIMADO AMIGO:

Isso não é nada que a avó da tia Chatty tenha escrito. É apenas algo que ela teria escrito se tivesse pensado nisso.

Prometi no Ano Novo que escreverei cartas de amor comedidas. Acha que isso é possível?

Deixei a querida Green Gables, mas voltei para a querida Windy Poplars. Rebecca Dew mandou acender a lareira no quarto da torre para mim e deixou uma garrafa de água quente na cama.

Estou tão feliz por gostar de Windy Poplars. Seria terrível morar em um lugar que eu não gostasse... que não parecesse amigável para mim... que não dissesse: "estou feliz porque você voltou". Windy Poplars diz. É um pouco antiquada e um pouco empertigada, mas gosta de mim.

E fiquei feliz em ver tia Kate, tia Chatty e Rebecca Dew novamente. Não posso deixar de ver seus lados engraçados, mas eu as amo muito por tudo isso.

Rebecca Dew disse uma coisa tão legal para mim ontem: "Spook's Lane tem sido um lugar diferente desde que você chegou aqui, Srta. Shirley".

Estou feliz que você tenha gostado de Katherine, Gilbert. Ela foi surpreendentemente legal com você. É incrível descobrir como ela pode ser legal quando ela tenta.

E eu acho que ela está tão surpresa com isso quanto qualquer outra pessoa. Ela não fazia ideia que seria tão fácil.

Vai fazer muita diferença na escola, ter uma vice com quem você pode realmente trabalhar. Ela vai mudar de pensão, e eu já a convenci a pegar aquele chapéu de veludo, e ainda não perdi a esperança de convencê-la a cantar no coral.

O cachorro do Sr. Hamilton desceu ontem e correu atrás Dusty Miller. "Esta é a gota d'água", disse Rebecca Dew. E com suas bochechas vermelhas ainda mais vermelhas, suas costas gordinhas tremendo de raiva, e com tanta pressa que vestiu o chapéu do avesso e sequer percebeu, ela cambaleou pela estrada e deu ao Sr. Hamilton um grande discurso sobre o que pensava. Eu posso até ver o rosto tolo e amável dele enquanto a ouvia.

— Eu não gosto daquele gato — ela me disse —, mas ele é NOSSO e nenhum cachorro do Hamilton vai vir aqui e tratá-lo assim em seu próprio quintal. "Ele só perseguiu seu gato por diversão", disse Jabez Hamilton. "As ideias de diversão de Hamilton são diferentes das ideias de diversão de MacComber ou das ideias de diversão de MacLean ou, se for o caso, das ideias de diversão de Dew", eu disse a ele. "Tut, tut, você deve ter comido repolho no jantar, senhorita Dew", disse ele. "Não", eu disse, "mas eu poderia ter comido. A Sra. Capitão MacComber não vendeu todos os seus repolhos no outono passado e deixou sua família sem nenhum porque o preço era muito alto. Há algumas pessoas", disse eu, "que não conseguem ouvir nada por causa do tilintar em seus bolsos." E eu deixei ele pensar nisso um pouco. Mas o que você poderia esperar de um Hamilton? Gente baixa!

Há uma estrela carmesim pairando sobre o branco vale de Rei da Tempestade. Eu gostaria que você estivesse aqui para vê-la comigo. Se você estivesse, eu realmente acho que seria mais do que um momento de estima e amizade.

12 de janeiro.

A pequena Elizabeth veio duas noites atrás para saber se eu poderia dizer a ela que tipo peculiar de animais terríveis eram as burras papais, e para me dizer, em prantos, que sua professora a havia convidado para cantar em um concerto que a escola pública está organizando, mas que a Sra. Campbell colocou o pé no chão e disse "não" decididamente. Quando Elizabeth tentou implorar, a Sra. Campbell disse: "Tenha a bondade de não me responder, Elizabeth, por favor".

A pequena Elizabeth chorou algumas lágrimas amargas no quarto da torre naquela noite e disse que sentiu que isso a tornaria Lizzie para sempre. Ela nunca mais poderia ter nenhum de seus outros nomes.

— Eu amei Deus na semana passada, nesta semana não amo — falou desafiadoramente.

Toda a turma dela estava participando do programa e ela se sentia "como um leopardo". Acho que aquela menina doce queria dizer que ela se sentia como uma leprosa e isso era suficientemente terrível. A querida Elizabeth não deve se sentir como uma leprosa.

Então eu mandei uma mensagem para os Evergreens na noite seguinte. A Mulher... que pode realmente ter vivido antes do dilúvio, de tão velha que parecia, olhou para mim friamente com grandes olhos cinzentos e inexpressivos, mostrou-me sombriamente o caminho para a sala de estar e fui dizer à Sra. Campbell que eu a havia procurado.

Acho que não houve sol naquela sala desde que a casa foi construída. Havia um piano, mas tenho certeza de que nunca poderia ter sido tocado. Cadeiras duras, cobertas por tecidos de seda, encostadas contra a parede... Todos os móveis ficavam contra a parede, exceto uma mesa central com tampo de mármore, e nenhum deles parecia estar familiarizado com o resto.

A Sra. Campbell entrou. Eu nunca a tinha visto antes. Ela tem um belo rosto velho e esculpido que poderia ter sido de um homem, com olhos escuros e sobrancelhas negras sob um cabelo gélido. Ela ainda não tinha se desfeito de todos os adornos para o corpo, pois usava grandes brincos de ônix preto que chegavam até os ombros. Ela foi dolorosamente educada comigo e eu fui dolorosamente educada com ela. Nós nos sentamos e trocamos cortesias sobre o tempo por alguns momentos... ambas, como Tácito observara alguns milhares de anos atrás, "com semblantes ajustados à ocasião". Eu disse a ela, sinceramente, que eu tenha vindo ver se ela me emprestaria as *Memórias* do reverendo James Wallace Campbell por um curto período de tempo, porque entendi que havia muito sobre o início da história do condado de Prince neles que eu gostaria de fazer uso na escola.

A Sra. Campbell se empolgou bastante e, chamando Elizabeth, disse-lhe para subir ao quarto e trazer as Memórias. O rosto de Elizabeth mostrava sinais de lágrimas e a Sra. Campbell aceitou explicar que era porque a professora da pequena Elizabeth havia enviado outra nota implorando que ela fosse autorizada a cantar no concerto e que ela, a Sra. Campbell, havia escrito uma resposta muito mordaz que a pequena Elizabeth teria de levar à professora na manhã seguinte, dizendo: "Não aprovo que crianças da idade de Elizabeth cantem em público". Disse a Sra. Campbell. "Isso tende a torná-las ousadas e malcriadas." Como se alguma coisa pudesse tornar a pequena Elizabeth ousada e malcriada!

— Acho que talvez esteja sendo sensata, Sra. Campbell — comentei em meu tom mais paternalista. — De qualquer forma, Mabel Phillips vai cantar, e me disseram que sua voz é realmente tão maravilhosa que ela fará todos os outros parecem nada. Sem dúvida, é muito melhor que Elizabeth não tente competir com ela.

O rosto da Sra. Campbell de reflexão. Ela podia ser Campbell por fora, mas era Pringle por dentro. Ela não disse nada, no entanto, e eu sabia o momento psicológico de parar. Agradeci-lhe pelas *Memórias* e fui embora.

Na noite seguinte, quando a pequena Elizabeth chegou ao portão do jardim para pegar seu leite, seu rosto pálido e florido era literalmente uma estrela. Ela me disse que a Sra. Campbell permitiu que ela cantasse, contanto que ela não se envaidecesse por causa disso.

Veja bem, Rebecca Dew me disse que as famílias Phillips e Campbell sempre foram rivais no quesito de boas vozes!

Eu dei a Elizabeth uma pequena foto de Natal para pendurar acima de sua cama... apenas um caminho na floresta, salpicado de luz, subindo uma colina até uma pequena casa pitoresca entre algumas árvores. A pequena Elizabeth diz que agora não está com tanto medo de ir dormir no escuro, porque assim que ela se deita ela finge que está subindo o caminho para a casa e que ela entra e está tudo iluminado e o pai dela está lá. Pobre querida! Não posso deixar de detestar aquele pai dela!

19 de janeiro.

Houve um baile na casa de Carry Pringle ontem à noite. Katherine estava lá em uma seda vermelha-escura com os novos babados laterais e seu cabelo tinha sido penteado por um cabeleireiro. Você acredita, pessoas que a conheciam desde que ela veio para ensinar em Summerside, na verdade, perguntavam umas às outras quem ela era quando ela entrou na sala, mas acho que foi menos o vestido e o cabelo que fizeram a diferença do que uma mudança indefinível nela mesma.

Sempre que ela saía com as pessoas, antes, sua atitude parecia ser: "Essas pessoas me entediam". Mas ontem à noite foi como se ela tivesse colocado velas acesas em todas as janelas de sua casa da vida.

Tive muita dificuldade em conquistar a amizade de Katherine. Mas nada que valha a pena é fácil, e sempre achei que a amizade dela valeria a pena.

Tia Chatty está de cama há dois dias com um resfriado febril e acha que deve receber um médico amanhã, caso esteja com pneumonia. Então, Rebecca Dew, com a cabeça amarrada em uma toalha, limpou a casa loucamente o dia todo para deixá-la em perfeita ordem antes da possível visita do médico. Agora ela está na cozinha passando a camisola de algodão branco da tia Chatty com a canga de crochê, para que esteja pronta para ela deslizar sobre a de flanela. Antes estava impecavelmente limpa, mas Rebecca Dew achou que não estava com uma cor muito boa por estar na gaveta da cômoda.

28 de janeiro.

Janeiro, até agora, tem sido um mês de dias frios e cinzentos, com uma tempestade ocasional girando no porto e enchendo Spook's Lane com montes de neve. Mas ontem à noite tivemos um degelo prateado e hoje o sol brilhou. Meu bosque de bordo era um lugar de inimagináveis esplendores. Até mesmo os lugares comuns haviam se tornado encantadores. Cada pedaço de cerca de arame era uma maravilha de renda de cristal.

Rebecca Dew passou toda esta noite sobre uma de minhas revistas que continha um artigo sobre "Tipos de Mulheres Justas", ilustrado por fotografias.

— Não seria adorável, Srta. Shirley, se alguém pudesse apenas acenar com uma varinha e deixar todo mundo bonito? — ela disse melancolicamente. — Apenas imagine meus sentimentos, Senhorita Shirley, se eu de repente me achasse bonita! Mas, aí — bufou ela —, quem poderia fazer todo o trabalho?

CAPÍTULO 8

— Estou tão cansada. — suspirou a prima Ernestine Bugle, deixando-se cair em sua cadeira à mesa de jantar do Windy Poplars. — Às vezes tenho receio de me sentar por medo de nunca mais conseguir me levantar.

Ernestine, uma prima de terceiro grau do falecido capitão MacComber, mas ainda assim, como tia Kate costumava refletir, muito próxima, veio de Lowvale naquela tarde para uma visita a Windy Poplars. Não se pode dizer que nenhuma das viúvas a tenha recebido com muito entusiasmo, apesar dos sagrados laços de família. A prima Ernestine não era uma pessoa alegre, era uma daquelas infelizes que estão constantemente preocupadas não apenas com seus próprios assuntos, mas também com os de todos os outros, e que não dão a si mesmas ou aos outros qualquer descanso. A própria aparência dela, declarou Rebecca Dew, fazia você sentir que a vida era um vale de lágrimas.

Certamente a prima Ernestine não era bonita e era extremamente duvidoso que alguma vez tivesse sido. Ela tinha um rostinho seco e franzido, olhos azuis desbotados e pálidos, várias pintas mal posicionadas e uma voz chorosa. Usava um vestido preto enferrujado e uma gola decrépita de selo de Hudson que ela não tirava nem mesmo à mesa, porque tinha medo de rasgá-la.

Rebecca Dew poderia ter se sentado à mesa com elas se quisesse, pois as viúvas não consideravam a prima Ernestine uma "companhia" em particular. Mas Rebecca sempre declarou que não podia "saborear seus alimentos" naquela sociedade de velhas desmancha-prazeres. Preferia "comer o seu bocado" na cozinha, mas isso não a impedia de dizer o que dizia enquanto esperava à mesa.

— Provavelmente é a primavera entrando em seus ossos — ela comentou, sem simpatia.

— Ah, espero que seja só isso, Srta. Dew. Mas acho que sou como a pobre Sra. Oliver Gage. Ela comeu cogumelos no verão passado, mas deve ter havido um cogumelo venenoso entre eles, pois ela nunca mais se sentiu a mesma desde então...

— Mas você não pode ter comido cogumelos tão cedo quanto nesta época — disse tia Chatty.

— Não, mas acho que comi outra coisa. Não tente me animar, Charlotte. Você tem boas intenções, mas não adianta. Já passei por muita coisa. Tem certeza que não há uma aranha naquela jarra de creme, Kate? Receio ter visto uma quando você serviu minha xícara.

— Nunca haveria aranhas em nossas jarras de creme — disse Rebecca Dew, ameaçadoramente, e bateu a porta da cozinha.

— Talvez tenha sido apenas uma sombra — disse a prima Ernestine, humildemente. — Meus olhos não são mais o que eram. Receio que em breve ficarei cega. Isso me lembra... dei uma passada para ver Martha MacKay esta tarde e ela estava se sentindo febril e com algum tipo de erupção cutânea. "Parece-me que você tem sarampo", eu disse a ela. "Provavelmente isso vai deixá-la quase cega. Toda a sua família tem olhos fracos." Achei que ela devia estar preparada. A mãe dela também não está bem. O médico diz que é indigestão, mas temo que seja um tumor. "E se você tiver que fazer uma operação e tomar clorofórmio", eu disse a ela, "Receio que você nunca vai sair dessa. Lembre-se de que você é uma Hillis e todos os Hillis têm corações fracos. Seu pai morreu de insuficiência cardíaca, você sabe."

— Aos oitenta e sete anos! — disse Rebecca Dew, afastando um prato.

— E você sabe que três pontos e dez é o limite da Bíblia — disse tia Chatty alegremente.

A prima Ernestine serviu-se de uma terceira colher de chá de açúcar e mexeu, tristemente, o chá.

— Assim disse o Rei Davi, Charlotte, mas temo que Davi não era um homem muito bom em alguns aspectos.

Anne chamou a atenção de tia Chatty e riu antes que pudesse se conter.

A prima Ernestine olhou para ela com desaprovação.

— Ouvi dizer que você era uma ótima garota para rir. Bem, espero que dure, mas receio que não. Receio que você descubra muito em breve que a vida é um negócio melancólico. Ah, bem, eu já fui jovem uma vez.

— Já foi mesmo? — perguntou Rebecca Dew, sarcasticamente, trazendo os bolinhos. — Parece-me que você sempre teve medo de ser jovem. É preciso coragem, posso lhe dizer, senhorita Bugle.

— Rebecca Dew tem uma maneira tão estranha de colocar as coisas — reclamou a prima Ernestine. — Não que eu me importe com ela, é claro. E é bom rir quando puder, Srta. Shirley, mas temo que você esteja tentando a Providência sendo tão feliz. Você é horrível como a tia da esposa do nosso último pastor... ela estava sempre rindo e morreu de um ataque paralítico. O terceiro a mata. Receio que nosso novo pastor em Lowvale esteja inclinado a ser frívolo. No minuto em que o vi, disse a Louisy: "Receio que um homem com pernas assim deve ser viciado em dançar." Suponho que ele desistiu desde que se tornou pastor, mas temo que a tensão apareça em sua família. Ele tem uma jovem esposa e dizem que ela está escandalosamente apaixonada por ele. Parece que não consigo superar o pensamento de alguém se casar com um pastor por amor. Receio que seja terrivelmente irreverente. Ele prega sermões bastante justos, mas receio pelo que ele disse sobre Elias, o Tisbita, no domingo passado, que ele é muito liberal em suas opiniões sobre a Bíblia.

— Vi no jornal que Peter Ellis e Fanny Bugle se casaram na semana passada — disse tia Chatty.

— Ah, sim. Receio que seja o caso de casar às pressas e arrepender-se com calma. Eles se conhecem há apenas três anos. Receio que Peter descubra que nem tudo o que reluz é ouro. Receio que Fanny seja muito indolente. Ela passa o ferro em seus guardanapos de mesa no lado direito primeiro, e só isso. Não tão igual à sua santa mãe. Ah, ela era uma mulher meticulosa, se alguma vez houve uma. Quando ela estava de luto, sempre usava camisolas pretas. Disse que se sentia tão mal à noite quanto durante o dia. Eu estava na casa de Andy Bugle, ajudando-os a cozinhar, e quando desci na manhã do casamento, não estava lá Fanny, comendo um ovo para o café da manhã dela? E ela se casaria naquele dia. Acho que você não vai acreditar nisso... Eu não acreditaria se não tivesse visto com meus próprios olhos. Minha pobre irmã morta não comeu nada por três dias antes de se casar. E depois que o marido dela morreu, todos nós tínhamos medo de que ela nunca mais comesse. Há momentos em que sinto que não consigo mais entender os Bugles. Houve um tempo em que você sabia como estava com seus entes, mas não é assim agora.

— É verdade que Jean Young vai se casar de novo? — perguntou tia Kate.

— Receio que sim. É claro que Fred Young está morto, mas tenho muito medo de que ele apareça mesmo assim. Você nunca podia confiar naquele homem. Ela vai se casar com Ira Roberts. Receio que ele esteja apenas se casando com ela para fazê-la feliz. Seu tio Philip, uma vez, quis se casar comigo, mas eu disse a ele, "Bugle eu nasci e Bugle eu vou morrer. O casamento é um salto no escuro", eu disse, "e eu não vou me arrastar para isso". Houve muitos casamentos em Lowvale neste inverno. Receio que haverá funerais durante todo o verão para compensar isso. Annie Edwards e Chris Hunter se casaram no mês passado. Temo que eles não gostem tanto um do outro daqui a alguns anos, como gostam agora. Receio que ela tenha sido conquistada por seus modos arrojados. Seu tio Hiram era louco... ele acreditou que era um cachorro por anos.

— Se ele apenas latia, ninguém precisava incomodá-lo com a diversão — disse Rebecca Dew, trazendo as conservas de pera e o bolo de camadas.

— Nunca ouvi dizer que ele latia — disse a prima Ernestine. — Ele apenas roía ossos e os enterrava quando ninguém estava olhando. Sua esposa sentia isso.

— Onde está a Sra. Lily Hunter este inverno? — perguntou tia Chatty.

— Ela está passando com o filho em São Francisco e estou com muito medo de que haja outro terremoto antes que ela saia de lá. Se ela conseguir, provavelmente tentará contrabandear algo e terá problemas na fronteira. Quando se viaja, quando não é uma coisa, é outra. Mas as pessoas parecem loucas por isso. Meu primo, Jim Bugle, passou o inverno na Flórida. Receio que ele esteja ficando rico e mundano. Eu disse a ele antes de partir, eu disse… eu me lembro que foi na noite anterior à morte do cachorro dos Colemans… ou foi naquela noite?... sim, foi… "O orgulho precede a destruição e um espírito altivo precede a queda", disse eu. A filha dele está lecionando na escola em Bugle Road e ela não consegue decidir com qual de seus namorados vai ficar. "Há uma coisa que posso garantir a você, Mary Annetta", disse eu, "e é que você nunca vai ficar com aquele que você mais ama. Então é melhor você aceitar aquele que a ama... se você puder, tenha certeza que ele a ame". Espero que ela faça uma escolha melhor do que Jessie Chipman fez. Receio que ela vá se casar com Oscar Green porque ele estava sempre por perto. "Foi esse que você escolheu?", eu disse a ela. Seu irmão morreu de tuberculose galopante. "E não se case em maio", disse eu, "porque maio não traz sorte para um casamento".

— Como você é sempre motivadora! — disse Rebecca Dew, trazendo um prato de biscoitos.

— Você pode me dizer — disse a prima Ernestine, ignorando Rebecca Dew e pegando uma segunda porção de peras — se uma calceolária é uma flor ou uma doença?

— Uma flor — disse tia Chatty.

Prima Ernestine pareceu um pouco desapontada.

— Bem, seja o que for, a viúva de Sandy Bugle tem. Eu a ouvi dizer à irmã na igreja no último domingo que ela finalmente tinha conseguido uma calceolária. Seus gerânios são horrivelmente esqueléticos, Charlotte. Receio que você não os fertilize adequadamente... A Sra. Sandy não está mais de luto e o pobre Sandy morreu há apenas quatro anos. Bem, os mortos logo são esquecidos hoje em dia.

— Você sabia que sua carcela está aberta? — disse Rebecca, colocando uma torta de coco diante de tia Kate.

— Não tenho tempo de ficar sempre olhando para o meu rosto no espelho — disse a prima Ernestine, acidamente. — E daí se minha carcela estiver aberta? Eu visto três anáguas, não é? Ouço dizer que as meninas hoje em dia usam apenas uma. Receio que o mundo esteja ficando terrivelmente alegre e tonto. Eu me pergunto se elas, em algum momento, pensam no dia do juízo final.

— Você acha que eles vão nos perguntar, no dia do juízo final, quantas anáguas nós vestimos? — perguntou Rebecca Dew, escapando para a cozinha antes que alguém pudesse expressar seu horror. Até a tia Chatty achava que Rebecca Dew tinha ido longe demais.

— Imagino que tenha visto a morte do velho Alec Crowdy na semana passada no jornal — suspirou a prima Ernestine. — Sua esposa morreu há dois anos, literalmente arrastada para o túmulo, pobre criatura. Eles dizem que ele tem estado terrivelmente solitário desde que ela morreu, mas temo que seja bom demais para ser verdade. E temo que eles não tenham resolvido seus problemas com ele ainda, mesmo que ele esteja enterrado. Ouvi dizer que ele não faria um testamento e temo que haverá terríveis brigas pela propriedade. Eles dizem que Annabel Crowdy vai se casar com um "especialista" de todas as coisas. O primeiro marido de sua mãe era um, então talvez seja hereditário. Annabel teve uma vida difícil, mas temo que ela pulará para fora da frigideira e cairá direto no fogo, mesmo que ela não descubra que ele já tem uma esposa.

— O que Jane Goldwin está fazendo neste inverno? — perguntou tia Kate. — Ela não vem à cidade há muito tempo.

— Ah, pobre Jane! Ela está definhando misteriosamente. Eles não sabem o que há com ela, mas temo que não passe de um álibi. Por que Rebecca Dew está rindo como uma hiena na cozinha? Receio que você vá ter trabalho com ela. Há uma enorme quantidade de mentes fracas entre os Dews.

— Vejo que Thyra Cooper tem um bebê — disse tia Chatty.

— Ah, sim, a coitadinha. Apenas uma, graças a Deus. Eu estava com medo de que fossem gêmeos. Gêmeos são comuns entre os Coopers.

— Thyra e Ned formam um jovem casal tão amável — disse tia Kate, como se determinada a salvar algo do naufrágio do universo.

Mas a prima Ernestine não admitia que houvesse bálsamo em Gilead, muito menos em Lowvale.

— Ah, ela ficou muito grata por, finalmente, tê-la conquistado. Houve um tempo em que ela teve medo de que ele não voltasse do Oeste. Eu a avisei. "Pode ter certeza que ele vai desapontá-la", eu disse a ela. Ele sempre decepcionou as pessoas. Todos esperavam que ele morresse antes de completar um ano, mas você vê que ele ainda está vivo.

Quando ele comprou a casa de Holly, eu a avisei novamente. "Receio que o poço esteja cheio de febre tifoide", eu disse a ela. O criado de Holly morreu de febre tifóide há cinco anos. Eles não podem me culpar se alguma coisa acontecer. Joseph Holly tem um pouco de dor nas costas. Ele chama isso de dor na lombar, mas temo que seja o começo de uma meningite espinhal.

— O velho tio Joseph Holly é um dos melhores homens do mundo — disse Rebecca Dew, trazendo um bule reabastecido.

— Ah, ele é bom — disse a prima Ernestine, lugubremente. — Bom demais! Receio que todos os filhos dele vão seguir o mal. Você vê isso com tanta frequência. Parece que uma média deve ser atingida. Não, obrigada, Kate, não vou mais tomar chá… bem, talvez um biscoito. Eles não pesam no estômago, mas receio ter comido demais. Estou de saída, pois receio que escureça antes que eu vá para casa. Eu não quero molhar meus pés; tenho tanto medo de pneumonia. Eu senti algo correndo dos meus braços para minhas pernas durante todo o inverno. Noite após noite, eu fiquei acordada por isso. Ah, ninguém sabe o que passei, mas não sou do tipo que reclama. Estava determinada a levantar para vê-las mais uma vez, pois posso não estar aqui outra primavera. Mas vocês duas falharam terrivelmente, então vocês ainda podem partir antes de mim. Ah, bem, é melhor partir desta enquanto ainda há algum parente para lhe sepultar. Meu Deus, como o vento está ficando forte! Receio que o telhado do nosso celeiro exploda se vier uma ventania. Tivemos tanto vento nesta primavera que temo que o clima esteja mudando. Obrigada, senhorita Shirley... — enquanto Anne a ajudava a vestir o casaco. — Tenha cuidado. Você está horrivelmente pálida. Receio que as pessoas com cabelo ruivo nunca tenham uma saúde realmente forte.

— Acho que minha saúde está boa — sorriu Anne, entregando à prima Ernestine um chapéu esquisito, com uma pena de avestruz fibrosa dobrada na parte de trás. — Estou com um pouco de dor de garganta esta noite, Srta. Bugle, só isso.

— Ah! — outro dos pressentimentos sombrios da prima Ernestine lhe sobreveio. — Você deve tomar cuidado com uma dor de garganta. Os sintomas de difteria e amigdalite são exatamente os mesmos até o terceiro dia. Mas há um lado bom... você seria poupada de muitos problemas se morresse jovem.

CAPÍTULO 9

Quarto da Torre,
Windy Poplars,
20 de abril.

QUERIDO GILBERT:

"Eu falo sorrindo, é loucura, ou alegria, o que posso fazer?". Receio ficar velha ainda jovem… receio acabar em um asilo para pobres… receio que nenhum dos meus alunos passe nas provas finais... O cachorro do Sr. Hamilton latiu para mim sábado à noite, e estou com medo de ter hidrofobia... Tenho medo de que meu guarda-chuva vire do avesso quando eu tiver um encontro amoroso com Katherine esta noite... receio que Katherine goste tanto de mim agora que ela não consiga gostar tanto assim de mim sempre… tenho medo que meu cabelo não seja ruivo, afinal... tenho medo de ter uma verruga na ponta do nariz quando tiver cinquenta anos… receio que minha escola seja uma armadilha incendiária… receio encontrar um rato na minha cama esta noite... Receio que você tenha ficado noivo de mim só porque eu estava sempre por perto... estou com receio de logo começar a implicar com a roupa de cama.

Não, querido, eu não estou louca... ainda não. É só que a prima Ernestine Bugle me deixou perturbada.

Agora eu sei porque Rebecca Dew sempre a chamou de "Senhorita Muito Temerosa". A pobre alma pegou emprestado tantos problemas que deve estar irremediavelmente em dívida com o destino.

Existem tantos Bugles no mundo... não tantos que foram tão longe no Buglismo como a prima Ernestine, talvez, mas tantos estraga-prazeres, com medo de aproveitar o hoje por causa do que o amanhã trará.

Gilbert, querido, nunca tenhamos medo das coisas. É uma escravidão terrível. Sejamos ousados, aventureiros e ansiosos. Vamos dançar para encontrar a vida e tudo o que ela pode nos trazer, mesmo que traga muitos problemas, febre tifoide e gêmeos!

Hoje foi um dia que caiu de junho para abril. A neve se foi e os prados castanhos e as colinas douradas apenas cantam a primavera. Eu sei que ouvi Pan tocando flauta na pequena cavidade verde em meu arbusto de bordo e minha colina Rei da Tempestade estava radiante com a mais arejada das névoas roxas. Tivemos muita chuva ultimamente e adorei sentar em minha torre nas horas calmas e úmidas do crepúsculo da primavera. Mas esta noite é uma noite tempestuosa e apressada... as nuvens que correm pelo céu têm pressa e o luar que jorra entre elas tem pressa de inundar o mundo.

Suponha, Gilbert, que estivéssemos andando de mãos dadas por uma das longas estradas de Avonlea esta noite!

Gilbert, acho que estou escandalosamente apaixonada por você. Você não acha isso irreverente? Mas não tem problema, você não é um pastor.

CAPÍTULO 10

— Eu sou tão diferente — suspirou Hazel.

Era realmente terrível ser tão diferente das outras pessoas... e ainda assim maravilhoso também, como se você fosse um ser extraviado de outra estrela. Hazel não teria pertencido ao rebanho comum por nada... não importa o que ela sofresse por causa de sua diferença.

— Todo mundo é diferente — disse Anne, divertidamente.

— Você está sorrindo — Hazel apertou um par de mãos bem brancas e cheias de covinhas e olhou com adoração para Anne. Ela enfatizou pelo menos uma sílaba em cada palavra que pronunciou. — Você tem um sorriso tão fascinante... um sorriso tão assombroso. Eu soube no momento em que a vi pela primeira vez que você entenderia tudo. Estamos no mesmo plano. Às vezes acho que devo ser vidente, senhorita Shirley. Eu sempre sei tão instintivamente, no momento em que conheço alguém, se vou gostar daquela pessoa ou não. Senti imediatamente que você era compreensiva... que você entenderia. É tão bom poder ser compreendida. Ninguém me entende, senhorita Shirley… ninguém. Mas quando eu vi você, uma voz interior sussurrou para mim, “Ela vai entender... com ela você pode ser o seu verdadeiro eu”. Oh, senhorita Shirley, sejamos realistas... sejamos sempre verdadeiras. Oh, senhorita Shirley, você não me ama nem um pouco, nem um pouco?

— Eu acho que você é um amor. — disse Anne, rindo um pouco e despenteando os cachos dourados de Hazel com seus dedos finos. Era muito fácil gostar de Hazel.

Hazel estava abrindo sua alma para Anne no quarto da torre, de onde elas podiam ver uma lua jovem pairando sobre o porto e o crepúsculo de uma noite de final de maio enchendo as taças carmesim das tulipas abaixo das janelas.

— Não deixe entrar nenhuma luz ainda — Hazel implorou, e Anne respondeu.

— Não... aqui é adorável quando a escuridão é sua amiga, não é? Quando você acende a luz, ela torna a escuridão sua inimiga... e ela olha para você com ressentimento.

— Posso pensar coisas assim, mas nunca consigo expressá-las tão lindamente — lamentou Hazel, em uma angústia de êxtase. — Você fala na língua das violetas, senhorita Shirley.

Hazel não poderia ter explicado nem um pouco o que ela quis dizer com isso, mas não importava. Parecia tão poético.

O quarto da torre era o único cômodo tranquilo da casa. Rebecca Dew havia dito naquela manhã, com um olhar assustado: “Devemos colocar papel na sala e no quarto de hóspedes antes que a Sociedade de Assistência às Damas se reúna aqui”, e imediatamente removeu todos os móveis de ambos para dar para o forrador que, se recusou a vir até o dia seguinte. Windy Poplars era um deserto de confusão, com um único oásis na sala da torre.

Hazel Marr tinha uma notória “paixão” por Anne. Os Marrs eram recém-chegados a Summerside, tendo se mudado de Charlottetown para lá durante o inverno. Hazel era uma "loira de outubro", como ela gostava de se descrever, com cabelos bronze dourados e olhos castanhos, e, como disse Rebecca Dew, nunca mais foi muito boa no mundo desde que descobriu que era bonita. Mas Hazel era popular, especialmente entre os meninos, que achavam seus olhos e cachos uma combinação irresistível.

Anne gostava dela. No início da noite, ela estava exausta e um pouco pessimista, depois de todas as atividades que vêm no final da tarde em uma sala de aula, mas agora ela se sentia descansada; se por causa da brisa de maio, doce com o aroma da flor de macieira, soprando na janela, ou da tagarelice de Hazel, ela não saberia dizer. Talvez ambos. De alguma forma, para Anne, Hazel lembrou sua própria juventude, com todos os seus êxtases, ideais e visões românticas.

Hazel pegou a mão de Anne e pressionou seus lábios nela com reverência.

— Eu odeio todas as pessoas que você amou antes de mim, Srta. Shirley. Eu odeio todas as outras pessoas que você ama agora. Eu quero ter você só para mim.

— Você não é um pouco irracional, querida? Você ama outras pessoas além de mim. Que tal Terry, por exemplo?

— Oh, senhorita Shirley! É sobre isso que eu quero falar com você. Não posso mais suportar isso em silêncio... não posso. Preciso falar com alguém sobre isso... alguém que entenda. Eu saí na noite de anteontem e andei em volta do lago a noite toda... bem, quase... até a meia-noite, de qualquer maneira. Eu sofri muito... muito.

Hazel parecia tão trágica quanto era possível com seu rosto redondo, rosa e branco, olhos de cílios longos e uma auréola de cachos.

— Ora, querida Hazel, pensei que você e Terry estivessem tão felizes... que tudo estivesse resolvido.

Anne não podia ser culpada por pensar assim. Durante as três semanas anteriores, Hazel havia falado com ela sobre Terry Garland, pois a atitude de Hazel era: de que adiantava ter um namorado se você não podia falar com ninguém sobre ele?

— Todo mundo pensa isso — retrucou Hazel, com grande amargura. — Oh, senhorita Shirley, a vida parece tão cheia de problemas desconcertantes. Às vezes sinto como se quisesse me deitar em algum lugar... em qualquer lugar... cruzar minhas mãos e nunca mais pensar.

— Minha querida menina, o que deu errado?

— Nada... e tudo. Oh, Srta. Shirley, posso lhe contar tudo sobre isso?... posso derramar toda a minha alma para você?

— É claro, querida.

— Eu realmente não tenho onde derramar minha alma — disse Hazel, pateticamente. — Exceto em meu diário, é claro. Você me deixaria mostrar meu diário algum dia, Srta. Shirley? É uma autorevelação. E, no entanto, não consigo escrever o que arde em minha alma. Isso... isso me sufoca! — Hazel agarrou dramaticamente sua garganta.

— Claro que eu gostaria de ver, se você quiser. Mas que problema é esse entre você e Terry?

— Oh, Terry!! Senhorita Shirley, você vai acreditar em mim quando eu disser que Terry parece um estranho para mim? Um estranho! Alguém que eu nunca tinha visto antes — acrescentou Hazel, para que não houvesse engano.

— Mas, Hazel... eu pensei que você o amava... você disse...

— Oh, eu sei. Eu também pensei que o amava. Mas agora eu sei que foi tudo um erro terrível. Oh, Srta. Shirley, você não pode imaginar o quão difícil é minha vida... o quão impossível.

— Eu sei algo sobre isso — disse Anne com simpatia, lembrando-se de Roy Gardiner.

— Oh, senhorita Shirley, tenho certeza de que não o amo o suficiente para me casar com ele. Percebo isso agora... agora que é tarde demais. Eu apenas pensei que o amava. Se não fosse pela lua, tenho certeza de que teria pedido um tempo para pensar sobre isso. Mas fiquei sem chão... posso ver isso agora. Oh, vou fugir... vou fazer alguma coisa desesperada!

— Mas, querida Hazel, se você acha que cometeu um erro, por que não diz a ele...

— Oh, senhorita Shirley, eu não poderia! Isso iria matá-lo. Ele simplesmente me adora. Não há como escapar disso realmente. E Terry está começando a falar em se casar. Pense nisso... uma criança como eu... tenho apenas dezoito anos. Todos os amigos que contei sobre meu noivado em segredo estão me parabenizando... e é uma farsa. Eles acham que Terry é um bom partido porque ele tem dez mil dólares aos vinte e cinco anos. Sua avó deixou isso para ele. Como se eu me importasse com uma coisa tão sórdida quanto dinheiro! Oh, Srta. Shirley, por que este mundo é tão mercenário... por quê?

— Suponho que seja mercenário em alguns aspectos, mas não em todos, Hazel. E se você se sente assim sobre Terry... todos nós cometemos erros... é muito difícil conhecer nossa própria mente às vezes...

— Oh, não é? Eu sabia que você entenderia. Eu realmente pensei que me importava com ele, Srta. Shirley. A primeira vez que o vi, apenas sentei e olhei para ele a noite toda. Ondas passaram por mim quando eu conheci seus olhos. Ele era tão bonito... embora eu pensasse que seu cabelo era muito encaracolado e seus cílios muito brancos. Isso deveria ter me avisado. Mas eu sempre coloco minha alma em tudo, você sabe... eu sou tão intensa. Eu sentia pequenos arrepios de êxtase sempre que ele chegava perto de mim. E agora não sinto nada... nada! Oh, eu envelheci nas últimas semanas, senhorita Shirley... envelheci! Eu quase não comi nada desde que fiquei noiva. Mamãe poderia lhe dizer. Tenho certeza de que não o amo o suficiente para me casar com ele. Posso duvidar de qualquer outra coisa, mas disso eu sei.

— Então você não deveria...

— Mesmo naquela noite de luar que ele me pediu em casamento, eu estava pensando em que vestido usaria na festa à fantasia de Joan Pringle. Achei que seria lindo ir como Rainha de Maio, com verde-claro, com uma faixa verde mais escura e um buquê de rosas de cor rosa pálida em meu cabelo. E um mastro de maio enfeitado com pequenas rosas e pendurada com fitas verdes e cor-de-rosa. Não seria encantador? E, então, o tio de Joan teve que morrer e Joan não pôde, afinal, dar a festa, logo, tudo foi em vão. Mas o ponto é... eu realmente não poderia tê-lo amado quando meus pensamentos estavam vagando dessa forma, poderia?

— Eu não sei... nossos pensamentos às vezes nos pregam peças curiosas.

— Eu realmente acho que nunca mais quero me casar, Srta. Shirley. Por acaso você tem um palito de laranjeira à mão? Obrigada. Minhas unhas estão ficando ásperas. Eu poderia muito bem fazê-las enquanto estou falando. Não é adorável trocar confidências como esta? É tão raro alguém ter a oportunidade... o mundo se intromete tanto. Bem, do que eu estava falando... oh, sim, Terry. O que devo fazer? O que, senhorita Shirley? Eu quero o seu conselho. Oh, eu me sinto como uma criatura presa!

— Mas, Hazel, é tão simples...

— Oh, não é nada simples, senhorita Shirley! É terrivelmente complicado. Mamãe está escandalosamente satisfeita, mas tia Jean não. Ela não gosta de Terry, e todo mundo diz que ela tem bom senso. Não quero me casar com ninguém. Sou ambiciosa... quero uma carreira. Às vezes penso que gostaria de ser freira. Não seria maravilhoso ser a noiva do céu? Acho que a Igreja Católica é tão pitoresca, não é? Mas é claro que não sou católica... e, de qualquer forma, acho que dificilmente se poderia chamar isso de carreira. Sempre achei que adoraria ser enfermeira. É uma profissão tão romântica, não acha? Suavizar febres... e algum belo paciente milionário se apaixonar por você e levá-lo para passar a lua de mel em uma vila na Riviera, de frente para o sol da manhã e o azul do Mediterrâneo... Já me vi lá. Sonhos tolos, talvez, mas oh, tão doces. Não posso desistir deles pela realidade prosaica de me casar com Terry Garland e me estabelecer em Summerside!

Hazel estremeceu com a ideia e examinou uma unha criticamente.

— Acho que… — começou Anne.

— Não temos nada em comum, sabe, senhorita Shirley. Ele não se importa com poesia e romance, e os livros são minha própria vida. Às vezes penso que devo ser uma reencarnação de Cleópatra... ou seria Helena de Troia?... uma daquelas criaturas lânguidas e sedutoras, de qualquer maneira. Tenho pensamentos e sentimentos tão maravilhosos... não sei de onde os tiro se essa não for a explicação. E Terry é tão terrivelmente terreno... ele não pode ser a reencarnação de ninguém. O que ele disse quando eu contei a ele sobre a caneta de pena de Vera Fry prova isso, não é?

— Mas eu nunca ouvi falar da caneta de pena de Vera Fry — disse Anne pacientemente.

— Ah, não? Achei que já tinha lhe contado. Já contei tantas coisas a você. O noivo de Vera deu a ela uma caneta de pena que ele fez com a pena de um corvo. Ele disse: “Deixe seu espírito voar para o céu sempre que você a usar, como o pássaro que uma vez o carregou”. Não é simplesmente maravilhoso? Mas Terry disse que a caneta iria se desgastar muito em breve, especialmente se Vera escrevesse tanto quanto falasse, e, de qualquer maneira, ele não achava que os corvos voassem para o céu. Ele simplesmente não compreendeu o significado da coisa toda completamente... a sua própria essência.

— Qual era o significado?

— Oh... porque... porque... voando, você sabe... se afasta dos torrões de terra. Você notou o anel de Vera? Uma safira. Acho safiras escuras demais para anéis de noivado. Eu teria preferido ter seu amável e romântico anel de pérolas. Terry queria me dar meu anel imediatamente... Eu não teria me sentido assim se realmente o amasse, não é?

— Não, receio que não...

— Tem sido maravilhoso contar a alguém o que eu realmente sinto. Oh, senhorita Shirley, se eu pudesse me encontrar livre novamente... livre para buscar o significado mais profundo da vida! Terry não entenderia o que eu iria querer dizer se contasse isso para ele. E eu sei que ele tem um temperamento complicado... todos os Garland têm. Oh, Srta. Shirley... se você apenas falasse com ele... diga a ele como eu me sinto... ele acha que você é maravilhosa... ele seria guiado pelo que você diz.

— Hazel, minha querida garotinha, como poderia fazer isso?

— Não vejo por que não — Hazel terminou a última unha e pousou o palito de laranjeira tragicamente. — Se você não pode, não há ajuda em lugar nenhum. Mas eu nunca, nunca, NUNCA poderei me casar com Terry Garland.

— Se você não ama Terry, deveria ir até ele e lhe dizer isso... não importa o quanto isso o faça se sentir mal. Algum dia, você encontrará uma pessoa que ama de verdade, Hazel, querida… você não terá nenhuma dúvida nesse momento... você saberá.

— Eu nunca vou amar ninguém de novo — disse Hazel, calma como uma pedra. — O amor traz apenas tristeza. Jovem como sou, aprendi isso. Isso daria um enredo maravilhoso para uma de suas histórias, não é, Srta. Shirley? Tenho que ir... não fazia ideia de que era tão tarde. Sinto-me muito melhor desde que confiei em você... "toquei sua alma na terra das sombras", como diz Shakespeare.

— Acho que foi Pauline Johnson — disse Anne, gentilmente.

— Bem, eu sabia que era alguém... alguém que tinha sobrevivido. Acho que vou dormir esta noite, Srta. Shirley. Mal dormi desde que fiquei noiva de Terry, sem a menor noção de como tudo aconteceu.

Hazel afofou o cabelo e pôs o chapéu, um chapéu com um forro rosado na aba e flores rosadas em volta. Ela parecia tão atraente com ele que Anne a beijou impulsivamente.

— Você é a coisa mais linda, querida — disse ela com admiração.

Hazel ficou muito quieta.

Então ela ergueu os olhos e olhou diretamente através do teto da sala da torre, diretamente através do sótão acima dela, e procurou as estrelas.

— Eu nunca, nunca vou esquecer deste momento maravilhoso, senhorita Shirley — ela murmurou com entusiasmo. — Sinto que minha beleza... se é que tenho alguma... foi consagrada. Oh, senhorita Shirley, você não sabe como é realmente terrível ter uma reputação de beleza e estar sempre com medo de que quando as pessoas se encontrem com você, possam não achá-la achar tão bonita quanto dizem que você é. É uma tortura. Às vezes eu simplesmente morro de vergonha porque imagino que posso ver que eles estão desapontados. Talvez seja apenas minha imaginação... eu sou tão imaginativa… demais para o meu próprio bem, eu temo. Eu imaginei que estava apaixonada por Terry, você vê. Oh, Srta. Shirley, você pode sentir o cheiro da fragrância de flor de macieira?

Tendo um nariz, Anne podia.

— Não é simplesmente divino? Espero que o céu seja todo flores. Alguém poderia ser bom se vivesse em um lírio, não poderia?

— Receio que possa ser um pouco limitador — disse Anne, perversamente.

— Oh, senhorita Shirley, não... não seja sarcástica com sua pequena adoradora. O sarcasmo apenas me murcha como uma folha.

— Vejo que ela não falou com você até matá-la — disse Rebecca Dew, quando Anne voltou depois de acompanhar Hazel até o final de Spook's Lane. — Eu não entendo como você aguenta ela.

— Eu gosto dela, Rebecca, eu realmente gosto. Eu era uma tagarela terrível quando era criança. Eu me pergunto se parecia tão boba para as pessoas que tinham que me ouvir como Hazel faz às vezes.

— Eu não a conhecia quando você era criança, mas tenho certeza que não — disse Rebecca — porque você queria dizer o que dizia, não importa como se expressasse, e Hazel Marr não. Ela não passa de leite desnatado fingindo ser creme.

— Oh, é claro que ela se dramatiza um pouco como a maioria das garotas fazem, mas acho que ela fala sério em algumas das coisas que diz — disse Anne, pensando em Terry. Talvez fosse porque ela tinha uma opinião bastante ruim sobre o dito Terry que ela acreditava que Hazel era bastante sincera em tudo o que dizia sobre ele. Anne pensou que Hazel estava se jogando em cima de Terry, apesar dos dez mil que ele havia "ganhado". Anne considerava Terry um jovem bonito e bastante fraco que se apaixonaria pela primeira garota bonita que olhasse para ele e, com a mesma facilidade, se apaixonaria pela próxima se a Número Um o rejeitasse ou o deixasse sozinho por muito tempo.

Anne tinha visto Terry muitas vezes naquela primavera, pois Hazel insistira em que ela ficasse de vela com frequência; e ela estava destinada a vê-lo mais, pois Hazel foi visitar amigos em Kingsport e, durante sua ausência, Terry se apegou a Anne, levando-a para passear e "levando-a para casa" de alguns lugares. Eles se chamavam de "Anne" e "Terry", pois tinham mais ou menos a mesma idade, embora Anne se sentisse bastante maternal com ele. Terry sentiu-se imensamente lisonjeado com o fato de que "a esperta senhorita Shirley" parecia gostar de sua companhia e ele ficou tão sentimental na noite da festa de May Connelly, em um jardim iluminado pela lua, onde as sombras das acácias sopravam loucamente, que Anne o lembrou, divertidamente, da ausência de Hazel.

— Ah, Hazel! — disse Terry. — Aquela criança!

— Você noivou com "aquela criança", não? — disse Anne severamente.

— Não estou realmente noivo... nada além de uma bobagem de menino e menina. Eu... acho que eu simplesmente fui enfeitiçado pelo luar.

Anne pensou um pouco rápido. Se Terry realmente se importava tão pouco com Hazel assim, a criança estaria muito melhor livre dele. Talvez esta fosse uma oportunidade vinda do céu para livrar os dois da tola confusão em que se meteram e da qual nenhum dos dois, levando as coisas com toda a seriedade mortal da juventude, sabia como escapar.

— Claro — continuou Terry, interpretando mal o silêncio dela. — Estou em uma situação difícil, admito. Receio que Hazel tenha me levado um pouco a sério demais, e não sei a melhor maneira de abrir os olhos para seu erro.

A impulsiva Anne assumiu seu aspecto mais maternal.

— Terry, vocês são um casal de crianças brincando de serem adultos. Hazel realmente não se importa mais com você do que você com ela. Aparentemente, o luar afetou vocês dois. Ela quer ser livre, mas tem medo de dizer a você, por medo de ferir seus sentimentos. Ela é apenas uma garota romântica e confusa e você é um garoto apaixonado pelo amor, e algum dia vocês dois vão rir muito de si mesmos.

("Acho que coloquei isso muito bem", pensou Anne complacentemente.)

Terry respirou fundo.

— Você tirou um peso das minhas costas, Anne. Hazel é uma garotinha doce, é claro, eu odiei pensar em magoá-la, mas percebi o meu... o nosso... erro por algumas semanas. Quando alguém conhece uma mulher... uma mulher... você não vai entrar, Anne? Todo esse bom luar deve ser desperdiçado? Você parece uma rosa branca ao luar... Anne...

Mas Anne tinha fugido.

CAPÍTULO 11

Anne, corrigindo provas na sala da torre em uma noite de meados de junho, parou para assoar o nariz. Ela o havia assoado tantas vezes naquela noite que estava vermelho-rosado e bastante dolorido. A verdade é que Anne foi vítima de um resfriado muito forte e nada romântico. Isso não permitiria que ela apreciasse o céu verde suave atrás das cicutas de Evergreens, a lua branca prateada pairando sobre Rei da Tempestade, o perfume estupendo dos lilases abaixo de sua janela ou as íris geladas desenhadas a lápis azul no vaso na mesa dela. Escureceu todo o seu passado e ofuscou todo o seu futuro.

— Um resfriado em junho é uma coisa imoral — disse ela a Dusty Miller, que estava meditando no parapeito da janela. — mas daqui a duas semanas estarei na querida Green Gables, em vez de ficar aqui corrigindo provas cheias de bagunça e limpando um nariz desgastado. Pense nisso, Dusty Miller.

Aparentemente, Dusty Miller pensou nisso. Ele também pode ter pensado que a jovem que estava correndo pela Spook's Lane e pela estrada e ao longo do caminho perene parecia zangada e perturbada e diferente da de junho. Era Hazel Marr, apenas um dia de volta de Kingsport, e evidentemente uma Hazel Marr muito perturbada, que, alguns minutos depois, irrompeu tempestuosamente na sala da torre sem esperar uma resposta à sua batida forte.

— Ora, querida Hazel... (atchim!)... você já voltou de Kingsport? Eu não esperava você até a próxima semana.

— Não, suponho que não — disse Hazel sarcasticamente. — Sim, senhorita Shirley, estou de volta. E o que eu encontro? Que você tem feito o seu melhor para levar Terry para longe de mim... e quase conseguindo.

— Hazel! (Atchim!)

— Oh, eu sei de tudo! Você disse a Terry que eu não o amava... que queria romper nosso noivado... nosso sagrado noivado!

— Hazel... criança! (Atchim!)

— Oh, sim, zombe de mim... zombe de tudo. Mas não tente negar. Você fez isso... e você fez isso deliberadamente.

— Claro que sim. Você me pediu.

— Eu... pedi... a você!

— Aqui, nesta mesma sala. Você me disse que não o amava e nunca poderia se casar com ele.

— Oh, era apenas uma piada, suponho. Nunca sonhei que você me levaria a sério. Achei que você entenderia o temperamento artístico. Você é muito mais velha do que eu, é claro, mas nem você pode ter esquecido o jeito maluco que as garotas conversam... sentem. Você, fingiu ser minha amiga!

"Isso deve ser um pesadelo", pensou a pobre Anne, limpando o nariz.

— Sente-se, Hazel... vamos.

— Sentar-se! — Hazel andou descontroladamente para cima e para baixo na sala. — Como poderia me sentar... como alguém pode se sentar quando sua vida está em ruínas? Oh, se é isso que ser velho faz com você... invejosa da felicidade dos mais jovens e determinada a destruí-la... Vou rezar para nunca envelhecer.

As mãos de Anne de repente formigaram com uma vontade súbita de dar um tapa nas orelhas de Hazel. Ela se segurou tão prontamente que mal poderia acreditar que sentiu essa ânsia em primeiro lugar. Mas Anne acreditava que uma bronca leve seria razoável.

— Se você não pode se sentar e conversar sensatamente, Hazel, eu gostaria que você fosse embora. (Um atchim muito violento.) — Tenho trabalho a fazer. — (funga... funga... funga!)

— Não vou embora até ter dito o que penso de você. Oh, eu sei que só posso culpar a mim mesma... eu deveria saber... eu sabia. Senti instintivamente na primeira vez que a vi que você era perigosa. Aquele cabelo ruivo e aqueles olhos verdes! Mas nunca sonhei que você chegaria ao ponto de criar problemas entre mim e Terry. Achei que você fosse, pelo menos, uma cristã. Nunca ouvi falar de ninguém fazendo tal coisa. Bem, você partiu meu coração, se isso é alguma satisfação para você.

— Sua bobinha...

— Eu não vou falar com você! Oh, Terry e eu estávamos tão felizes antes de você estragar tudo. Eu estava tão feliz... a primeira garota do meu grupo a ficar noiva. Até planejei meu casamento... quatro damas de honra em lindos vestidos de seda azul-claros com fita de veludo preto nos babados. Tão chique! Oh, eu não sei se eu a odeio mais ou tenho mais pena de você! Oh, como você pode me tratar assim... depois de eu tê-la amado tanto... confiado tanto em você... acreditado tanto em você!

A voz de Hazel quebrou... seus olhos se encheram de lágrimas... ela caiu em uma cadeira de balanço.

"Você não pode ter muitos pontos de exclamação sobrando", pensou Anne, "mas sem dúvida o suprimento de itálicos é inesgotável."

— Isso vai matar a pobre mamãe — soluçou Hazel. — Ela ficou tão satisfeita... todos ficaram tão satisfeitos... todos acharam que era uma combinação ideal. Oh, será que alguma coisa pode voltar a ser como antes?

— Espere até a próxima noite de luar e tente — disse Anne gentilmente.

— Ah, sim, ria, senhorita Shirley... ria do meu sofrimento. Não tenho a menor dúvida de que você acha tudo muito divertido... muito divertido mesmo! Você não sabe o que é sofrimento! É terrível… terrível!

Anne olhou para o relógio e espirrou.

— Então não sofra — ela disse, impiedosamente.

— Vou sofrer. Meus sentimentos são muito profundos. É claro que uma alma superficial não sofreria. Mas sou grata por não ser superficial. Você tem alguma ideia do que significa estar apaixonada, Srta. Shirley? Realmente, terrivelmente, profundamente, maravilhosamente apaixonada? E então confiar e ser enganada? Fui para Kingsport tão feliz... amando o mundo todo! Eu disse a Terry para ser bom com você enquanto eu estivesse fora... para não deixar você ficar só. Cheguei em casa ontem à noite tão feliz. E ele me disse que não me amava mais... que foi tudo um erro... um erro!... e que você disse a ele que eu não gostava mais dele e queria ser livre!

— Minhas intenções eram honrosas — disse Anne, rindo.

Seu senso de humor travesso veio em seu socorro e ela estava rindo tanto de si mesma quanto de Hazel.

— Oh, como eu pude sobreviver a essa noite? — disse Hazel, descontroladamente. — Eu apenas andei para lá e para cá. E você não sabe... você nem pode imaginar o que eu passei hoje. Eu tive que sentar e ouvir... realmente ouvir... as pessoas falando sobre a paixão de Terry por você. Oh, as pessoas têm observado você! Elas sabem o que você tem feito. E por quê?... por quê?! Isso é o que eu não consigo entender. Você tem seu próprio namorado... por que não poderia deixar ter o meu? O que você tem contra mim? O que eu já fiz para você?

— Eu acho — disse Anne, completamente exasperada — que você e Terry precisam de uma boa surra. Se você não estivesse com raiva demais para ouvir a razão...

— Oh, eu não estou com raiva, Srta. Shirley... apenas magoada... terrivelmente magoada. — disse Hazel, com uma voz embargada pelas lágrimas. — Sinto que fui traída em tudo... tanto na amizade quanto no amor. Bem, dizem que depois que seu coração é partido você nunca mais sofre. Espero que seja verdade, mas temo que não.

— O que aconteceu com sua ambição, Hazel? E o paciente milionário e a *villa* de lua de mel no azul do Mediterrâneo?

— Tenho certeza de que não sei do que você está falando, Srta. Shirley. Não sou nem um pouco ambiciosa... Não sou uma daquelas novas mulheres terríveis. Minha maior ambição era ser uma esposa feliz e fazer um lar feliz para o meu marido. Era... era! Pensar que deveria estar no presente! Bem, não é bom confiar em ninguém. Eu aprendi isso. Uma lição amarga, amarga!

Hazel enxugou os olhos e Anne enxugou o nariz, e Dusty Miller olhou para a estrela vespertina com a expressão de um misantropo.

— É melhor você ir, eu acho, Hazel. Estou realmente muito ocupada e não vejo nada a ganhar prolongando esta conversa.

Hazel caminhou até a porta com o ar de Mary, a Rainha da Escócia avançando para o cadafalso, e se virou dramaticamente.

— Adeus, senhorita Shirley. Deixo-a com sua consciência.

Anne, deixada sozinha com sua consciência, largou a caneta, espirrou três vezes e deu a si mesma uma conversa franca.

— Você pode ser bacharel, Anne Shirley, mas ainda tem algumas coisas a aprender... coisas que até mesmo Rebecca Dew poderia ter lhe contado... Seja honesta consigo mesma, minha querida, e tome seu remédio como uma dama galante. Admita que você se deixou levar pela bajulação. Admita que você realmente gostou da adoração declarada de Hazel por você. Admita que você achou agradável ser adorada. Admita que você gostou da ideia de ser uma espécie de *dea ex machina*...[3] salvando as pessoas de sua própria loucura quando elas não queriam, nem um pouco, ser salvas dela. E tendo admitido tudo isso e se sentindo mais sábia, e mais triste, e alguns milhares de anos mais velha, pegue sua caneta e prossiga com seus exames, parando para observar, de passagem, que Myra Pringle pensa que um serafim é "um animal abundante na África".

CAPÍTULO 12

Uma semana depois, chegou uma carta para Anne, escrita em papel azul-claro com bordas prateadas.

QUERIDA SENHORITA SHIRLEY:

Estou escrevendo isso para lhe dizer que todo mal-entendido entre mim e Terry foi esclarecido e estamos tão profundamente, intensamente e maravilhosamente felizes que decidimos perdoá-la. Terry disse que ele foi enfeitiçado para fazer amor com você, mas que seu coração nunca se desviou de sua lealdade a mim. Ele diz que realmente gosta de garotas doces e simples... que todos os homens gostam... e não gosta de garotas intrigantes e astutas. Não entendemos por que você se comportou conosco dessa forma... nunca entenderemos. Talvez você só quisesse material para uma história e pensou que poderia encontrá-lo adulterando o primeiro amor doce e trêmulo de uma garota. Mas agradecemos por nos revelar a nós mesmos. Terry diz que ele nunca percebeu o significado mais profundo da vida antes. Então, realmente, foi tudo para o melhor. Somos tão simpáticos... podemos prever os pensamentos um do outro. Ninguém o entende além de mim e quero ser para sempre uma fonte de inspiração para ele. Não sou inteligente como você, mas sinto que posso ser, pois somos almas gêmeas e juramos verdade eterna e constância um ao outro, não importa quantas pessoas ciumentas e falsos amigos tentem criar problemas entre nós.

Vamos nos casar assim que eu tiver meu enxoval pronto. Vou até Boston para comprá-lo. Realmente não há nada em Summerside. Meu vestido será moiré branco e meu traje de viagem será da cor cinza-pombo com gorro, luvas e blusa azul delfínio. Claro que sou muito jovem, mas quero me casar ainda jovem, antes que desapareça a flor da vida.

Terry é tudo o que meus sonhos mais loucos poderiam imaginar e cada pensamento do meu coração é apenas para ele. Eu sei que seremos avassaladoramente felizes. Antes, eu acreditava que todos os meus amigos ficariam felizes com a minha felicidade, mas aprendi uma amarga lição de sabedoria mundana desde então.

---

3 Expressão originária do teatro grego para descrever o surgimento inesperado de uma personagem que irá solucionar uma situação difícil e encerrar a história. (N. do R.)

Sinceramente,

HAZEL MARR.

P.S.1: Você me disse que Terry tinha um temperamento muito forte. Ora, ele é um cordeiro perfeito, diz a irmã dele.

H. M.

P.S. 2: Ouvi dizer que o suco de limão clareia as sardas. Você pode experimentá-lo no nariz.

H. M.

— Para citar Rebecca Dew — comentou Anne, para Dusty Miller — o pós-escrito número dois é a gota d'água.

CAPÍTULO 13

Anne foi para casa em suas segundas férias de Summerside com sentimentos contraditórios. Gilbert não estaria em Avonlea naquele verão. Ele tinha ido para o Oeste para trabalhar em uma nova ferrovia que estava sendo construída. Mas Green Gables ainda era Green Gables e Avonlea ainda era Avonlea. O Lago das Águas Brilhantes brilhava e brilhava como antigamente. As samambaias ainda cresciam densamente sobre a Dryad's Bubble, e a ponte de troncos, embora fosse um pouco mais quebradiça e musgosa a cada ano, ainda conduzia às sombras, silêncios e canções de vento da Floresta Assombrada.

E Anne convenceu a Sra. Campbell a deixar a pequena Elizabeth ir para casa com ela por quinze dias... não mais. Mas Elizabeth, ansiosa por essas duas semanas inteiras com a Srta. Shirley, não pediu mais nada da vida.

— Eu me sinto como a Srta. Elizabeth hoje. — ela disse a Anne com um suspiro de deliciosa excitação, enquanto se afastavam de Windy Poplars. — Você poderia me chamar de "Senhorita Elizabeth" quando me apresentar a seus amigos em Green Gables? Isso faria eu me sentir tão crescida.

— Eu vou — prometeu Anne gravemente, lembrando-se de uma pequena donzela ruiva que uma vez implorou para ser chamada de Cordelia.

A viagem de Elizabeth de Blight River a Green Gables, por uma estrada que só a Ilha do Príncipe Eduardo em junho pode mostrar, foi quase tão extasiante para ela quanto para Anne naquela memorável noite de primavera, tantos anos atrás. O mundo era lindo, com prados ondulados pelo vento por todos os lados e surpresas à espreita em cada esquina. Ela estava com sua amada Srta. Shirley; ela estaria livre da Mulher por duas semanas inteiras; ela estava com um novo vestido xadrez rosa e um par de lindas botas novas marrons. Era quase como se o Amanhã já tivesse chegado... com catorze Amanhãs a seguir. Os olhos de Elizabeth brilhavam com sonhos quando eles viraram para a alameda Green Gables, onde cresciam as rosas silvestres cor-de-rosa.

As coisas pareciam mudar magicamente para Elizabeth no momento em que ela chegou a Green Gables. Por duas semanas ela viveu em um mundo de romance. Você não poderia sair pela porta sem entrar em algo romântico. As coisas estavam prestes a acontecer em Avonlea... se não hoje, então amanhã. Elizabeth sabia que ainda não havia entrado no Amanhã, mas sabia que estava à beira dele.

Tudo dentro e sobre Green Gables parecia estar familiarizado com ela. Até o jogo de chá rosa em forma de botão de rosa de Marilla era como um velho amigo. Os aposentos olhavam para ela como se ela sempre os tivesse conhecido e amado; a própria grama era mais verde do que a grama em qualquer outro lugar; e as pessoas que viviam em Green Gables eram o tipo de pessoas que viviam no Amanhã. Ela os amava e era amada por eles. Davy e Dora a adoravam e a mimavam; Marilla e a Sra. Lynde a aprovaram. Ela era arrumada, ela era elegante, ela era educada com os mais velhos. Eles sabiam que Anne não gostava dos métodos da Sra. Campbell, mas era evidente que ela havia treinado sua bisneta adequadamente.

— Oh, eu não quero dormir, senhorita Shirley. — Elizabeth sussurrou quando elas estavam na cama na pequena empena da varanda, depois de uma noite arrebatadora. — Eu não quero dormir um único minuto dessas duas semanas maravilhosas. Eu gostaria de poder ficar sem dormir enquanto estou aqui.

Por um tempo ela não dormiu. Era divino deitar ali e ouvir o esplêndido trovão baixo que a Srta. Shirley lhe disse ser o som do mar. Elizabeth o adorou, e também o suspiro do vento nos beirais. Elizabeth sempre teve "medo da noite". Quem sabe que coisa esquisita poderia saltar sobre você? Mas, agora, ela não estava mais com medo. Pela primeira vez em sua vida, a noite parecia uma amiga para ela.

Eles iriam para a praia amanhã, a Srta. Shirley havia prometido, e dariam um mergulho naquelas ondas prateadas que eles tinham visto quebrando além das dunas verdes de Avonlea quando eles passaram pela última colina. Elizabeth podia vê-los entrando, um após o outro. Uma delas era uma grande onda escura de sono... rolou sobre ela... Elizabeth afogou-se nela com um delicioso suspiro de rendição.

— É... tão... fácil... amar... Deus... aqui. — foi seu último pensamento consciente.

Mas ela ficava acordada por um tempo todas as noites de sua estadia em Green Gables, muito depois de a Srta. Shirley ter ido dormir, pensando sobre as coisas. Por que a vida em Evergreens não poderia ser como a vida em Green Gables?

Elizabeth nunca tinha morado onde pudesse fazer barulho se quisesse. Todos em Evergreens tinham que se mover suavemente… falar suavemente… até mesmo pensar suavemente. Houve momentos em que Elizabeth desejou perversamente gritar alto e por muito tempo.

— Você pode fazer todo o barulho que quiser aqui — Anne disse a ela. Mas era estranho... ela não queria mais gritar, agora que nada a impedia. Ela gostava de ficar em silêncio, pisar suavemente entre todas as coisas adoráveis ao seu redor. Mas Elizabeth aprendeu a rir durante aquela estada em Green Gables. E quando ela voltou para Summerside, carregou memórias deliciosas com ela e deixou outras igualmente deliciosas para trás. Para o pessoal de Green Gables, Green Gables pareceu por meses cheia de memórias da pequena Elizabeth. Ela era para eles a "pequena Elizabeth", apesar do fato de Anne a ter apresentado solenemente como

"Senhorita Elizabeth". Ela era tão pequena, tão dourada, tão parecida com um elfo, que eles não conseguiam pensar nela como ninguém além da pequena Elizabeth... a pequena Elizabeth dançando em um jardim crepuscular entre os lírios brancos de junho... enrolada em um galho da grande macieira Duquesa, lendo contos de fadas, livre e sem impedimentos... a pequena Elizabeth meio submersa em um campo de botões-de-ouro onde sua cabeça dourada parecia apenas um botão-de-ouro maior... perseguindo mariposas verde-prateadas ou tentando contar os vaga-lumes no Caminho dos Amantes… ouvindo os zangões zunindo nas campânulas… sendo alimentada com morangos e creme por Dora na despensa ou comendo groselhas com ela no quintal… "As groselhas são coisas tão lindas, não são, Dora? É como comer joias, não é? A pequena Elizabeth cantando para si mesma, sob as sombras maravilhosas dos pinheiros… com os dedos doces de pegar "rosas de cem pétalas"... olhando para a grande lua pairando sobre o vale do riacho… "Eu acho que a lua tem olhos preocupados, não é, Sra. Lynde?"...chorando amargamente porque um capítulo da história em série na revista de Davy deixou o herói em uma situação triste... "Oh, Senhorita Shirley, tenho certeza que ele nunca sobreviverá isso!" sofá com os gatinhos de Dora aconchegados em volta dela... gritando de tanto rir ao ver o vento soprando as dignas caudas das velhas galinhas em suas costas... poderia ser a pequena Elizabeth rindo assim?... ajudando Anne a congelar cupcakes, Sra. Lynde cortando os remendos para uma nova colcha de "correntes irlandesas duplas" e Dora esfregando os velhos castiçais de latão até que eles pudessem ver seus rostos neles... cortando biscoitos minúsculos com um dedal sob a tutela de Marilla. Ora, o pessoal de Green Gables dificilmente poderia olhar para um lugar ou coisa sem se lembrar da pequena Elizabeth.

"Eu me pergunto se algum dia terei uma quinzena tão feliz novamente", pensou a pequena Elizabeth, enquanto se afastava de Green Gables. A estrada para a estação estava tão bonita quanto duas semanas antes, mas na metade do tempo a pequena Elizabeth não conseguia vê-la por causa das lágrimas.

— Eu não poderia acreditar que sentiria tanta falta de uma criança — disse a Sra. Lynde.

Quando a pequena Elizabeth foi embora, Katherine Brooke e seu cachorro vieram passar o resto do verão. Katherine havia se demitido da equipe do colégio no final do ano e pretendia ir para Redmond no outono para fazer um curso de secretariado na Redmond University. Anne havia aconselhado isso.

— Eu sei que você vai se agradar com o curso, e nunca gostou de ensinar — disse ela, quando se sentaram uma noite em um canteiro de samambaias de um campo de trevo e observaram as glórias de um céu poente.

— A vida me deve algo mais do que me pagou e vou sair para cobrar — disse Katherine decididamente. — Eu me sinto muito mais jovem do que no ano passado — acrescentou ela com uma risada.

— Tenho certeza de que é a melhor coisa para você fazer, mas odeio pensar em Summerside e no colégio sem você. Como será o quarto da torre no próximo ano sem nossas noites de confabulação e discussão, e nossas horas de tolice, quando transformamos tudo e todos em uma piada?

O TERCEIRO ANO
CAPÍTULO 1

Windy Poplars,
Spook's Lane,
8 de setembro.

Meu querido:

O verão acabou... O verão em que eu só o vi naquele final de semana de maio. Agora eu estou de volta a Windy Poplars para o terceiro e último ano aqui no Colégio Summerside. Katherine e eu nos divertimos muito juntas em Green Gables, e vou sentir muito a falta dela este ano. A nova professora é uma figura muito alegre, rechonchuda, corada e amável como um filhotinho de cachorro... Porém, de alguma forma, não há nada mais nela além disso. Tem olhos azuis brilhantes e rasos, sem um único pensamento por trás deles. Eu gostei dela... sempre irei gostar dela... nem mais nem menos... não há nada para descobrir sobre ela. Já sobre Katherine havia tanta coisa para se descobrir, uma vez que conseguisse fazer com que ela baixasse a guarda.

Não houve mudança alguma em Windy Poplars... bem, teve sim! A nossa velha vaca vermelha "foi para o brejo", como Rebecca Dew me informou tristemente assim que desci para jantar na noite da segunda-feira. As viúvas decidiram não se preocupar em arrumar outra vaca, pois pegariam o leite e o creme com o Sr. Cherry. Isso significa que a pequena Elizabeth não irá mais ao portão do jardim para apanhar o seu leite, contudo, a Sra. Campbell se reconciliou com ela vindo aqui quando quer, então, não fez nenhuma diferença.

E outra mudança está a caminho. A tia Kate contou, para a minha tristeza, que resolveram doar o Dusty Miller assim que conseguissem encontrar um lar adequado para ele. Assim que protestei, ela me disse que estava certa de sua decisão e que era em prol da paz, já que Rebecca Dew reclamou dele constantemente durante todo o verão, e não parecia haver outra forma de satisfazê-la. Ah! Pobre Dusty Miller... E ele é um gato tão bonzinho, carinhoso e ronronante!

Amanhã, por ser sábado, irei cuidar dos gêmeos da Sra. Raymond enquanto ela vai a Charlottetown para o enterro de um parente. A Sra. Raymond é uma viúva que se mudou para a nossa cidade no inverno passado. Rebecca Dew e as viúvas de Windy Poplars — realmente, Summerside é um ótimo local para as viúvas — acreditam que ela seja "um pouco grandiosa" para Summerside, mas ela foi realmente de uma ajuda maravilhosa para mim e Katherine em nossas atividades no Clube de Histórias Dramáticas. Uma mão lava a outra.

Os gêmeos Gerald e Geraldine têm oito anos e são um par de crianças com aparência angelical, mas a Rebecca Dew "torceu o nariz", para usar uma de suas próprias expressões, assim que lhe disse o que iria fazer.

— Mas eu amo crianças, Rebecca.

— Crianças, sim, mas esses dois são uns pestinhas, Srta. Shirley. A Sra. Raymond não acredita em punir crianças, não importa o que elas façam. Ela diz que está determinada a ter uma vida "natural". Conseguem conquistar as pessoas pela carinha de anjo, mas os vizinhos têm muito a dizer sobre eles. A esposa do pastor fez uma visita, certa tarde... bem, a Sra. Raymond foi doce como uma torta de caramelo com ela, mas quando ela estava indo embora, uma chuva de cebolas veio voando escada abaixo e uma delas derrubou seu chapéu. "Todas as crianças se comportam de forma abominável quando você precisa que elas se comportem", foi somente isso que a Sra. Raymond falou... só que mais gentil, como se estivesse orgulhosa de as crianças serem tão incontroláveis. Elas são dos Estados Unidos, sabe...

Como se isso explicasse tudo. Rebecca gosta tanto de "Yankees" quanto a Sra. Lynde.

CAPÍTULO 2

No sábado de manhã, Anne caminhou para a bonita e antiquada casa de campo numa rua que se estendia pelo campo, onde moravam a Sra. Raymond e seus famosos gêmeos. A Sra. Raymond já estava pronta para sair... um tanto extravagante para um enterro, talvez... especialmente no que diz respeito ao chapéu florido empoleirado no topo das suaves ondas castanhas de cabelo que caíam ao redor de sua cabeça... mas estava muito elegante. Os gêmeos de oito anos, que herdaram a sua beleza, estavam sentados nas escadas, os rostos delicados com uma expressão bastante angelical. Eles tinham tez rosa e branca, grandes olhos azuis e cachos loiro-claros macios que formavam uma auréola.

Eles sorriram com uma doçura cativante quando sua mãe os apresentou a Anne e lhes disse que a querida Srta. Shirley teve a gentileza de vir e cuidar deles enquanto mamãe estava no funeral da querida tia Ella, e, é claro que eles seriam bonzinhos e não lhe dariam nem um pouquinho de trabalho, não é, queridos?

Os queridinhos assentiram gravemente e conseguiram, embora não parecesse possível, parecer mais angelicais do que nunca.

A Sra. Raymond acompanhou Anne pelo caminho até o portão.

— Eles são tudo o que tenho... agora — ela disse pateticamente. — Creio que eu possa tê-los mimado demais... Sei que as pessoas comentam que sim... Todos sempre sabem mais como você deveria criar os seus filhos do que você mesma, não é verdade, Srta. Shirley? Acredito que dar amor é melhor do que dar umas palmadas, não é verdade, Srta. Shirley? Certamente você não terá problemas com eles. Sempre souberam com quem podem brincar e com quem não podem, não acha? A pobre senhorita Prouty... um dia, eu pedi para ela ficar com eles, mas os meus queridos não a suportaram. Por isso, eles a provocaram um pouco... você sabe como são as crianças. Como vingança, ela contou as histórias mais ridículas sobre meus filhos por toda a cidade. Mas sei que irão obedecê-la e serão uns anjos. Certamente, eles são bem espirituosos... mas todas as crianças deveriam ser, não acha? É lamentável ver crianças com uma aparência sombria, não é? Prefiro que sejam naturais, não concorda? As crianças muito boazinhas não parecem serem naturais, não é? Por favor, não os deixe brincar com seus barcos na banheira ou na lagoa, sim? Morro de medo deles pegarem um resfriado... O pai deles faleceu de pneumonia.

As lágrimas nos grandes olhos azuis da Sra. Raymond pareciam prestes a transbordar, mas ela piscou galantemente para afastá-las.

— Não se preocupe se eles brigarem um pouco, as crianças sempre brigam, não acha? Mas se algum estranho os atacar... minha nossa! Eles realmente adoram um ao outro, sabe. Eu poderia ter levado um deles para o funeral, mas eles simplesmente não quiseram saber disso. Eles nunca se separaram um dia em suas vidas, e eu não poderia cuidar de gêmeos em um funeral, poderia?

— Fique tranquila, senhora Raymond — Anne falou gentilmente. — Certamente Gerald, Geraldine e eu passaremos um dia incrível juntos. Adoro crianças.

— Estou certa disso. No minuto em que a vi, tive certeza de que você amava crianças. As pessoas sempre demonstram, não acha? Há algo de especial nas pessoas que amam crianças. Já a pobre e velha senhorita Prouty as odeia. Ela procura o pior em crianças e é claro que encontra. Você não consegue imaginar a minha tranquilidade sabendo que os meus queridos estão sob os cuidados de uma pessoa que ama e compreende crianças. Sei que irão aproveitar o dia.

— A senhora pode *nos* levar para o enterro! — gritou Gerald, colocando a cabeça na janela. — Nós não brincamos em um ainda.

— Ah, estão no banheiro! — comentou a Sra. Raymond. — Por favor, senhorita Srta. Shirley, entre e leve-os para fora. Gerald, querido, sabe que a mamãe não poderia levá-los para o enterro. Ah, Srta. Shirley, ele está com aquela pele de coiote do chão da sala amarrada em volta do pescoço de novo, ele vai arruiná-la. Por favor, faça-o desamarrar. Devo me apressar ou perderei o trem.

A Sra. Raymond partiu elegantemente e Anne correu escada acima para descobrir que a angelical Geraldine havia agarrado seu irmão pelas pernas e aparentemente estava tentando arremessá-lo pela janela.

— Faça o Gerald parar de mostrar a língua para mim, Srta. Shirley — ela exigiu ferozmente.

— Isso machuca você? — perguntou Anne, sorrindo.

— Bem, ele não vai mostrar a língua para *mim* — replicou Geraldine, lançando um olhar sinistro para Gerald, que o devolveu com interesse.

— A língua é minha e você não pode me impedir de colocá-la para fora quando eu quiser... Ela pode, Srta. Shirley?

Anne ignorou a pergunta.

— Gêmeos, queridos, falta apenas uma hora para o almoço. Vamos nos sentar no jardim, brincar e contar histórias? E, Gerald, você não quer colocar aquela pele de coiote de volta no chão?

— Mas eu quero brincar de lobo — Gerald disse.

— Ele quer brincar de lobo — exclamou Geraldine, aliando-se repentinamente ao irmão.

— Queremos brincar de lobo — ambos apelaram juntos.

Anne foi salva pelo toque da campainha.

— Vamos ver quem é! — Geraldine exclamou.

Eles voaram para as escadas e, por deslizarem pelo corrimão, chegaram à porta da frente muito mais rápido do que Anne, a pele de coiote se soltando no processo.

— Não compramos nada de vendedores ambulantes — Gerald disse à senhora parada na porta.

— Poderia falar com a sua mãe? — a pessoa perguntou.

— Não, você não pode. A mamãe foi ao enterro da tia Ella. A Srta. Shirley está cuidando de nós. É ela descendo as escadas, e ela vai colocar você para correr.

Anne realmente teve vontade de colocar a visita "para correr" quando viu quem era. A Srta. Pamela Drake não era uma visita popular em Summerside; ela estava sempre "vendendo" alguma coisa e, geralmente, era quase impossível de se livrar dela a menos que você comprasse o item, uma vez que ela era totalmente imune a recusas e insinuações, e parecia ter todo o tempo do mundo à sua disposição.

Desta vez, ela estava "recebendo pedidos" de uma enciclopédia... algo que nenhum professor poderia ficar sem. Em vão, Anne protestou que não precisava de uma enciclopédia... a Escola Secundária já possuía uma muito boa.

— Está dez anos desatualizada — senhorita Pamela falou com certeza. — Venha se sentar nesse banco rústico, Srta. Shirley, e lhe mostrarei o material.

— Receio não ter tempo, senhorita Drake. Tenho de cuidar das crianças.

— Não vai demorar mais do que alguns minutos. Eu queria visitá-la há um tempo, Srta. Shirley, e considero uma grande sorte encontrá-la aqui. Corram e brinquem, crianças, enquanto a Srta. Shirley e eu folheamos esta bela brochura.

— Mamãe contratou a srta. Shirley para cuidar de nós — disse Geraldine, sacudindo seus cachos louros. Mas Gerald a puxou para trás e eles fecharam a porta com força.

— Veja, Srta. Shirley, olhe o que tem nesta enciclopédia . Veja que papel bom... Sinta-o... Veja as gravuras maravilhosas... Não há outra enciclopédia no mercado que tenha a metade do número de ilustrações... Veja que impressão maravilhosa — até uma pessoa cega conseguiria ler, e todo esse material por oitenta dólares... Oito dólares de entrada com mais oito dólares por mês, até que tudo seja quitado. Jamais terá uma chance igual, estamos fazendo essa promoção para demonstração. No próximo ano, o valor será de cento e vinte.

— Mas eu não quero uma enciclopédia, senhorita Drake — Anne falou desesperada.

— Claro que você quer uma enciclopédia, todo mundo quer uma enciclopédia, uma enciclopédia Nacional. Não sei como eu vivia antes de conhecer a enciclopédia Nacional. Vivia! Eu não vivia... Eu simplesmente existia. Olhe para aquela gravura do casuar, Srta. Shirley. Você realmente já viu um casuar antes?

— Mas, Srta. Drake, eu...

— Caso ache que as condições estejam muito onerosas, certamente posso fazer um ajuste especial para você, por ser professora de uma escola... Consigo fazer seis dólares por mês, em vez de oito. Simplesmente não poderá recusar uma oferta como essa, Srta. Shirley.

Por um momento, Anne quase sentiu que não conseguiria. Afinal, não valeria seis dólares por mês para conseguir se livrar daquela mulher terrível que, claramente, havia resolvido não ir embora até que fizesse uma venda? Além disso, o que os gêmeos estariam aprontando? Eles estavam assustadoramente quietos. Temia que estivessem navegando com os barcos na banheira, ou pior, que tivessem escondido pela porta dos fundos e pulado na lagoa.

Anne se esforçou novamente para ficar livre dela:

— Pensarei na proposta, Srta. Drake, e irei lhe comunicar...

— Temos que aproveitar o presente — senhorita Drake disse pegando rapidamente a sua caneta tinteiro. — Sabe que precisará da enciclopédia Nacional, sendo assim, pode assinar agora, é melhor do que em outro momento. Não se ganha nada adiando as coisas. Além do preço, que poderá subir a qualquer momento, então, pagará cento e vinte. Assine aqui, Srta. Shirley.

Anne sentiu a caneta-tinteiro sendo forçada em sua mão, um momento depois a Srta. Drake deu um grito tão aterrorizante que Anne deixou a caneta-tinteiro cair sob a fenda do assento rústico e olhou severamente para a senhorita.

Aquela era a senhorita Drake...? Aquela pessoa indescritível, sem chapéu, sem óculos e quase sem cabelos? Chapéu, óculos e peruca flutuavam acima de sua cabeça, a meio caminho da janela do banheiro, da qual pendiam duas cabeças loiras; Gerald segurava uma vara de pescar à qual estavam presas duas cordas com anzóis. Com que mágica ele conseguiu fazer uma captura tripla, só ele poderia dizer. Provavelmente foi pura sorte.

Anne correu para dentro de casa e subiu as escadas. Assim que chegou ao banheiro, os gêmeos já haviam escapado. Gerald havia deixado cair a vara de pescar e uma espiada pela janela revelou uma furiosa Srta. Drake recuperando seus pertences, incluindo a caneta-tinteiro, e marchando para o portão. Pela primeira vez em sua vida, a Srta. Pamela Drake falhou em finalizar uma venda.

Anne encontrou os gêmeos comendo maçãs inocentemente na varanda dos fundos. Era difícil saber o que fazer. Certamente, tal comportamento não poderia passar sem uma repreensão, mas Gerald sem dúvida a resgatou de uma posição difícil e a Srta. Drake era uma criatura odiosa que precisava de uma lição. Ainda sim...

— Você comeu uma minhoca enorme! — Gerald gritou. — Eu a vi desaparecendo na sua boca.

Geraldine soltou a maçã e logo ficou com enjoo... muito enjoo, Anne teve trabalho por algum tempo. Quando Geraldine melhorou, já estava na hora do almoço, e Anne decidiu deixar Gerald com uma repreensão bem leve. Afinal, nenhum dano permanente fora causado à Srta. Drake, que provavelmente manteria sua boca fechada sobre o incidente para seu próprio bem.

— Gerald, você acredita — falou gentilmente — que o que fez foi uma atitude de um cavalheiro?

— Não — Gerald respondeu —, mas foi bem engraçado. Puxa, sou um pescador e tanto, não sou?

O almoço estava delicioso. A Sra. Raymond o preparou antes de partir e, quaisquer que fossem seus erros como educadora, era uma exímia cozinheira. Gerald e Geraldine, ocupados com a comida, não brigavam nem exibiam modos à mesa piores do que a maioria das crianças. Após o almoço, Anne lavou a louça, pedindo a Geraldine para auxiliar a secá-la, e a Gerald para guardá-las cautelosamente no devido lugar. Ambos eram muito hábeis nisso e, Anne refletiu complacentemente, que tudo o que eles precisavam era de uma educação sábia e um pouco de firmeza.

CAPÍTULO 3

Às duas horas, o Sr. James Grand telefonou. O Sr. Grand era o presidente do conselho de administração da Escola Secundária e tinha assuntos importantes para resolver, sobre os quais desejaria conversar antes de partir na segunda-feira para uma conferência educacional em Kingsport.

Anne questionou se ele poderia vir à Windy Poplars esta noite, mas, infelizmente, ele não poderia.

O Sr. Grand era um bom homem à sua maneira, mas Anne tinha descoberto há muito tempo que deveria lidar com ele com cautela. Além disso, Anne estava muito ansiosa para tê-lo ao seu lado na batalha sobre novos equipamentos que estavam surgindo. Ela saiu para buscar os gêmeos.

— Meu queridos, vocês poderiam ir para o quintal enquanto converso com o Sr. Grand? Não vou demorar muito, e depois faremos um piquenique à tarde nas margens do lago, vou ensiná-los a soprar bolhas de sabão com corante vermelho. Ficam lindas!

— Você dará uma moeda para cada um se nos comportarmos? — Gerald exigiu.

— Não, Gerald, querido — Anne falou com firmeza. — Não irei subornar ninguém. Tenho certeza que irá se comportar só porque estou pedindo, como um bom cavalheiro.

— Vamos nos comportar, Srta. Shirley — Gerald prometeu solenemente.

— Vamos sim — Geraldine confirmou solenemente.

É possível que tivessem cumprido as suas promessas se Ivy Trent não tivesse chegado quase que no mesmo instante em que Anne entrou na sala com o Sr. Grand. Entretanto, Ivy Trent chegou e os gêmeos Raymond detestavam Ivy Trent... A impecável Ivy Trent, que jamais fazia algo de errado e sempre parecia ter acabado de sair de uma caixa de bonecas.

Naquela tarde em particular, não havia dúvida de que Ivy Trent havia chegado para exibir as suas lindas botas marrons, a sua faixa, os laços nos ombros e os seus cabelos com fitas escarlate. A Sra. Raymond, independentemente do que lhe faltasse em alguns aspectos, tinha ideias bastante sensatas sobre como vestir crianças. Os seus vizinhos comentavam que ela gastava tanto dinheiro consigo mesma que não tinha o suficiente para gastar com os gêmeos, e Geraldine nunca teve a chance de desfilar na rua no estilo de Ivy Trent, que tinha um vestido para todas as tardes da semana. A Sra. Trent sempre a vestia de "branco imaculado" e Ivy estava sempre impecável quando saía de casa. Se ela não estivesse tão impecável quando voltasse, é claro que a culpa seria das crianças "invejosas" as quais havia em abundância na vizinhança.

Geraldine tinha inveja. Ela sonhava em ter faixas escarlate, laços nos ombros e vestidos brancos bordados. O que ela não daria por botas marrons de botões como aquelas?

— Gostaram das minhas faixas novas e laços nos ombros? — Ivy perguntou com desdém.

— Gostaram das minhas faixas novas e laços nos ombros? — Geraldine a imitou, provocando.

— Mas você não tem laços nos ombros — Ivy falou com desdém.

— Mas você não tem laços nos ombros — Geraldine reafirmou com desdém.

Ivy ficou confusa.

— Eu tenho. Não consegue vê-los?

— Eu tenho. Não consegue vê-los? — Geraldine zombou, contente com a brilhante ideia de reafirmar tudo o que Ivy dizia com desdém.

— Não foram comprados — falou Gerald.

Ivy Trent tinha um temperamento forte. Estava em seu rosto, que ficou tão vermelho quanto os laços em seus ombros.

— Eles foram, sim. Minha mãe sempre paga as contas.

— Minha mãe sempre paga as contas — imitou Geraldine.

Ivy ficou desconfortável, não sabia exatamente como lidar com aquela situação. Então, ela virou para Gerald, que sem dúvida era o menino mais bonito da rua. Ivy havia resolvido que queria ele.

— Vim para dizer que o quero para ser o meu namorado — disse ela, olhando eloquentemente para ele com um par de olhos castanhos que, mesmo aos sete anos, Ivy havia aprendido que tinha um efeito devastador na maioria dos meninos pequenos que ela conhecia.

Gerald ficou vermelho.

— Não quero ser seu namorado — ele disse.

— Mas você tem que ser — Ivy disse serenamente.

— Mas você tem que ser — Geraldine imitou, balançando a cabeça para ele.

— Não vou ser! — Gerald gritou furiosamente. — E não quero ouvir mais nada de você, Ivy Trent.

— Você tem que ser — Ivy disse teimosamente.

— Você tem que ser — Geraldine imitou.

Ivy olhou para ela.

— Cale a sua boca, Geraldine Raymond!

— Acredito que eu possa falar o que quiser, no meu quintal — Geraldine falou.

— É claro que ela pode — Gerald disse. — E se *você* não calar a boca, Ivy Trent, irei até a sua casa e arrancarei os olhos da sua boneca.

— A minha mãe bateria em você se fizesse isso! — Ivy exclamou.

— Ah, ela iria, não é? Bem, você sabe o que minha mãe faria se ela encostasse em mim? Apenas lhe daria um soco no nariz.

— Bem, de qualquer maneira, você tem que ser o meu namorado — Ivy falou, voltando calmamente ao assunto principal.

— Eu vou... Eu vou é colocar a sua cabeça no barril de chuva! — gritou o enfurecido Gerald. — Vou esfregar a sua cara no formigueiro... Eu vou... Eu vou rasgar esses seus laços e suas faixas... — concluiu triunfantemente, pois isso pelo menos era viável.

— Vamos mesmo! — Geraldine agitou.

Eles se lançaram furiosos sobre a infeliz Ivy, que chutou, gritou e tentou morder, mas não era páreo para os dois. Juntos, eles a arrastaram pelo quintal até o galpão, onde seus gritos não podiam ser ouvidos.

— Rápido — ofegou Geraldine —, antes que a Srta. Shirley nos veja.

Não havia tempo a perder. Gerald segurou Ivy pelas pernas enquanto Geraldine segurava os pulsos com uma mão e arrancava as faixas e os laços de ombro com a outra.

— Vamos pintar as pernas dela — gritou Gerald, os olhos mirando em duas latas de tinta deixadas ali por alguns operários na semana anterior. — Eu a seguro e você a pinta.

Em vão, Ivy gritava desesperadamente. Suas meias foram puxadas para baixo e em alguns momentos suas pernas foram adornadas com largas faixas de tinta vermelha e verde. No processo, boa parte da tinta respingou no vestido bordado e nas botas novas. Como toque final, eles encheram seus cachos com carrapichos.

Ela tinha uma visão lamentável quando eles finalmente a soltaram. Os gêmeos uivaram alegremente enquanto olhavam para ela. As longas semanas de condescendências de Ivy foram vingadas.

— Agora vá para sua casa — falou Gerald. — Isso irá ensiná-la a não andar por aí dizendo às pessoas que elas devem ser o seu namorado.

— Vou contar tudo para a minha mãe — chorou Ivy. — Vou direto para casa e falarei tudo para a minha mãe, seu menino terrível, horroroso, odioso e feio!

— Jamais chame o meu irmão de feio, sua metida — exclamou Geraldine. — Leve seus enfeites com você, não queremos que eles entulhem o nosso galpão.

Ivy, fugindo dos laços que Geraldine atirava atrás dela, saiu correndo e soluçando do quintal, em direção à rua.

— Vamos rápido... Vamos subir pelas escadas de trás até o banheiro e limpar tudo antes que a Srta. Shirley veja — Geraldine disse ofegante.

CAPÍTULO 4

O Sr. Grand disse tudo o que precisava dizer e se retirou. Anne ficou parada por um instante na soleira da porta, perguntando-se inquieta onde estariam seus protegidos. Subindo a rua e entrando no portão veio uma senhora irada, levando pela mão um desamparado e ainda soluçante átomo de humanidade.

— Srta. Shirley, onde está a senhora Raymond? — perguntou a Sra. Trent.

— A Sra. Raymond, ela...

— Eu insisto em ver a Sra. Raymond. Ela verá com seus próprios olhos o que seus filhos fizeram com a pobre, indefesa e inocente Ivy. Olhe para ela, Srta. Shirley, olhe para ela!

— Ah, Sra. Trent... eu sinto muito! É tudo minha culpa. A Sra. Raymond teve que sair, e prometi que cuidaria deles. Mas o Sr. Grand apareceu e...

— Não, Srta. Shirley, a culpa não é sua. Não culpo a senhorita. Nenhum ser humano consegue lidar com aqueles pestinhas. A rua inteira já os conhece. Se a Sra. Raymond não está aqui, não há motivos para ficar aqui. Eu levarei a minha pobre filha para casa. Porém, a Sra. Raymond vai ficar sabendo disso, certamente ela vai. Escute isso, Srta. Shirley, eles estão se matando?

"Isso" era um coro de gritos e berros que ecoaram escada abaixo. Anne correu para o andar de cima. No chão do corredor havia uma massa que se retorcia, contorcia, mordia, rasgava e arranhava. Anne separou os gêmeos furiosos com dificuldade e, segurando cada um firmemente pelo ombro, exigiu o motivo de tal comportamento.

— Ela falou que eu tenho que ser o namorado de Ivy Trent! — gritou Gerald.

— Ele tem que ser! — Geraldine retrucou.

— Eu não vou!

— Você tem que ser!

— Crianças! — falou Anne, em um tom que os assustou. Olharam para ela e viram uma Srta. Shirley que não conheciam. E, pela primeira vez em suas vidas jovens, souberam o que era a força da autoridade.

— Você, Geraldine — disse Anne calmamente —, vai para a cama por duas horas. Você, Gerald, vai passar o mesmo tempo no armário do corredor. Nem uma palavra. Sua mãe deixou vocês sob meus cuidados e vocês vão me obedecer.

— Então nos castigue *juntos* — disse Geraldine, começando a chorar.

— Sim... Você não tem o direito de nos separar... Nós nunca fomos separados — murmurou Gerald.

— Vocês ficarão agora.

Anne ainda estava muito calma. Sem dizer uma palavra, Geraldine trocou a roupa e deitou em sua cama, no quarto deles. Resignado, Gerald entrou no armário do corredor. Era um armário grande e arejado com uma janela e uma cadeira e ninguém poderia chamar a punição de indevidamente severa. Anne trancou a porta e sentou-se com um livro perto da janela do corredor. Pelo menos, por duas horas ela conheceria um pouco de paz de espírito.

Uma espiada em Geraldine alguns minutos depois mostrou que ela estava dormindo profundamente, parecendo tão adorável em seu sono que Anne quase se arrependeu de sua severidade. Bem, uma soneca seria boa para ela, de qualquer maneira. Quando ela acordasse, teria permissão para se levantar, mesmo que as duas horas não tivessem terminado.

Após uma hora, Geraldine ainda dormia. Gerald tinha estado tão quieto que Anne decidiu que ele havia recebido seu castigo como um homem e poderia ser perdoado. Afinal, Ivy Trent era uma bonequinha vaidosa e que provavelmente havia sido muito irritante.

Anne destrancou a porta do armário e a abriu.

Gerald não estava lá. A janela estava aberta e o telhado da varanda lateral ficava logo abaixo dela. Os lábios de Anne se apertaram e ela desceu as escadas e saiu para o quintal. Nenhum sinal de Gerald. Ela olhou dentro do galpão e de ambos os lados da rua, ainda sem sinal dele.

Anne correu pelo jardim e pelo portão para o caminho que conduzia através de um trecho de matagal até o pequeno lago no campo do Sr. Robert Creedmore. Gerald estava alegremente guiando um pequeno barco que o Sr. Creedmore mantinha lá. Assim que Anne surgiu de entre as árvores, a vara de Gerald, que ele havia fincado bem fundo na lama, saiu com uma facilidade inesperada em seu terceiro puxão e Gerald prontamente caiu de costas na água.

Anne deu um involuntário grito de consternação, mas não havia motivo real para alarme. A parte mais funda do lago não chegava aos ombros de Gerald e, onde ele havia caído, a água ficava pouco acima da sua cintura. Ele havia se levantado de alguma forma e estava parado ali, um tanto tolo, com seus cabelos ensopados e pingando, quando um grito ecoou atrás dela, e Geraldine, em sua camisola, disparou por entre as árvores e saiu para a borda da pequena plataforma de madeira à qual o barco costumava ficar atracado.

Com um grito desesperado de "Gerald!", ela deu um salto e caiu com um tremendo splash ao lado de Gerald, quase jogando-o na água novamente.

— Gerald, você se afogou? — exclamou Geraldine. — Você se afogou, irmão?

— Não... Não... Irmã — Gerald assegurou-lhe com os dentes batendo.

Eles se abraçaram e deram beijos nas bochechas amorosamente.

— Crianças, venham aqui agora — disse Anne.

Eles caminharam até a margem. Aquele dia de setembro, quente pela manhã, tornou-se frio e ventoso no final da tarde. Eles estremeceram terrivelmente, seus rostos estavam azulados. Anne, sem uma palavra de censura, correu com eles para casa, tirou suas roupas molhadas e os colocou na cama da Sra. Raymond, com bolsas de água quente aos seus pés. Eles ainda continuaram a tremer. Será que eles pegaram um resfriado? Eles estavam ficando com pneumonia?

— Você deveria ter cuidado melhor de nós, Srta. Shirley — disse Gerald, ainda tagarelando.

— Deveria sim — disse Geraldine.

Uma Anne distraída voou escada abaixo e telefonou para o médico. Quando ele chegou, os gêmeos estavam aquecidos e ele garantiu a Anne que eles não corriam perigo. Se ficassem na cama até amanhã, ficariam bem.

Ele encontrou a Sra. Raymond vindo da estação no caminho de volta, e foi uma senhora pálida, quase histérica, que logo entrou correndo.

— Oh, senhorita Shirley, como você pôde deixar meus pequenos tesouros correrem tanto perigo!

— Foi exatamente isso o que dissemos a ela, mamãe — disseram os gêmeos em coro.

— Eu confiei em você... Eu lhe disse...

— Não vejo como isso seria minha culpa, Sra. Raymond — disse Anne, com olhos tão frios quanto uma névoa cinzenta. — Creio que a senhora perceberá o que aconteceu, quando estiver mais calma. As crianças estão bem... Simplesmente mandei chamar o médico como medida de precaução. Se Gerald e Geraldine tivessem me obedecido, isso não teria acontecido.

— Pensei que uma professora teria um pouco de autoridade sobre as crianças — disse a Sra. Raymond com amargura.

"Sobre crianças, talvez... Mas não sobre capetinhas", pensou Anne. Então ela apenas disse:

— Já que você está aqui, Sra. Raymond, acho que vou para casa. Acho que não posso mais ser útil e tenho alguns trabalhos escolares para fazer esta noite.

Como se fossem uma única criança, os gêmeos se jogaram para fora da cama e a abraçaram.

— Espero que haja um funeral toda semana — exclamou Gerald. — Porque gostei de você, Srta. Shirley, e espero que venha cuidar de nós toda vez que mamãe sair.

— Eu também — disse Geraldine.

— Eu gosto muito mais de você do que da Srta. Prouty.

— Ah, muito mais — disse Geraldine.

— Você vai nos contar uma história? — perguntou Gerald.

— Ah, sim — disse Geraldine.

— Tenho certeza de que você teve boas intenções — disse a Sra. Raymond trêmula.

— Obrigada — disse Anne friamente, tentando desprender os braços dos gêmeos.

— Oh, não vamos brigar por isso — implorou a Sra. Raymond, seus olhos enormes cheios de lágrimas. — Não suporto brigar com ninguém.

— Certamente que não — Anne estava em seu estado mais imponente, e conseguia ser muito imponente quando queria. — Eu não acho que haja a menor necessidade de brigar. Acho que Gerald e Geraldine gostaram bastante do dia, embora eu não suponha que a pobre Ivy Trent tenha gostado.

Anne foi para casa se sentindo anos mais velha.

"E pensar que alguma vez pensei que Davy era travesso", ela refletiu.

Anne encontrou Rebecca no jardim ao pôr do sol, colhendo amores-perfeitos.

— Rebecca Dew, eu costumava pensar que o ditado "As crianças devem ser vistas e não ouvidas", era muito duro. Mas eu entendo o seu ponto agora.

— Minha pobre querida. Vou preparar um bom jantar para você — disse Rebecca Dew. E não disse: "Eu avisei."

CAPÍTULO 5

(Retirado de uma carta para Gilbert.)

Ontem à noite, a Sra. Raymond veio me ver e, com lágrimas em seus olhos, suplicou para que eu a perdoasse, por sua "atitude precipitada".

— Se você soubesse como é o coração de uma mãe, Srta. Shirley, não seria difícil me perdoar.

Jamais achei que fosse difícil perdoar... há algo na Sra. Raymond que eu não consigo deixar de gostar, e ela era uma querida do Clube de Drama. Ainda assim, eu não falei: "Qualquer sábado que quiser, eu cuidarei de seus filhos". Isso se aprende com a experiência... até uma pessoa incorrigível, otimista e confiante, como eu.

Acho que uma certa parte da sociedade de Summerside está muito preocupada com os amores de Jarvis Morrow e Dovie Westcott... que, como diz Rebecca Dew, estão noivos há mais de um ano, mas não conseguem "dar mais um passo". Tia Kate, que é uma tia distante da Dovie... para ser exata, acho que ela é tia de um primo de segundo grau por parte da mãe de Dovie... está profundamente interessada no caso porque ela acha que Jarvis é um excelente par para Dovie... e também, eu suspeito, porque ela odeia Franklin Westcott e gostaria de vê-lo derrotado de todas as maneiras possíveis. Não que tia Kate admitisse que "odiava" alguém, mas a Sra. Franklin Westcott era uma querida amiga de infância dela, e tia Kate afirma solenemente que ele a assassinou.

Estou preocupada com isso, em parte porque gosto muito de Jarvis e gosto moderadamente de Dovie e, em parte, começo a suspeitar, porque sou uma intrometida inveterada nos problemas de outras pessoas... sempre com excelentes intenções, é claro.

A situação é resumidamente esta: Franklin Westcott é um comerciante alto, sombrio e obstinado, fechado e insociável. Ele mora em uma casa grande e antiquada chamada Elmcroft, nos arredores da cidade, na estrada do porto superior. Eu o encontrei uma ou duas vezes, mas realmente sei muito pouco sobre ele, exceto que ele tem o estranho hábito de dizer alguma coisa e depois cair em uma longa gargalhada silenciosa. Ele nunca foi à igreja desde que os hinos chegaram e ele insiste em ter todas as suas janelas abertas mesmo nas tempestades de inverno. Confesso que simpatizo com ele nisso, mas provavelmente sou a única pessoa em Summerside que o faria. Ele adquiriu o hábito de ser um cidadão importante e nada na cidade ousa ser feito sem sua aprovação.

Sua esposa está morta. É comum o relato de que ela era uma escrava, incapaz de chamar sua alma de sua. Franklin disse a ela, dizem, quando a trouxe para casa, que ele seria o mestre.

Dovie, cujo nome verdadeiro é Sibyl, é sua única filha... olhos azuis sedutores e cílios acinzentados tão longos que você se pergunta se eles podem ser reais. Jen Pringle diz que são pelos seus olhos que Jarvis está realmente apaixonado. Jen e eu conversamos bastante sobre o caso. Jarvis é seu primo favorito.

(Resumindo, você não acreditaria como Jen gosta de mim... e eu de Jen. Ela é realmente a coisa mais fofa.)

Franklin Westcott nunca permitiu que Dovie tivesse namorados e quando Jarvis Morrow começou a "prestar atenção nela", ele o proibiu de entrar em casa e disse a Dovie que não deveria mais "sair por aí com aquele sujeito". Mas o mal estava feito, Dovie e Jarvis já estavam profundamente apaixonados.

Todo mundo na cidade simpatiza com os amantes. Franklin Westcott é realmente irracional. Jarvis é um jovem advogado bem-sucedido, de boa família, com boas perspectivas e um rapaz muito bom e decentemente comedido.

— Nada poderia ser mais adequado — declara Rebecca Dew. — Jarvis Morrow poderia ter qualquer garota que quisesse em Summerside. Franklin Westcott acaba de decidir que Dovie será uma solteirona. Ele quer ter certeza de uma governanta quando a tia Maggie morrer.

— Não há ninguém que tenha alguma influência sobre ele? — perguntei.

Ninguém pode discutir com Franklin Westcott. Ele é muito sarcástico. E se você sai por cima dele, ele tem um surto. Nunca vi um de seus surtos, mas ouvi a Srta. Prouty descrever como ele reagiu quando ela estava lá costurando. Ele ficou bravo com alguma coisa... ninguém sabia o quê. Ele simplesmente pegou tudo que viu e jogou pela janela. Os poemas de Milton voaram por cima da cerca para o lago de nenúfares de George Clarke. Ele sempre teve algum tipo de rancor da vida. A senhorita Prouty diz que sua mãe lhe disse que os choros dele quando nasceu superaram qualquer coisa que ela já ouviu. Suponho que Deus tenha algum motivo para fazer homens assim, mas você se pergunta qual. Não, eu não consigo. Não vejo nenhuma chance para Jarvis e Dovie, a menos que eles fujam. É uma coisa meio baixa de se fazer, embora tenha havido um monte de bobagens românticas sobre fugir. Mas este é um caso em que qualquer um desculparia isso.

Eu não sei o que fazer, mas devo fazer alguma coisa. Eu simplesmente não consigo ficar parada e ver as pessoas bagunçarem suas vidas debaixo do meu nariz, não importa quantos acessos de raiva Franklin Westcott tenha. Jarvis Morrow não vai esperar para sempre... dizem que ele já está perdendo a paciência e foi visto cortando o nome de Dovie de uma árvore na qual ele o havia talhado. Há uma atraente garota Palmer que está se jogando em cima dele, e diz-se que sua irmã disse que sua mãe disse que seu filho não precisa ser feito de gato e sapato de nenhuma garota por anos.

Realmente, Gilbert, estou muito infeliz com isso.

A lua brilha esta noite, amado... brilha nos choupos do pátio... há covinhas iluminadas pela lua por todo o porto onde um navio fantasma está flutuando para longe... brilha no velho cemitério... em meu próprio vale particular... Rei da Tempestade. E ela brilhará no Caminho dos Amantes e no Lago das Águas Brilhantes e na velha Floresta Assombrada e no Vale Violeta. Deve haver bailes de fadas nas colinas esta noite. Mas, Gilbert querido, o brilho da lua sem ninguém para compartilhar é apenas... apenas o brilho da lua.

Gostaria de poder levar a pequena Elizabeth para passear. Ela adora uma caminhada sob o luar. Tivemos algumas agradáveis quando ela estava em Green Gables. Mas em casa, Elizabeth nunca vê a luz da lua, exceto pela janela.

Estou começando a ficar um pouco preocupada com ela também. Ela está chegando aos dez anos agora e aquelas duas velhinhas não têm a menor ideia do que ela precisa, espiritual e emocionalmente. Contanto que ela tenha boa comida e boas roupas, eles não conseguem imaginá-la precisando de mais nada. E será pior a cada ano que passa. Que tipo de juventude a pobre criança terá?

CAPÍTULO 6

Jarvis Morrow voltou para casa de uma reunião do ensino médio com Anne e contou a ela seus problemas.

— Você vai ter que fugir com ela, Jarvis. Todo mundo diz isso. Como regra, eu não aprovo fugas — "Eu disse isso como uma professora com quarenta anos de experiência", pensou Anne com um sorriso invisível —, mas há exceções para todas as regras.

— São necessários dois para fazer uma barganha, Anne. Não posso fugir sozinho. Dovie tem tanto medo do pai que não consigo convencê-la. E não seria uma fuga... sério. Ela apenas iria para a casa da minha irmã Julia... Sra. Stevens, você sabe... por uma noite. Eu receberia o pastor lá e poderíamos nos casar de maneira respeitável para agradar a qualquer um e ir passar nossa lua de mel com tia Bertha em Kingsport. Simples assim. Mas não posso fazer Dovie arriscar. A pobrezinha tem cedido aos caprichos e vontades de seu pai por tanto tempo que não tem mais força de vontade.

— Você simplesmente terá que convencê-la a fazer isso, Jarvis.

— Por Deus, você não acha que eu não tentei, não é, Anne? Eu implorei até perder o fôlego. Quando ela está comigo, ela quase promete, mas no minuto em que ela está em casa novamente, ela me manda dizer que não pode. Parece estranho, Anne, mas a pobre criança gosta muito do pai e não suporta a ideia de que ele nunca a perdoe.

— Você deve dizer a ela que ela tem que escolher entre o pai dela e você.

— E se ela o escolher?

— Eu não acho que haja qualquer perigo disso.

— Nunca se sabe — disse Jarvis, melancolicamente —, mas algo tem que ser decidido em breve. Não posso continuar assim para sempre. Sou louco por Dovie... todos em Summerside sabem disso. Ela é como uma pequena rosa vermelha fora de alcance... eu preciso alcançá-la, Anne.

— Poesia é uma coisa muito boa quando cabe, mas não vai levá-lo a lugar nenhum neste caso, Jarvis — disse Anne, friamente. — Isso soa como uma observação que Rebecca Dew faria, mas é bem verdade. O que você precisa neste caso é bom senso, direto e reto. Diga a Dovie que você está cansado de fazer bobagens e que ela deve ficar com você ou deixá-lo. Que, se ela não se importa o suficiente com você para deixar o pai dela, é melhor que seja clara.

Jarvis chorou.

— Você não esteve sob o controle de Franklin Westcott toda a sua vida, Anne. Você não tem nenhuma noção de como ele é. Bem, farei um último e final esforço. Como você disse, se ela realmente gosta de mim, ela ficará comigo... e se ela não ficar, é melhor eu saber logo. Estou começando a achar que me tornei bem ridículo.

"Se você está começando a se sentir assim", pensou Anne, "é melhor Dovie tomar cuidado."

Há algumas noite, Dovie foi até Windy Poplars para conversar com Anne.

— O que devo fazer, Anne? O que posso fazer? Jarvis quer que eu fuja... praticamente. Papai estará em um jantar maçônico em Charlottetown… e seria uma boa oportunidade. Tia Maggie jamais suspeitaria. Jarvis quer que eu vá para a casa da Sra. Stevens e me case com ele lá.

— Por que você não vai, Dovie?

— Oh, Anne, você realmente acha que eu deveria? — Dovie levantou um olhar doce e persuasivo. — Por favor, por favor, decida-se por mim. Eu não consigo — a voz de Dovie soou como uma nota chorosa. — Oh, Anne, você não conhece o papai. Ele simplesmente odeia Jarvis... não consigo imaginar por que... você consegue? Como alguém pode odiar Jarvis? Quando ele me visitou pela primeira vez, meu pai o proibiu de entrar em casa e disse a ele que soltaria o cachorro em cima dele se voltasse... nosso grande buldogue. Você sabe que eles nunca soltam uma vez que pegam. E ele nunca vai me perdoar se eu fugir com Jarvis.

— Você deve escolher entre eles, Dovie.

— Isso é exatamente o que Jarvis disse — chorou Dovie. — Oh, ele foi tão sério... eu nunca o vi assim antes. E eu não posso... eu não posso viver sem ele, Anne.

— Então viva com ele, minha querida. E não chame isso de fugir. Apenas vir para Summerside e se casar entre seus amigos não é fugir.

— Papai vai chamar assim — disse Dovie, engolindo um soluço —, mas vou seguir seu conselho, Anne. Tenho certeza de que você não me aconselharia a dar nenhum passo que fosse errado. Direi a Jarvis para ir em frente e obter a licença e irei à casa de sua irmã na noite em que meu pai estará em Charlottetown.

Jarvis disse a Anne triunfante que Dovie finalmente tinha cedido.

— Eu devo encontrá-la no final da rua na próxima terça-feira à noite... ela não quer que eu vá até a casa por medo de que a tia Maggie possa me ver... e, então, iremos até a casa de Julia e nos casaremos num piscar de olhos. Toda a minha família estará lá, então isso deixará a pobre querida bem confortável. Franklin Westcott disse que eu nunca deveria ficar com a filha dele. Vou mostrar a ele que ele estava enganado.

CAPÍTULO 7

Terça-feira foi um dia sombrio de final de novembro. Ocasionalmente, aguaceiros frios e tempestuosos caíam sobre as colinas. O mundo parecia um lugar escuro e esquecido, visto através de uma garoa cinzenta.

“A pobre Dovie não terá seu casamento em um dia muito bom”, pensou Anne. “Suponha... suponha que…”, ela estremeceu… “suponha que não acabe bem, afinal. Será minha culpa. Dovie nunca teria concordado com isso se eu não a tivesse aconselhado. E suponha que Franklin Westcott nunca a perdoe. Anne Shirley, pare com isso!”.

À noite, a chuva havia parado, mas o ar estava frio e úmido e o céu estava nublado. Anne estava em seu quarto na torre, corrigindo trabalhos escolares, com Dusty Miller enrolado sob seu fogão. Houve uma batida estrondosa na porta da frente.

Anne desceu correndo. Rebecca Dew enfiou a cabeça alarmada pela porta do quarto. Anne gesticulou de volta.

— É alguém na porta da frente! — disse Rebecca, surpresa.

— Está tudo bem, querida Rebecca. Para falar a verdade, temo que nada esteja bem... mas, de qualquer maneira, é apenas Jarvis Morrow. Eu o vi pela janela lateral da torre e sei que ele quer me ver.

— Jarvis Morrow! — Rebecca voltou e fechou a porta. — Essa é a gota d'água.

— Jarvis, qual é o problema?

— Dovie não veio — disse Jarvis desesperadamente. — Esperamos horas... o pastor está lá... e meus amigos... e Júlia tem o jantar pronto... e Dovie não veio. Esperei por ela no final da rua até ficar quase louco. Eu não ousei descer para a casa porque eu não sabia o que tinha acontecido. Aquele velho bruto de Franklin Westcott pode ter voltado. Tia Maggie pode tê-la trancado. Mas eu tenho que saber. Anne, você deve ir a Elmcroft e descobrir por que ela não veio.

— Eu? — disse Anne incrédula e sem palavras.

— Sim, você. Não há mais ninguém em quem eu possa confiar... ninguém mais que saiba. Oh, Anne, não me falhe agora. Você nos apoiou o tempo todo. Dovie diz que você é a única amiga de verdade que ela tem. Não é tarde... são só nove horas. Vá.

— E ser mastigada pelo buldogue? — disse Anne sarcasticamente.

— Aquele cachorro velho! — disse Jarvis com desdém. — Ele não faz mal a uma pulga. Você não acha que eu estava com medo do cachorro, acha? Além disso, ele sempre fica trancado à noite. Simplesmente não quero criar problemas para Dovie em casa se eles descobriram. Anne, por favor!

— Acho que estou me metendo nisso — disse Anne com um encolher de ombros de desespero.

Jarvis a levou até a longa pista de Elmcroft, mas ela não o deixou ir mais longe.

— Como você disse, isso pode complicar as coisas para Dovie caso o pai dela volte para casa.

Anne se apressou pela longa estrada cercada por árvores. A lua ocasionalmente atravessava as nuvens ventosas, mas na maior parte do tempo estava horrivelmente escuro e ela não conseguia parar de pensar no cachorro.

Parecia haver apenas uma luz em Elmcroft... brilhando na janela da cozinha. A própria tia Maggie abriu a porta lateral para Anne. Tia Maggie era uma irmã muito velha de Franklin Westcott, uma mulher um pouco curvada e enrugada que nunca fora considerada muito inteligente mentalmente, embora fosse uma excelente governanta.

— Tia Maggie, Dovie está em casa?

— Dovie está na cama — disse tia Maggie, impassivelmente.

— Na cama? Ela está doente?

— Não que eu saiba. Ela parecia estar nervosa o dia todo. Depois do jantar, ela disse que estava cansada, se levantou e foi para a cama.

— Eu preciso vê-la por um momento, tia Maggie. Eu... eu só quero uma pequena informação importante.

— Melhor subir para o quarto dela, então. É o do lado direito quando você sobe.

Tia Maggie gesticulou para as escadas e saiu bamboleando para a cozinha.

Dovie sentou-se quando Anne entrou, sem cerimônia, depois de uma batida apressada. Como podia ser visto à luz de uma pequena vela, Dovie estava em lágrimas, mas suas lágrimas apenas exasperaram Anne.

— Dovie Westcott, você esqueceu que prometeu se casar com Jarvis Morrow hoje à noite?... hoje à noite?

— Não... não... — choramingou Dovie. — Oh, Anne, estou tão infeliz... Passei um dia tão terrível. Você nunca, nunca saberá o que passei.

— Eu sei o que o pobre Jarvis passou, esperando por duas horas naquela pista no frio e na garoa — disse Anne impiedosamente.

— Ele está... ele está muito zangado, Anne?

— Nem um pouco... — retrucou acidamente.

— Oh, Anne, eu só fiquei com medo. Eu não consegui pregar o olho ontem à noite. Eu não poderia continuar com isso... eu não poderia. Eu... há realmente algo vergonhoso em fugir, Anne. E eu não iria ganhar nenhum presente bonito... bem, não ganharia muitos, de qualquer forma. Eu sempre quis me... casar na igreja... com lindas decorações... e um véu e vestido branco… e sa...sandálias prateadas!

— Dovie Westcott, saia logo dessa cama... imediatamente... vista-se... e venha comigo.

— Anne... agora é tarde demais.

— Não é tarde demais. E é agora ou nunca… deve saber disso, Dovie, se tem uma migalha de bom senso. Sabe que Jarvis Morrow nunca falará com você novamente se o fizer de tolo desse jeito.

— Ah, Anne, ele vai me perdoar quando souber...

— Ele não vai. Eu conheço Jarvis Morrow. Ele não vai deixar você brincar com a vida dele para sempre. Dovie, você quer que eu a arraste para fora da cama?

Dovie estremeceu e suspirou.

— Eu não tenho nenhum vestido adequado...

— Você tem meia dúzia de vestidos bonitos. Vista seu tafetá rosa.

— E eu não tenho nenhum enxoval. Os Morrows sempre vão jogar isso na minha cara...

— Você pode arrumar um depois. Dovie, você não pesou todas essas coisas na balança antes?

— Não... não... esse é o problema. Só comecei a pensar nelas ontem à noite. E papai... você não conhece papai, Anne...

— Dovie. Vou dar apenas dez minutos para você se vestir!

Dovie estava vestida no tempo estipulado.

— Este vestido está f... f... ficando muito apertado para mim — ela soluçou quando Anne o fechou. — Se eu engordar muito, acho que Jarvis não vai me amar. Queria ser alta, magra e pálida como você, Anne. Oh, Anne, e se a tia Maggie nos ouvir?

— Ela não vai. Ela está trancada na cozinha e você sabe que ela é um pouco surda. Aqui está seu chapéu e casaco e eu coloquei algumas coisas nesta bolsa.

— Oh, meu coração está batendo tanto. Eu estou horrível, Anne?

— Você está linda — disse Anne, sinceramente. A pele acetinada de Dovie era rosa e creme e todas as suas lágrimas não estragaram seus olhos. Mas Jarvis não podia ver seus olhos no escuro e ele estava apenas um pouco irritado com sua adorada dama e bem frio durante a viagem para a cidade.

— Pelo amor de Deus, Dovie, não fique tão assustada por ter que se casar comigo — disse ele, impaciente, enquanto ela descia as escadas da casa dos Stevens. — E não chore... vai fazer seu nariz inchar. São quase dez horas e temos que pegar o trem das onze.

Dovie ficou bem assim que se viu irrevogavelmente casada com Jarvis. O que Anne descreveu em uma carta para Gilbert como "a aparência de lua de mel" já estava em seu rosto.

— Anne, querida, devemos tudo a você. Nunca esqueceremos, não é mesmo, Jarvis? Ah, Anne, você faria só mais uma coisa por mim? Conte ao papai o que houve. Ele estará em casa amanhã no começo da noite... e alguém tem que contar a ele. Você pode acalmá-lo, se alguém puder. Por favor, faça o possível para que ele me perdoe.

Anne sentiu que precisava se recompor naquele momento; mas ela também se sentia pouco à vontade sendo responsável pelo resultado desse caso, então fez a promessa necessária.

— Claro que ele vai ser terrível... simplesmente terrível, Anne... mas ele não pode matá-la — disse Dovie confortavelmente. — Oh, Anne, você não sabe... você não pode perceber... o quão segura eu me sinto com Jarvis.

Quando Anne chegou em casa, Rebecca Dew havia chegado ao ponto em que precisava satisfazer sua curiosidade ou enlouqueceria. Ela seguiu Anne até o quarto da torre em sua camisola, com um lenço de flanela enrolado na cabeça, e ouviu toda a história.

— Bem, suponho que isso é o que você pode chamar de "vida" — ela disse sarcasticamente. —, mas estou realmente feliz por Franklin Westcott finalmente ter recebido sua punição, e a Sra. Capitã MacComber também. Mas não invejo sua tarefa de dar a notícia a ele. Ele vai se enfurecer e esbravejar coisas horríveis. Se eu estivesse no seu lugar, Srta. Shirley, eu não dormiria nem uma belezura esta noite.

— Sinto que não será uma experiência muito agradável — concordou Anne com tristeza.

CAPÍTULO 8

Anne se dirigiu a Elmcroft na noite seguinte, caminhando pela paisagem onírica de uma névoa de novembro com uma sensação de desânimo permeando seu ser. Não foi exatamente uma missão agradável. Como Dovie havia dito, é claro que Franklin Westcott não a mataria. Anne não temia violência física... embora, se todas as histórias contadas sobre ele fossem verdadeiras, ele poderia jogar algo nela. Será que ele gaguejaria de raiva? Anne nunca tinha visto um homem gaguejando de raiva e imaginou que deveria ser uma visão bastante desagradável. Mas ele provavelmente usaria seu notável dom para o sarcasmo desagradável, e o sarcasmo, no homem ou na mulher, era a única arma que Anne temia. Isso sempre a machucava... criava bolhas em sua alma que doíam por meses.

"Tia Jamesina costumava dizer: 'Nunca, se puder evitar, seja a portadora de más notícias'", refletiu Anne. "Ela era tão sábia nisso quanto em tudo mais. Bem, aqui estou eu."

Elmcroft era uma casa antiquada com torres em cada esquina e uma cúpula bulbosa no telhado. E no topo do lance de escadas da frente estava o cachorro.

"Se eles agarram, nunca soltam", lembrou Anne. Ela deveria tentar ir até a porta lateral? Então, o pensamento de que Franklin Westcott poderia estar observando-a da janela lhe deu coragem. Ela nunca lhe daria a satisfação de ver que ela estava com medo de seu cachorro. Resolutamente, com a cabeça erguida, ela subiu os degraus, passou pelo cachorro e tocou a campainha. O cachorro não havia se mexido. Quando Anne olhou para ele por cima do ombro, ele aparentemente estava dormindo.

Franklin Westcott, constatou-se, não estava em casa, mas era esperado a cada minuto, pois o trem de Charlottetown estava para chegar. Tia Maggie levou Anne para o que ela chamou de "bibriotéca" e a deixou lá. O cachorro se levantou e os seguiu. Ele veio e se acomodou aos pés de Anne.

Anne descobriu que gostava da "bibriotéca". Era uma sala alegre e simples, com um fogo ardendo confortavelmente na lareira e tapetes de pele de urso no carpete vermelho gasto no chão. Franklin Westcott evidentemente apreciava livros e cachimbos.

Logo ela o ouviu entrar. Ele pendurou o chapéu e o casaco no corredor: ficou na porta da biblioteca com uma carranca muito decidida na testa. Anne lembrou que sua impressão dele na primeira vez que o viu foi a de um pirata bastante cavalheiresco, e ela sentiu uma repetição disso.

— Ah, é você, é? — ele disse um tanto rudemente. — Bem, e o que você quer?

Ele nem mesmo se ofereceu para apertar a mão dela. Dos dois, Anne achou que o cachorro tinha certamente as melhores maneiras.

— Sr. Westcott, por favor, ouça-me pacientemente antes...

— Eu sou paciente... muito paciente. Prossiga!

Anne decidiu que não adiantava rodeios com um homem como Franklin Westcott.

— Eu vim para dizer a você — disse ela com firmeza — que Dovie se casou com Jarvis Morrow.

Então ela esperou pelo terremoto. Nenhum veio. Nem um músculo do rosto magro e moreno de Franklin Westcott mudou. Ele entrou e sentou-se na cadeira de couro de pernas tortas em frente a Anne.

— Quando? — ele disse.

— Ontem à noite... na casa da irmã dele — disse Anne.

Franklin Westcott olhou para ela por um momento com seus olhos castanhos amarelados profundamente inseridos sob coberturas de sobrancelhas grisalhas.

Anne se perguntou por um momento como ele seria quando bebê. Então jogou a cabeça para trás e teve um de seus espasmos de risada silenciosa.

— Você não deve culpar Dovie, Sr. Westcott — disse Anne seriamente, recuperando sua capacidade de falar agora que a terrível revelação havia passado. — Não foi culpa dela...

— Aposto que não — disse Franklin Westcott.

Estaria ele tentando ser sarcástico?

— Não, foi toda minha — disse Anne, simples e corajosamente. — Eu a aconselhei a... a se casar... eu a obriguei a fazer isso. Então, por favor, perdoe-a, Sr. Westcott.

Franklin Westcott calmamente pegou um cachimbo e começou a enchê-lo.

— Se você conseguiu fazer Sibyl fugir com Jarvis Morrow, Srta. Shirley, você conseguiu mais do que eu jamais pensei que alguém pudesse. Eu estava começando a temer que ela nunca tivesse força de vontade suficiente para fazer isso. E então eu teria que voltar atrás... e Deus, como nós, os Westcott, odiamos voltar atrás em algo! Você salvou minha reputação, Srta. Shirley, e sou profundamente grato a você.

Houve um silêncio muito alto enquanto Franklin Westcott socava seu tabaco e olhava com um brilho divertido para o rosto de Anne. Anne estava tão confusa que não sabia o que dizer.

— Suponho — disse ele —, que você veio aqui com medo e tremendo para me dar a terrível notícia.

— Sim — disse Anne, de forma um tanto brusca.

Franklin Westcott riu silenciosamente.

— Você não precisava. Você não poderia ter me trazido notícias melhores. Ora, eu escolhi Jarvis Morrow para Sibyl quando eles eram crianças. Assim que os outros meninos começaram a notá-la, eu os afastei. Isso deu a Jarvis sua primeira ideia dela. Ele mostraria ao velho! Mas ele era tão popular com as garotas que eu mal podia acreditar na sorte incrível quando ele realmente gostou dela. Então eu expus meu plano de campanha. Eu conhecia os Morrows muito bem. Você não. Eles são uma boa família, mas os homens não querem coisas que podem obter facilmente. E eles estão determinados a conseguir algo quando lhes dizem que não podem. Eles sempre vão pelo contrário. O pai de Jarvis quebrou o coração de três meninas porque suas famílias as empurraram para cima dele. No caso de Jarvis, eu sabia exatamente o que aconteceria. Sibyl se apaixonaria perdidamente por ele... e ele se cansaria dela em pouco tempo. Eu sabia que ele não continuaria a desejá-la se ela fosse muito fácil de conseguir. Então eu o proibi de chegar perto de casa e proibi Sibyl de dizer uma palavra a ele, e interpretei o comum pai rígido com perfeição. Fala-se muito sobre o charme pessoas difíceis, mas não é nada comparável ao charme de pessoas inalcançáveis. Tudo funcionou de acordo com o cronograma, mas encontrei um obstáculo na fraqueza de Sybil. Ela é uma boa criança, mas é covarde. Estive pensando que ela nunca teria coragem de me desobedecer e se casar com ele. Agora, se você recuperou o fôlego, minha querida jovem, desabafe sobre toda a história.

O senso de humor de Anne voltou a resgatá-la. Ela nunca poderia recusar uma oportunidade para uma boa risada, mesmo quando era dela mesma. E, de repente, ela se sentiu muito bem familiarizada com Franklin Westcott.

Ele ouviu a história, dando baforadas calmas e agradáveis em seu cachimbo. Quando Anne terminou, ele assentiu confortavelmente.

— Vejo que estou em dívida com você, ainda mais do que pensei. Ela nunca teria coragem de fazer isso se não fosse por você. E Jarvis Morrow não teria arriscado ser feito de bobo duas vezes… não se eu conheço o tipo. Puxa, mas eu escapei por um triz! Vou lhe dever uma pelo resto da vida. Você é realmente muito corajosa por vir aqui como veio, acreditando em todas as histórias que as fofocas lhe contaram... Você ouviu falar muito, não é?

Anne assentiu. O buldogue estava com a cabeça no colo dela e roncava alegremente.

— Todos concordaram que você era mal-humorado, mal-encarado e malcriado — disse ela com franqueza.

— E eu suponho que eles disseram a você que eu era um tirano, e fiz a vida de minha pobre esposa miserável, e governei minha família com mão de ferro.

— Sim, mas eu realmente levei tudo isso com um boato, Sr. Westcott. Eu senti que Dovie não gostaria tanto de você como ela gostava se você fosse tão terrível quanto as fofocas diziam.

— Garota sensata! Minha esposa era uma mulher feliz, Srta. Shirley. E quando a Sra. Capitã MacComber disser que eu a intimidei até a morte, ordene-a que fique quieta por mim. Desculpe meu jeito comum. Mollie era bonita... mais bonita do que Sibyl. Aquela pele branca e rosada... cabelo castanho dourado... olhos azuis tão orvalhados! Ela era a mulher mais bonita de Summerside. Tinha que ser. Eu não suportaria se um homem entrasse na igreja com uma esposa mais bonita do que a minha. Eu governava minha casa como um homem deveria, mas não tiranicamente. Oh, claro, eu tinha um acesso de raiva de vez em quando, mas Mollie não se importava com eles depois que se acostumou. Um homem tem o direito de brigar com a esposa de vez em quando, não é? As mulheres se cansam de maridos monótonos. Além disso, eu sempre dava a ela um anel ou um colar ou algo parecido depois que me acalmava. Não havia uma mulher em Summerside que tinha joias mais bonitas. Devo pegá-las e entregá-las a Sibyl.

Anne não aguentou.

— E quanto aos poemas de Milton?

— Poemas de Milton? Ah, é! Não eram de Milton… eram de Tennyson. Adoro Milton, mas não resisto a Alfred. Seu trabalho é doce de um modo doentio. Aquelas duas últimas linhas de Enoch Arden me deixaram tão furioso uma noite, que eu realmente atirei o livro pela janela. Mas eu o peguei no dia seguinte por causa da Canção do Clarim. Eu perdoaria qualquer um ou qualquer coisa por isso. Não caiu no lago de nenúfares de George Clarke, isso era fofoca do velho Prouty. Você já vai? Fique e jante com um velho solitário que teve seu único filhote roubado.

— Sinto muito por não poder, Sr. Westcott, mas tenho que comparecer a uma reunião da equipe esta noite.

— Bem, eu irei visitá-la quando Sibyl voltar. Terei que dar uma festa para eles, sem dúvida. Meu Deus, que alívio isso foi para minha mente. Você não tem ideia de como eu odiaria ter que recuar e dizer: "tome-a". Agora, tudo o que tenho a fazer é fingir estar com o coração partido e resignado, e perdoá-la tristemente pelo bem de sua pobre mãe. Farei isso lindamente... Jarvis nunca deve suspeitar. Não entregue o show.

— Eu não vou — prometeu Anne.

Franklin Westcott acompanhou-a cortesmente até a porta. O buldogue sentou-se de cócoras e chorou atrás dela.

Franklin Westcott tirou o cachimbo da boca na porta e deu um tapinha no ombro dela.

— Lembre-se sempre — disse ele solenemente —, há mais de uma maneira de esfolar um gato. Isso pode ser feito de forma que o animal nunca saiba que perdeu sua pele. Dê lembranças a Rebecca Dew. Uma boa bichana, se você a acaricia da maneira certa. E obrigado... obrigado.

Anne voltou para casa, durante a noite calma e suave. A névoa havia se dissipado, o vento havia mudado e havia um aspecto de gelo no céu verde pálido.

“As pessoas me disseram que eu não conhecia Franklin Westcott”, refletiu Anne. “Eles estavam certos... eu não. E nem eles.”

— Como ele reagiu? — Rebecca Dew estava ansiosa para saber. Ela estava subindo pelas paredes durante a ausência de Anne.

— Até que não tão mal — disse Anne, confidencialmente. — Acho que ele vai perdoar Dovie com o tempo.

— Eu nunca vi uma pessoa tão boa quanto você, Srta. Shirley, em convencer alguém — disse Rebecca Dew com admiração. — Você, certamente, é profissional nisso.

— “Algo tentado, algo feito, merece uma noite de repouso” — citou Anne, cansada enquanto subia os três degraus em sua cama naquela noite. — Mas espere até que a próxima pessoa peça meu conselho sobre fugir!

CAPÍTULO 9

(Retirado da carta para Gilbert.)

Fui convidada para jantar amanhã à noite com uma dama de Summerside. Sei que você não vai acreditar em mim, Gilbert, quando eu disser que o nome dela é Tomgallon... Srta. Minerva Tomgallon. Você dirá que estou lendo Dickens por muito tempo e até muito tarde.

Querido, você não está feliz por seu nome ser Blythe? Tenho certeza de que nunca poderia me casar com você se fosse Tomgallon.

Esta é a maior honra que Summerside tem para conceder... um convite para a Casa Tomgallon. Não há outro nome. Nenhuma bobagem sobre Elms, Chestnuts ou Crofts para os Tomgallons.

Eu entendo que eles eram a "Família Real" nos velhos tempos. Os Pringles são cogumelos comparados a eles. E agora resta, de todos eles, apenas a Srta. Minerva, a única sobrevivente de seis gerações de Tomgallons. Ela mora sozinha em uma casa enorme na Queen Street... uma casa com grandes chaminés, persianas verdes e a única casa com vitral na cidade. É grande o suficiente para quatro famílias e é ocupada apenas por Srta. Minerva, uma cozinheira e uma empregada. Está muito bem conservada, mas de alguma forma, sempre que passo por ela sinto que é um lugar que a vida esqueceu.

A senhorita Minerva sai muito pouco, exceto para ir à igreja anglicana, e eu nunca a tinha visto até algumas semanas atrás, quando ela veio a uma reunião de funcionários e curadores para fazer uma doação formal da valiosa biblioteca de seu pai para a escola. Ela parece exatamente como você espera que uma Minerva Tomgallon seria... alta e magra, com um rosto branco longo e estreito, um nariz longo e fino e uma boca comprida e delgada. Isso não soa muito atraente, mas a Srta. Minerva é bastante bonita em um estilo imponente e aristocrático, e está sempre vestida com grande elegância, embora um tanto antiquada. Ela era uma beleza quando jovem, Rebecca Dew me diz, e seus grandes olhos negros ainda estão cheios de fogo e brilho escuro. Ela não sofre de falta de palavras, e acho que nunca ouvi ninguém gostar tanto de fazer um discurso de apresentação.

A senhorita Minerva foi especialmente gentil comigo, e ontem recebi um bilhete formal convidando-me para jantar com ela. Quando contei a Rebecca Dew, ela abriu os olhos tanto quanto se eu tivesse sido convidada para o Palácio de Buckingham.

— É uma grande honra ser convidada para Tomgallon House — ela disse em um tom bastante admirado. — Nunca ouvi falar da Srta. Minerva convidando qualquer um dos diretores lá antes. Para ter certeza, eles eram todos homens, então suponho que dificilmente teria sido apropriado. Bem, eu espero que ela não fale até a morte, Srta. Shirley. Os Tomgallons poderiam falar até o ano que vem. E eles gostam de estar à frente das coisas. Algumas pessoas acham que a razão da Srta. Minerva viver tão isolada é porque agora que ela está velha ela e não pode assumir a liderança como costumava fazer, e ela não vai ser ajudante de ninguém. O que você vai vestir, Srta. Shirley? Eu gostaria de ver você usando seu vestido de seda creme, com seus laços de veludo preto. É tão vistoso.

— Receio que seria muito "elegante" para uma noite tranquila — eu disse.

— A senhorita Minerva gostaria, eu acho. Todos os Tomgallons gostavam que sua companhia estivesse bem-vestida. Eles dizem que o avô da senhorita Minerva, certa vez, fechou a porta na cara de uma mulher que havia sido convidada para um baile, porque ela chegou com seu segundo melhor vestido. Ele disse a ela que o melhor dela não era bom demais para os Tomgallons.

— No entanto, acho que vou usar aquele meu de voil verde, e os fantasmas dos Tomgallons devem se contentar com ele.

Vou confessar algo que fiz na semana passada, Gilbert. Suponho que você vai pensar que estou me intrometendo novamente nos negócios de outras pessoas. Mas eu tinha que fazer alguma coisa. Não estarei em Summerside no ano que vem e não suporto a ideia de deixar a pequena Elizabeth à mercê daquelas duas velhas sem amor que estão ficando mais amargas e rigorosas a cada ano. Que tipo de infância ela terá com elas naquele velho lugar sombrio?

— Eu me pergunto — ela me disse melancolicamente, não muito tempo atrás —, como seria ter uma avó da qual você não tivesse medo.

Foi o que eu fiz: escrevi para o pai dela. Ele mora em Paris e eu não sabia o endereço dele, mas Rebecca Dew ouviu e lembrou o nome da empresa cuja filial ele dirige lá, então arrisquei e dirigi-me a ele para cuidar disso. Escrevi uma carta tão diplomática quanto pude, mas disse-lhe claramente que ele deveria levar Elizabeth. Contei-lhe como ela anseia por ele e sonha com ele, e que a Sra. Campbell era realmente muito severa e rigorosa com ela. Talvez não dê em nada, mas se eu não tivesse escrito, ficaria para sempre assombrada pela convicção de que deveria ter feito isso.

O que me fez pensar nisso foi Elizabeth me contando, com muita seriedade, que havia "escrito uma carta para Deus", pedindo a Ele para trazer seu pai de volta para ela e fazê-lo amá-la. Ela disse que parou no caminho da escola para casa, no meio de um terreno baldio, e a leu, olhando para o céu. Eu sabia que ela tinha feito algo estranho, porque a senhorita Prouty tinha visto a performance e me contou sobre isso quando ela veio costurar para as viúvas seguinte dia. Ela pensou que Elizabeth estava ficando "esquisita"... "falando assim com o céu".

Perguntei a Elizabeth sobre isso e ela me contou:

— Pensei que Deus poderia prestar mais atenção a uma carta do que a uma oração — disse ela. — Já orei por tanto tempo. Ele deve receber tantas orações.

Naquela noite, escrevi para o pai dela.

Antes de encerrar, devo falar sobre Dusty Miller. Algum tempo atrás, tia Kate me disse que achava que deveria encontrar outro lar para ele porque Rebecca Dew vivia reclamando dele, de modo que sentia que realmente não aguentaria mais. Uma noite da semana passada, quando voltei da escola, não havia Dusty Miller. Tia Chatty disse que o tinham dado para a Sra. Edmonds, que mora do outro lado de Summerside de Windy Poplars. Senti pena, pois Dusty Miller e eu fomos excelentes amigos. "Mas, pelo menos", pensei, "Rebecca Dew será uma mulher feliz."

Rebecca estava fora durante o dia, tendo ido ao campo para ajudar um parente a pendurar tapetes. Quando ela voltou, ao anoitecer, nada foi dito, mas na hora de dormir, quando ela chamou Dusty Miller na varanda dos fundos, tia Kate disse baixinho:

— Não precisa chamar Dusty Miller, Rebecca. Ele não está aqui. Encontramos um lar para ele em outro lugar. Você não vai mais se incomodar com ele.

Se Rebecca Dew pudesse ter ficado pálida, ela o teria feito.

— Não está aqui? Encontrou um lar para ele? Meu Deus! Não é este o lar dele?

— Nós demos ele à Sra. Edmonds. Ela tem se sentido muito solitária desde que sua filha se casou e achou que um bom gato seria uma boa companhia.

Rebecca Dew entrou e fechou a porta. Ela parecia muito chocada.

— Esta é a gota d'água — disse ela. E realmente parecia ter sido, nunca vi os olhos de Rebecca tão acesos pela fúria. — Estou indo embora no final do mês, ou até mais cedo, se você achar melhor.

— Mas, Rebecca — disse tia Kate, perplexa —, eu não entendo. Você nunca gostou de Dusty Miller. Ainda na semana passada você disse...

— Está certo — disse Rebecca amargamente. — Jogue essas coisas na minha cara! Não tenha nenhuma consideração pelos meus sentimentos! Aquele pobre gatinho! Eu esperei por ele, e o mimei, e levantei à noite para deixá-lo entrar. E agora ele foi levado pelas minhas costas sem sequer pedir licença. E para Sarah Edmonds, que não compraria um pedaço de fígado para a pobre criatura se ele estivesse morrendo por isso! A única companhia que eu tinha na cozinha!

— Mas, Rebecca, você sempre...

— Oh, continue... continue! Não me deixe falar nada, Sra. MacComber. Eu criei aquele gato desde filhote... eu cuidei de sua saúde e de sua moral… e para quê? Para que Jane Edmonds tenha um gato bem treinado como companhia. Bem, espero que ela fique na geada à noite, como eu fiquei, chamando aquele gato por horas, em vez de deixá-lo lá fora para congelar, mas duvido... duvido seriamente. Bem, Sra. MacComber, tudo o que espero é que sua consciência não a incomode na próxima vez que fizer dez graus abaixo de zero. Eu não vou conseguir dormir nada, mas é claro que isso não importa menos que um sapato velho para ninguém.

— Rebecca, se você ao menos...

— Sra. MacComber, eu não sou um verme, nem sou um capacho. Bem, esta foi uma lição para mim... uma lição valiosa! Nunca mais permitirei que minhas afeições se enrosquem em torno de um animal de qualquer espécie ou descrição. E se você tivesse feito isso abertamente... mas pelas minhas costas... se aproveitando de mim assim! Eu nunca ouvi falar de nada tão sujo! Mas quem sou eu para esperar que meus sentimentos sejam considerados!

— Rebecca — disse tia Kate desesperadamente —, se você quer Dusty Miller de volta, podemos trazê-lo de volta.

— Por que você não disse isso antes? — perguntou Rebecca Dew. — E eu duvido. Jane Edmonds tem suas garras nele. É provável que ela vá desistir dele?

— Acho que ela vai — disse a tia Kate. — E se ele voltar, você não vai nos deixar, vai, Rebecca?

— Vou pensar no seu caso — disse Rebecca, com ar de quem fez uma tremenda concessão.

No dia seguinte, tia Chatty trouxe Dusty Miller para casa em uma cesta coberta. Eu peguei um olhar trocado entre ela e tia Kate depois que Rebecca levou Dusty Miller para a cozinha e fechou a porta. Eu me perguntei! Teria sido uma conspiração por parte das viúvas, auxiliadas e instigadas por Jane Edmonds?

Rebecca nunca proferiu uma palavra de reclamação sobre Dusty Miller desde então e há um verdadeiro estrondo de vitória em sua voz quando ela grita por ele na hora de dormir. Parece que ela queria que todo o Summerside soubesse que Dusty Miller está de volta ao lugar que ele pertence e que ela, mais uma vez, levou a melhor sobre as viúvas!

CAPÍTULO 10

Foi em uma noite escura e ventosa de março, quando até as nuvens que corriam no céu pareciam apressadas, que Anne subiu rapidamente o lance triplo de degraus largos e rasos, ladeados por urnas de pedra e leões ainda mais pétreos, que levavam à enorme porta da frente da Casa Tomgallon. Normalmente, quando passava por essa casa depois de escurecer, ela era sombria e escura, com um fraco brilho em uma ou duas janelas. Mas agora brilhava intensamente, até mesmo as alas de ambos os lados estavam iluminadas, como se a Srta. Minerva estivesse entretendo toda a cidade. Essa iluminação em sua homenagem dominou Anne. Ela quase desejou ter vestido sua gaze creme.

No entanto, ela estava muito charmosa em seu voile verde, e talvez a Srta. Minerva, encontrando-a no corredor, concordasse, pois seu rosto e voz eram muito cordiais. A própria senhorita Minerva estava majestosa em um veludo preto, uma tiara de diamantes nos cachos pesados do seu cabelo grisalho e um enorme broche de camafeu enrolado em uma trança de cabelo de algum Tomgallon falecido. Todo o traje era um pouco antiquado, mas a Srta. Minerva o usava com um ar tão imponente, que parecia tão atemporal quanto o da realeza.

— Bem-vinda à Casa Tomgallon, minha querida — disse ela, dando a Anne uma mão ossuda, igualmente coberta de diamantes. — Estou muito feliz em tê-la aqui como minha convidada.

— Eu estou...

— A Casa Tomgallon sempre foi o refúgio da beleza e da juventude nos velhos tempos. Costumávamos dar muitas festas e entreter todas as celebridades que nos visitavam — disse a Srta. Minerva, conduzindo Anne até a grande escadaria sobre um tapete de veludo vermelho e desbotado. — Mas tudo mudou. Eu entretenho muito pouco. Eu sou a última dos Tomgallons. Talvez seja para o melhor. Minha família, querida, está sob uma maldição.

A senhorita Minerva infundiu um tom tão horrível de mistério e horror em seu tom de voz que Anne quase estremeceu. A Maldição dos Tomgallons! Que título para uma história!

— Esta é a escada pela qual meu bisavô Tomgallon caiu e quebrou o pescoço na noite de inauguração de sua casa, dada para comemorar a conclusão de sua nova casa. Esta casa foi consagrada por sangue humano. Ele caiu ali... — A senhorita Minerva apontou um longo dedo branco tão dramaticamente para um tapete de pele de tigre no corredor que Anne quase pôde ver o falecido Tomgallon morrendo nele. Ela realmente não sabia o que dizer, então disse, inutilmente:

— Oh!

A senhorita Minerva conduziu-a por um corredor repleto de retratos e fotografias de beleza desgastada, com o famoso vitral no final dele, até um grande e imponente quarto de hóspedes. A cama alta de nogueira, com sua enorme cabeceira, estava coberta com uma colcha de seda tão linda que Anne sentiu que seria profano pousar seu casaco e chapéu sobre ela.

— Você tem um cabelo muito bonito, minha querida — disse a Srta. Minerva com admiração. — Eu sempre gostei de cabelo ruivo. Minha tia Lydia tinha... ela era a única Tomgallon ruiva. Uma noite, quando ela estava escovando o cabelo no quarto Norte, ele pegou fogo de sua vela e ela correu gritando pelo corredor envolta em chamas. Tudo parte da Maldição, minha querida... tudo parte da Maldição.

— Ela mo...

— Não, ela não morreu queimada, mas perdeu toda a sua beleza. Ela era muito bonita e vaidosa. Ela nunca mais saiu de casa desde aquela noite até o dia de sua morte, e deixou instruções pedindo que o caixão ficasse fechado para que ninguém pudesse ver seu rosto cheio de cicatrizes. Você não quer se sentar para tirar suas botas, minha querida? Esta é uma cadeira muito confortável. Minha irmã morreu nela devido a um derrame. Ela era viúva e voltou a morar nessa casa após a morte de seu marido. Sua filhinha foi escaldada em nossa cozinha com uma panela de água fervente. Não é uma forma trágica de uma criança morrer?

— Ah, como…

— Mas, pelo menos, sabemos como ele morreu. Minha meia-tia Eliza... pelo menos, ela teria sido minha meia-tia se tivesse vivido... simplesmente desapareceu quando tinha seis anos. Ninguém nunca soube o que aconteceu com ela.

— Mas certamente...

— Todas as buscas foram feitas, mas nada foi descoberto. Dizia-se que a mãe dela... minha meia-avó... tinha sido muito cruel com uma sobrinha órfã do meu avô que estava sendo criada aqui. Ela a trancou no armário no topo da escada, em um dia quente de verão, como punição, e quando foi soltá-la, ela a encontrou... morta. Algumas pessoas pensaram que foi castigo quando sua própria filha desapareceu. Mas eu acho que era apenas Nossa Maldição.

— Quem colocou...?

— Que peito do pé alto você tem, minha querida! Meu peito do pé costumava ser admirado também. Dizia-se que um riacho de água poderia correr sob ele... a verdadeira prova de um aristocrata.

A senhorita Minerva enfiou modestamente um chinelo por baixo da saia de veludo e revelou o que sem dúvida era um pé muito bonito.

— Certamente...

— Gostaria de dar uma olhada na casa, minha querida, antes de jantarmos? Costumava ser o orgulho de Summerside. Imagino que tudo seja muito antiquado agora, mas talvez haja algumas coisas interessantes. Aquela espada pendurada no topo da escada pertencia ao meu tataravô, que era oficial do exército britânico e recebeu uma concessão de terras na Ilha do Príncipe Eduardo por seus serviços. Ele nunca morou nesta casa, mas minha tataravó morou por algumas semanas. Ela não sobreviveu por muito tempo à trágica morte de seu filho.

A senhorita Minerva marchou impiedosamente com Anne por toda a enorme casa, cheia de grandes cômodos quadrados... salão de baile, jardim de inverno, sala de bilhar, três salas de estar, sala de café da manhã, uma infinidade de quartos e um sótão enorme. Eles eram todos esplêndidos e sombrios.

— Aqueles eram meu tio Ronald e meu tio Reuben — disse a Srta. Minerva, indicando dois nobres, que pareciam estar bravos um com o outro, de lados opostos de uma lareira. — Eles eram gêmeos e se odiavam amargamente desde o nascimento. A casa tremia com suas brigas. Isso escureceu completamente a vida da mãe deles. E durante sua briga final nesta mesma sala, enquanto uma tempestade estava acontecendo, Reuben foi morto por um raio. Ronald nunca superou isso. Ele era um homem assombrado desde aquele dia. Sua esposa — Srta. Minerva adicionou, recordando — engoliu seu anel de casamento.

— Que ex...

— Ronald achou que foi descuido e não quis que fizessem nada. Um emético instantâneo teria resolvido... mas nunca mais se ouviu falar disso. Acabou com a vida dela. Ela sempre se sentiu tão solteira sem uma aliança de casamento.

— Que bonito...

— Ah, sim, essa era minha tia Emilia... não minha tia de verdade, é claro. Apenas a esposa do tio Alexander. Ela era conhecida por sua aparência espirituosa, mas envenenou o marido com um ensopado de cogumelos... cogumelos venenosos, para ser exata. Nós sempre fingimos que foi um acidente, porque um assassinato é uma coisa tão complicada de se ter em uma família, mas todos nós sabíamos a verdade. Claro que ela se casou com ele contra sua vontade. Ela era uma jovem alegre e ele era velho demais para ela. Dezembro e maio, minha querida. Ainda assim, isso não justifica muito os cogumelos venenosos. Ela ficou doente logo depois. Eles estão enterrados juntos em Charlottetown... todos os Tomgallons são enterrados em Charlottetown. Esta era minha tia Louise. Ela bebeu láudano. O médico bombeou o veneno para fora e a salvou, mas todos nós sentimos que nunca mais poderíamos confiar nela. Foi realmente um alívio quando ela morreu respeitavelmente de pneumonia. Claro, alguns de nós não a culpamos muito. Veja, minha querida, o marido dela a agrediu.

— Agrediu...

— Exatamente. Há, realmente, algumas coisas que nenhum cavalheiro deve fazer, minha querida, e uma delas é agredir sua esposa. Derrubá-la... talvez... mas agredi-la, nunca! Eu adoraria — disse a Srta. Minerva, muito majestosamente — conhecer um homem que ousasse me agredir.

Anne sentiu que gostaria de conhecê-lo também. Ela percebeu que, afinal, há limites para a imaginação. Em nenhum momento ela poderia imaginar um marido espancando a Srta. Minerva Tomgallon.

— Este é o salão de baile. Claro que nunca é usado agora. Mas houve muitos bailes aqui. Os bailes de Tomgallon eram famosos. Pessoas vinham de toda a Ilha para eles. Aquele lustre custou ao meu pai quinhentos dólares. Minha tia-avó Patience caiu dura enquanto dançava aqui uma noite... bem ali naquele canto. Ela ficou muito magoada com um homem que a desapontou. Não consigo imaginar nenhuma garota partindo seu próprio coração por causa de um homem. Homens — disse a senhorita Minerva, olhando para uma fotografia de seu pai... uma pessoa com bigodes eriçados e nariz de falcão... — sempre me pareceram criaturas triviais.

CAPÍTULO 11

A sala de jantar era igual ao resto da casa. Havia outro lustre ornamentado, um espelho de moldura dourada igualmente decorado sobre a lareira e uma mesa lindamente decorada com prata e cristal e uma velha porcelana luxuosa. A ceia, servida por uma donzela muito sombria e idosa, foi farta e extremamente saborosa, e o apetite jovem e saudável de Anne fez justiça a ela. A senhorita Minerva guardou silêncio por um tempo e Anne não ousou dizer nada com medo de iniciar outra avalanche de tragédias. Certa vez, um grande e lustroso gato preto entrou na sala e sentou-se ao lado da Srta. Minerva com um miado rouco. A senhorita Minerva serviu um pires de creme e colocou-o diante dele. Ela parecia tão mais humana depois disso que Anne perdeu muita de sua surpresa pelo último dos Tomgallons.

— Coma mais alguns pêssegos, minha querida. Você não comeu nada... claramente nada.

— Oh, senhorita Tomgallon, eu gostei...

— Os Tomgallons sempre preparam uma boa mesa — disse a Srta. Minerva, gentilmente. — Minha tia Sophia fazia o melhor pão-de-ló que já provei. Acho que a única pessoa que meu pai realmente odiava ver em nossa casa era sua irmã Mary, porque ela tinha um apetite muito ruim. Ela apenas beliscava e provava. Ele entendia isso como um insulto pessoal. Papai era um homem muito implacável. Ele nunca perdoou meu irmão, Richard, por se casar contra sua vontade. Ele ordenou que saísse de casa e nunca mais pôde entrar. Papai sempre rezava o Pai Nosso na oração familiar todas as manhãs, mas depois que Richard o desrespeitou, ele sempre omitiu a frase: "Perdoai-nos as nossas ofensas, assim como nós perdoamos a quem nos tem ofendido". Eu posso vê-lo — disse Srta. Minerva, sonhadoramente — ajoelhando e deixando o verso de fora.

Depois do jantar, elas foram para a menor das três salas de estar... que ainda era bastante grande e sombria... e passaram a noite diante do enorme fogo... um fogo bastante agradável e amigável. Anne fez crochê em um conjunto de toalhinhas intrincadas e Srta. Minerva tricotou em um afegão e manteve o que era praticamente um monólogo composto em grande parte da história colorida e horrível de Tomgallon.

— Esta é uma casa de memórias trágicas, minha querida.

— Senhorita Tomgallon, nunca aconteceu nada agradável nesta casa? — perguntou Anne, conseguindo dizer uma frase completa por mero acaso. A senhorita Minerva teve que parar de falar o suficiente para assoar o nariz.

— Ah, acho que sim — disse a Srta. Minerva, como se odiasse admitir. — Sim, claro, costumávamos ter momentos felizes aqui quando eu era uma menina. Eles me disseram que você está escrevendo um livro sobre cada um em Summerside, minha querida.

— Eu não... não há uma palavra de verdade...

— Oh! — A senhorita Minerva estava claramente um pouco desapontada. — Bem, se quiser, você tem a liberdade de usar qualquer uma de nossas histórias, talvez com os nomes trocados. E agora, o que você acha de um jogo de parcheesi?

— Receio que seja hora de eu ir...

— Oh, minha querida, você não pode ir para casa esta noite. Está chovendo muito... e ouça o vento. Eu não tenho uma carruagem disponível agora... nunca preciso de uma... e você não pode andar nem um quilômetro nesse dilúvio. Você deve passar a noite aqui.

Anne não tinha certeza se queria passar uma noite em Tomgallon House. Mas ela também não queria caminhar até Windy Poplars em uma tempestade de março. Então elas jogaram sua partida de parcheesi... no qual a Srta. Minerva estava tão interessada que se esqueceu de falar sobre os horrores... e, então, tiveram um "lanche da hora de dormir". Comeram torradas com canela e beberam chocolate quente em velhas xícaras Tomgallon de maravilhosa delicadeza e beleza.

Por fim, Srta. Minerva levou-a para um quarto de hóspedes que, a princípio, Anne gostou de ver que não era aquele onde a irmã de Miss Minerva morrera de derrame.

— Este é o quarto da tia Annabella — disse a Srta. Minerva, acendendo velas nos castiçais de prata sobre uma bonita penteadeira verde e desligando o gás. Matthew Tomgallon tinha explodido o gás uma noite... e assim partiu Matthew Tomgallon. — Ela era a mais bonita de todos os Tomgallons. Essa é a foto dela acima do espelho. Você percebe que boca altiva ela tinha? Ela fez aquela colcha maluca na cama. Espero que você fique confortável, minha querida. Mary amaciou a cama e colocou dois tijolos quentes nela. E ela arejou esta camisola para você... — apontando para uma larga roupa de flanela pendurada sobre uma cadeira e cheirando fortemente a naftalina. — Espero que caiba em você. Não é usado desde que a pobre mãe morreu nele. Oh, quase esqueci de lhe dizer... — A senhorita Minerva voltou-se para a porta... — este é o quarto onde Oscar Tomgallon voltou à vida... depois de ter sido dado como morto por dois dias. Eles não queriam que ele voltasse, sabe... essa foi a tragédia. Espero que durma bem, minha querida.

Anne não sabia se conseguiria dormir ou não. De repente, parecia haver algo estranho na sala... algo um pouco hostil. Mas não existem coisas estranhas em qualquer cômodo ocupado por gerações? A morte espreitou nele... o amor foi vivido nele... nascimentos aconteceram aqui... todas as paixões... todas as esperanças. Está cheio de sentimentos.

Mas esta era, realmente, uma casa velha e terrível, cheia de fantasmas com ódios mortos e desgostos, cheia de atos sombrios que nunca haviam sido trazidos à luz e ainda estavam apodrecendo em seus cantos e buracos escondidos. Muitas mulheres devem ter chorado aqui. O vento uivava muito assustadoramente nos abetos perto da janela. Por um momento, Anne sentiu vontade de sair correndo, com ou sem tempestade.

Então ela se controlou resolutamente e tomou controle do bom senso. Se coisas trágicas e terríveis aconteceram aqui, muitos anos sombrios atrás, coisas divertidas e adoráveis também devem ter acontecido. Garotas alegres e bonitas dançaram aqui e conversaram sobre seus segredos encantadores, bebês com covinhas nasceram aqui, houve casamentos, bailes, música e risadas. A senhora do pão-de-ló deve ter sido uma criatura amável e o implacável Richard, um amante galante.

"Vou pensar nessas coisas e ir para a cama. Que colcha para dormir! Eu me pergunto se estarei tão louca quanto esta colcha pela manhã. E este é um quarto de hóspedes! Nunca me esqueci de como é emocionante dormir no quarto de hóspedes de alguém."

Anne desenrolou e escovou o cabelo bem debaixo do nariz de Annabella Tomgallon, que a encarou com um rosto no qual havia orgulho e vaidade, e alguma coisa de insolente em sua grande beleza. Anne se sentiu um pouco arrepiada ao se olhar no espelho. Quem sabia que rostos poderiam olhar para ela? Todas as senhoras trágicas e assombradas que já o investigaram, talvez. Ela corajosamente abriu a porta do armário, meio que esperando que vários esqueletos caíssem para fora, e pendurou o vestido. Sentou-se calmamente em uma cadeira rígida, que parecia ser um insulto alguém se sentar nela, e tirou os sapatos. Depois vestiu a camisola de flanela, soprou as velas e deitou-se na cama, agradavelmente aquecida pelos tijolos de Mary. Por um instante, a chuva caindo nas vidraças e o uivo do vento nos velhos beirais a impediram de dormir. Então ela esqueceu todas as tragédias de Tomgallon em um sono sem sonhos até que se viu olhando para galhos de pinheiros escuros contra um nascer do sol vermelho.

— Gostei tanto de recebê-la, minha querida — disse a Srta. Minerva quando Anne foi embora depois do café da manhã. — Tivemos uma visita realmente alegre, não tivemos? Embora eu tenha vivido tanto tempo sozinha que quase esqueci como falar. E não preciso dizer que prazer é conhecer uma jovem tão encantadora e pura nesta idade frívola. Eu não lhe disse ontem, mas era meu aniversário, e foi muito bom ter um pouco de juventude em casa. Não há ninguém para lembrar do meu aniversário agora... — Dona Minerva deu um suspiro fraco... — e antes haviam tantas pessoas.

— Bem, suponho que você tenha ouvido uma crônica bem sombria — disse tia Chatty naquela noite.

— Todas essas coisas que a Srta. Minerva me disse realmente aconteceram, Tia Chatty?

— Bem, o estranho é que sim — disse tia Chatty. — É uma coisa curiosa, senhorita Shirley, mas muitas coisas terríveis aconteceram aos Tomgallons.

— Não sei se ocorreu muito mais do que em qualquer grande família ao longo de seis gerações — disse tia Kate.

— Oh, eu acho que ocorreu. Eles realmente pareciam estar sob uma maldição. Muitos deles tiveram mortes repentinas ou violentas. Claro que há um traço de insanidade neles... todo mundo sabe disso. Isso foi maldição o suficiente... mas ouvi uma velha história... não consigo me lembrar dos detalhes... do carpinteiro que construiu a casa amaldiçoando-a. Algo sobre o contrato... o velho Paul Tomgallon o processou e isso arruinou sua vida, custou muito mais do que ele imaginava.

— A senhorita Minerva parece bastante orgulhosa dessa maldição — disse Anne.

— Coitada, é tudo o que ela tem — disse Rebecca Dew.

Anne sorriu ao pensar na majestosa Srta. Minerva sendo referida como uma pobre velha. Mas ela foi ao quarto da torre e escreveu para Gilbert:

"Pensei que a Casa Tomgallon fosse um lugar velho e sonolento onde nada nunca acontecia. Bem, talvez as coisas não aconteçam agora, mas evidentemente aconteceram. A pequena Elizabeth está sempre falando do Amanhã. Mas a velha casa Tomgallon é Ontem. Estou feliz por não viver no Ontem... e que o Amanhã ainda seja um amigo.

"Claro que eu acho que a Srta. Minerva tem todo o gosto de Tomgallon pelos holofotes e obtém uma satisfação infinita com suas tragédias. São para ela o que marido e filhos são para outras mulheres. Mas, oh, Gilbert, não importa o quanto envelhecemos nos próximos anos, nunca veremos a vida como uma tragédia e nos deleitaremos com ela. Acho que odiaria uma casa de cento e vinte anos. Espero que, quando tivermos nossa casa dos sonhos, ela seja nova, ou sem fantasmas e sem tradições, ou, se não tiver como, que pelo menos tenha sido ocupada por pessoas razoavelmente felizes. Nunca esquecerei minha noite na Casa Tomgallon. E, pela primeira vez na minha vida, alguém conseguiu falar mais do que eu.

CAPÍTULO 12

A pequena Elizabeth Grayson nasceu esperando que as coisas acontecessem. O fato de elas raramente acontecerem sob os olhos atentos da avó e da Mulher nunca quebrou suas expectativas. As coisas estavam destinadas a acontecer em algum momento... se não hoje, então amanhã.

Quando a senhorita Shirley veio morar em Windy Poplars, Elizabeth sentiu que o Amanhã deveria estar muito próximo, e sua visita a Green Gables foi como uma amostra disso. Mas agora, em junho do terceiro e último ano da Srta. Shirley no Colégio Summerside, o coração da pequena Elizabeth estava apertado como se estivesse preso em uma lata de sardinha. Muitas crianças da escola onde ela estudava invejavam a pequena Elizabeth por aquelas lindas botas de pelica abotoadas. Mas a pequena Elizabeth não se importava com botas abotoadas quando não podia trilhar o caminho com elas para a liberdade. E agora, sua adorada Srta. Shirley estava indo embora para sempre. No final de junho ela deixaria Summerside e voltaria para aquela bela Green Gables. A pequena Elizabeth simplesmente não suportava pensar nisso. De nada adiantou a Srta. Shirley prometer que a levaria para Green Gables no verão anterior ao seu casamento. A pequena Elizabeth sabia de alguma forma que a avó não a deixaria ir novamente. A pequena Elizabeth sabia que a avó nunca realmente aprovara sua intimidade com a Srta. Shirley.

— Será o fim de tudo, senhorita Shirley — ela soluçou.

— Vamos esperar, querida, que seja apenas um novo começo — disse Anne alegremente. Mas ela se sentiu abatida. Nunca se ouviu nada do pai da pequena Elizabeth. Ou a carta dela nunca chegou a ele ou ele não se importou. E, se ele não se importasse, o que seria de Elizabeth? Já era ruim o suficiente agora em sua infância, mas como seria mais tarde?

— Aquelas duas velhas damas vão mandar nela até a morte — dissera Rebecca Dew. Anne sentiu que havia mais verdade do que elegância em sua observação.

Elizabeth sabia que ela era "mandada". E ela se ressentia, especialmente, de ser mandada pela Mulher. Ela não gostava de vovó, é claro, mas admitia com relutância que talvez uma avó tivesse certo direito de mandar em você. Mas que direito tinha a Mulher? Elizabeth sempre quis perguntar isso a ela. Ela faria isso em algum momento... quando o Amanhã chegasse. E oh, como ela iria gostar de ver a expressão da Mulher!

A avó nunca deixava a pequena Elizabeth sair para passear sozinha... por medo, dizia ela, de ser raptada por ciganos. Uma criança tinha sido uma vez, quarenta anos antes. Raramente os ciganos vinham à Ilha agora, e a pequena Elizabeth sentiu que era apenas uma desculpa. Mas por que a avó deveria se importar que ela fosse sequestrada ou não? Elizabeth sabia que a Avó e a Mulher não a amavam. Ora, elas nunca a chamavam pelo nome, se pudessem evitar. Sempre foi "a criança". Como Elizabeth odiava ser chamada de "a criança", assim como eles chamam "o cachorro" ou "o gato" se houvesse um. Mas quando Elizabeth se aventurou a protestar, o rosto da avó ficou sombrio e zangado e a pequena Elizabeth foi punida por impertinência, enquanto a Mulher observava, bem contente. A pequena Elizabeth sempre se perguntava por que a Mulher a odiava. Por que alguém deveria odiá-la quando é tão pequena? Será que era bom odiá-la? A pequena Elizabeth não sabia que a mãe, cuja vida ela havia custado, era a queridinha daquela velha amarga e, se ela soubesse, não poderia ter entendido as formas perversas que o amor frustrado pode assumir.

A pequena Elizabeth odiava a sombria e esplêndida Evergreens, onde tudo parecia desconhecido para ela, embora ela tivesse vivido ali por toda a sua vida. Mas depois que a Srta. Shirley veio para Windy Poplars, tudo havia mudado magicamente. A pequena Elizabeth viveu em um mundo de romance após a chegada da Srta. Shirley. Havia beleza onde quer que você olhasse. Felizmente, a avó e a Mulher não podiam impedi-la de olhar, embora Elizabeth não tivesse dúvidas de que assim fariam se pudessem. As curtas caminhadas ao longo da mágica e vermelha estrada do porto, que ela raramente tinha permissão para compartilhar com a Srta. Shirley, eram os pontos altos de sua vida sombria. Ela adorava tudo o que via... o farol distante pintado em estranhos anéis vermelhos e brancos... as distantes e turvas praias azuis... as pequenas ondas azuis prateadas... as luzes que brilhavam através do crepúsculo violeta… tudo dava-lhe tanto prazer que doía. E o porto com suas ilhas esfumaçadas e pôr do sol brilhante! Elizabeth sempre subia a uma janela no telhado da mansarda para observá-lo através das copas das árvores... e os navios que navegavam no nascer da lua. Navios que voltaram... navios que nunca mais voltaram. Elizabeth ansiava por ir em um deles... em uma viagem para a Ilha da Felicidade. Os navios que nunca voltaram ficaram lá, onde seria sempre Amanhã.

Aquela misteriosa estrada vermelha seguia sem parar e seus pés coçavam para segui-la. Para onde a levaria? Às vezes, Elizabeth pensava que explodiria se não descobrisse. Quando o Amanhã realmente chegasse, ela partiria para lá e talvez encontrasse uma ilha só para ela, onde ela e a Srta. Shirley pudessem viver sozinhas e a avó e a Mulher nunca pudessem vir. As duas odiavam a água e não botavam os pés em um barco por nada. A pequena Elizabeth gostava de se imaginar parada em sua ilha e zombando delas, enquanto permaneciam inutilmente carrancudas na costa continental.

"Esse é o Amanhã", ela os provocava. "Vocês não podem mais me pegar. Vocês só estão no Hoje."

Que divertido seria! Como ela iria gostar da cara da Mulher!

Então, uma noite no final de junho, aconteceu uma coisa incrível. A Srta. Shirley disse à Sra. Campbell que ela tinha uma tarefa no dia seguinte em Flying Cloud, para ver uma certa Sra. Thompson, que era a convocadora do comitê de refrescos da Sociedade de Assistência às Damas, e poderia levar Elizabeth com ela. A avó tinha concordado, com sua dureza habitual… Elizabeth nunca conseguiu entender por que ela concordou, sendo completamente ignorante do horror Pringle de uma certa informação que a Srta. Shirley possuía... mas ela concordou.

— Vamos direto para a foz do porto — sussurrou Anne — depois que eu terminar minha tarefa em Flying Cloud.

A pequena Elizabeth foi para a cama tão animada que não esperava pregar o olho. Por fim, ela iria responder ao chamado da estrada que a havia atraído por tanto tempo. Apesar de sua animação, ela conscientemente cumpriu seu pequeno ritual de se deitar. Dobrou as roupas, escovou os dentes e escovou os cabelos dourados. Achava que tinha um cabelo bastante bonito, embora obviamente não fosse como o adorável ruivo dourado da Srta. Shirley, com aquelas ondinhas e as mechas cacheadas que circulavam suas orelhas. A pequena Elizabeth daria qualquer coisa para ter um cabelo como o da Srta. Shirley.

Antes de ir para a cama, a pequena Elizabeth abriu uma das gavetas da escrivaninha alta, preta e polida e tirou uma foto cuidadosamente escondida debaixo de uma pilha de lenços... uma foto da Srta. Shirley que ela havia recortado de uma edição especial do Weekly Courier que reproduziu uma fotografia do pessoal da Escola Secundária.

— Boa noite, querida senhorita Shirley — ela beijou a foto e a devolveu ao seu esconderijo. Então subiu na cama e se aconchegou sob os cobertores... pois a noite de junho estava fresca e a brisa do porto, tentadora. Na verdade, foi mais do que uma brisa esta noite. O vento assoviava, batia e balançava, e Elizabeth sabia que o porto seria uma extensão de ondas agitadas sob o luar. Que divertido seria aproximar-se dele sob a lua! Mas só poderia fazer isso no Amanhã.

Onde ficava a Flying Cloud? Que nome! Novamente, vindo do Amanhã. Era enlouquecedor estar tão perto do Amanhã e não poder chegar nele. Mas suponha que o vento trouxesse chuva para o Amanhã! Elizabeth sabia que nunca teria permissão para ir a qualquer lugar na chuva.

Ela se sentou na cama e juntou as mãos.

— Querido Deus — ela disse —, eu não gosto de me intrometer, mas você poderia fazer que tudo dê certo amanhã? Por favor, querido Deus.

A tarde seguinte foi gloriosa. A pequena Elizabeth sentiu como se tivesse escapado de algemas invisíveis quando ela e a Srta. Shirley saíram daquela casa sombria. Ela tomou um grande gole de liberdade, mesmo que a Mulher estivesse carrancuda atrás delas através do vidro vermelho da grande porta da frente. Como é bom estar caminhando pelo mundo adorável com a Srta. Shirley! Era sempre maravilhoso ficar a sós com a Srta. Shirley. O que ela faria quando a Srta. Shirley fosse embora? Mas a pequena Elizabeth afastou o pensamento com firmeza. Ela não iria estragar o dia pensando nisso. Talvez... um grande talvez... ela e a Srta. Shirley chegariam ao Amanhã esta tarde e nunca mais se separariam. A pequena Elizabeth só queria caminhar tranquilamente em direção àquele azul no fim do mundo, absorvendo a beleza ao seu redor. Cada curva da estrada revelava novas belezas... e ela girava e dobrava interminavelmente, seguindo as curvas de um pequeno rio que parecia ter surgido do nada.

Por todos os lados havia campos de botões-de-ouro e trevos onde as abelhas zumbiam. De vez em quando caminhavam por uma via láctea de margaridas. Lá longe, o riacho ria delas em ondas com pontas prateadas. O porto era como seda regada. A pequena Elizabeth gostava mais desse jeito do que quando era como cetim azul-claro. Elas se deleitaram com o vento. Era um vento muito suave. Ele ronronava sobre elas e parecia se ajustar especialmente para elas.

— Não é gostoso andar com o vento assim? — disse a pequena Elizabeth.

— Um vento agradável, amigável e perfumado — disse Anne, mais para si mesma do que para Elizabeth. — Tanto vento quanto eu imaginei que soprava um mistral. Mistral soa como se fosse assim. Que decepção quando descobri que era um vento forte e desagradável!

Elizabeth não entendeu muito bem... ela nunca tinha ouvido falar de mistral... mas ouvir a voz melodiosa de quem tanto amava era o suficiente para ela. O próprio céu estava feliz. Um marinheiro com argolas de ouro nas orelhas... o tipo de pessoa que se encontraria no Amanhã... sorriu ao passar por elas. Elizabeth pensou em um versículo que aprendera na escola dominical. "As colinas se vestem de alegria." O homem que escreveu isso já tinha visto colinas como aquelas azuis sobre o porto?

— Acho que esta estrada leva direto a Deus — disse ela sonhadoramente.

— Talvez — disse Anne. — Talvez todas as estradas levem, pequena Elizabeth. Nós viramos aqui agora. Devemos ir até aquela ilha... que é Flying Cloud.

Flying Cloud era uma ilhota longa e estreita, situada a cerca de quatrocentos metros da costa. Havia árvores nela e uma casa. A pequena Elizabeth sempre desejou ter uma ilha só para ela, com uma pequena baía de areia prateada.

— Como chegamos lá?

— Vamos remar nesta canoa — disse a Srta. Shirley, pegando os remos em um pequeno barco amarrado a uma árvore inclinada.

A senhorita Shirley sabia remar. Havia alguma coisa que a Srta. Shirley não soubesse fazer? Quando chegaram à ilha, esta provou ser um lugar fascinante onde tudo pode acontecer. Claro que estava no Amanhã. Ilhas como esta não existiam, exceto no Amanhã. Elas não estavam no monótono Hoje.

Uma pequena criada que os recebeu na porta da casa disse a Anne que encontraria a Sra. Thompson no outro lado da ilha, colhendo morangos silvestres. Imagine uma ilha onde cresciam morangos silvestres!

Anne foi procurar a Sra. Thompson, mas primeiro perguntou se a pequena Elizabeth poderia esperar na sala de estar. Anne estava pensando que a pequena Elizabeth parecia bastante cansada depois de sua caminhada inusitadamente longa e precisava descansar. A pequena Elizabeth achava que não, mas o desejo mais leve da Srta. Shirley era lei.

Era uma sala linda, com flores por toda parte e a brisa do mar soprava forte. Elizabeth gostou do espelho sobre a lareira que refletia a sala tão lindamente e, através da janela aberta, tinha um vislumbre do porto, da colina e do riacho.

De repente, um homem entrou pela porta. Elizabeth sentiu um momento de consternação e terror. Ele era um cigano? Ele não se parecia com a ideia dela de um cigano, mas é claro que ela nunca tinha visto um. Ele pode ser um... e então, em um rápido lampejo de intuição, Elizabeth decidiu que não se importava se ele a sequestrasse. Ela gostava de seus olhos castanhos enrugados, de seu cabelo ondulado castanho, de seu queixo quadrado e de seu sorriso. Pois ele estava sorrindo.

— Ora, quem é você? — ele perguntou.

— Eu sou... eu sou eu — Elizabeth gaguejou, ainda um pouco confusa.

— Ah, certo... você. Saiu do mar, suponho... veio das dunas... nenhum nome conhecido entre os mortais.

Elizabeth sentiu que estava sendo um pouco ridicularizada. Mas ela não se importava. Na verdade, gostou bastante. Mas ela respondeu, com muita educação.

— Meu nome é Elizabeth Grayson.

Houve um silêncio... um silêncio muito esquisito. O homem olhou para ela por um momento sem dizer nada. Então ele educadamente pediu que ela se sentasse.

— Estou esperando a senhorita Shirley — explicou ela. — Ela foi falar com a Sra. Thompson sobre o jantar da Sociedade de Assistência às Damas. Quando ela voltar, iremos para o fim do mundo.

Agora, se você está pensando em me sequestrar, Sr. Homem!

— Claro. Mas enquanto espera, você pode ficar à vontade. E eu devo servi-la. O que você gostaria em termos de refresco leve? O gato da Sra. Thompson provavelmente trouxe alguma coisa.

Elizabeth sentou-se. Sentia-se estranhamente feliz e em casa.

— Posso ter algo que eu goste?

— Certamente.

— Então — disse Elizabeth triunfante — eu gostaria de um pouco de sorvete com geleia de morango.

O homem tocou uma campainha e deu uma ordem. Sim, deve ser o Amanhã... sem dúvida. Sorvete e geleia de morango não aparecem dessa maneira mágica no Hoje, com gatos ou sem gatos.

— Vamos guardar um pouco para a sua senhorita Shirley — disse o homem.

Eles se tornaram bons amigos imediatamente. O homem não falava muito, mas olhava para Elizabeth com frequência. Havia uma ternura em seu rosto... uma ternura que ela nunca tinha visto antes no rosto de ninguém, nem mesmo no da Srta. Shirley. Ela sentiu que ele gostava dela. E ela sabia que gostava dele.

Por fim, ele olhou pela janela e se levantou.

— Acho que devo ir agora — disse ele. — Eu vejo sua senhorita Shirley subindo a calçada, então você não estará sozinha.

— Você não vai esperar e conhecer a Srta. Shirley? — perguntou Elizabeth, lambendo a colher para pegar o último vestígio da geleia. A avó e a Mulher teriam morrido de horror se a vissem.

— Não desta vez — disse o homem.

Elizabeth sabia que ele não tinha a menor vontade de sequestrá-la e sentiu a mais estranha e inexplicável sensação de decepção.

— Adeus e obrigada — ela disse educadamente. — É muito bom aqui no Amanhã.

— Amanhã?

— Isto é Amanhã — explicou Elizabeth. — Sempre quis entrar no Amanhã e agora consegui.

— Ah, entendo. Bem, lamento dizer que não me importo muito com o Amanhã. Eu gostaria de voltar para o Ontem.

A pequena Elizabeth sentia pena dele. Mas como ele poderia ser infeliz? Como alguém que vive no Amanhã pode ser infeliz?

Elizabeth olhou ansiosamente para Flying Cloud enquanto remavam para longe. Assim que elas abriram caminho através dos abetos vermelhos que circulavam à margem do rio até a estrada, ela se virou para outro olhar de despedida. Uma parelha de cavalos muito rápidos presos a uma carroça girou na curva, evidentemente fora do controle de seu motorista.

Elizabeth ouviu a senhorita Shirley gritar…

CAPÍTULO 13

O quarto girava de um jeito estranho. A mobília também balançava. A cama... como ela foi parar na cama? Alguém com uma touca branca estava saindo pela porta. Que porta? Que sensação mais estranha! Havia vozes em algum lugar... vozes baixas. Ela não podia ver quem estava falando, mas de alguma forma sabia que era a Srta. Shirley e o homem.

O que eles estavam dizendo? Elizabeth ouvia frases aqui e ali, em meio a uma confusão de murmúrios.

— Você é mesmo o...? — a voz da Srta. Shirley soava tão animada...

— Sim... sua carta... ver por mim mesmo... antes de abordar a Sra. Campbell... Flying Cloud é a casa de verão do nosso gerente-geral…

Se aquele quarto apenas parasse de girar! Realmente, as coisas funcionavam de maneira estranha no Amanhã. Se ela pudesse virar a cabeça e ver quem estava falando... Elizabeth deu um longo suspiro.

Então eles se aproximaram da cama dela... A Srta. Shirley e o homem. A Srta. Shirley toda alta e branca, como um lírio, parecendo ter passado por alguma experiência terrível, mas com algum brilho interior reluzindo por trás de tudo... um brilho que parecia parte da luz dourada do pôr do sol que de repente inundou a sala. O homem estava sorrindo para ela. Elizabeth sentiu que ele a amava muito e que havia algum segredo, terno e precioso, entre eles, que ela aprenderia assim que aprendesse a língua falada no Amanhã.

— Você está se sentindo melhor, querida? — disse a Srta. Shirley.

— Eu estou doente?

— Você foi derrubada por uma parelha de cavalos em fuga na estrada principal — disse a Srta. Shirley. — Eu... eu não fui rápida o suficiente. Achei que você tinha morrido. Eu a trouxe de volta aqui no apartamento e seu... este senhor telefonou para um médico e uma enfermeira.

— Será que vou morrer? — perguntou a pequena Elizabeth.

— Não vai, querida. Você estava apenas atordoada e logo ficará bem. E, Elizabeth querida, este é seu pai.

— Papai está na França. Eu também estou na França? — Elizabeth não teria ficado surpresa com isso. Não estava no Amanhã? Além disso, as coisas ainda estavam girando um pouco.

— Papai está aqui, meu bem — ele tinha uma voz tão maravilhosa... você poderia amá-lo apenas pelo som de sua voz. Ele se curvou e a beijou. — Eu voltei por você. Nós nunca mais vamos nos separar.

A mulher de gorro branco estava entrando de novo. De alguma forma, Elizabeth sabia que tudo o que ela tinha a dizer deveria ser dito antes que a mulher entrasse.

— Iremos morar juntos?

— Para sempre — disse o pai.

— E a avó e a Mulher vão morar conosco?

— Não, não vão.

O dourado do pôr do sol estava desaparecendo e a enfermeira olhava com desaprovação. Mas Elizabeth não se importava.

— Encontrei o Amanhã — disse ela, enquanto a enfermeira guiava o pai e a Srta. Shirley para fora do quarto.

— Encontrei um tesouro que não sabia que possuía — disse o pai, enquanto a enfermeira fechava a porta na cara dele. — E nunca poderei agradecer o suficiente pela carta, Srta. Shirley.

"E assim", escreveu Anne a Gilbert naquela noite, "o misterioso caminho da pequena Elizabeth levou à felicidade e ao fim de seu velho mundo."

CAPÍTULO 14

Windy Poplars
Spook's Lane,
(Pela última vez),
27 de junho.

MEU QUERIDO:

Cheguei a outra curva na estrada. Escrevi muitas cartas para você neste velho quarto da torre nos últimos três anos. Suponho que esta seja a última que escreverei para você por muito, muito tempo, pois não haverá necessidade de cartas. Em apenas algumas semanas, pertenceremos um ao outro para sempre... Estaremos juntos. Pense nisso, estar juntos... conversando, caminhando, comendo, sonhando, planejando juntos... compartilhando os momentos maravilhosos um do outro... fazendo de nossa casa dos sonhos um lar. Nossa casa! Isso não soa "místico e maravilhoso", Gilbert? Eu tenho construído casas dos sonhos durante toda a minha vida, e agora uma delas vai se tornar realidade. Quanto a com quem eu realmente quero dividir minha casa dos sonhos... bem, eu vou lhe dizer isso às quatro horas do ano que vem.

Três anos pareciam intermináveis no início, Gilbert. E agora eles se foram como uma vigília noturna. Foram anos muito felizes, exceto pelos primeiros meses com os Pringles. Depois disso, a vida pareceu fluir como um agradável rio dourado. E minha velha rixa com os Pringles parece um sonho. Eles agora gostam de mim por quem sou e já se esqueceram que um dia me odiaram. Cora Pringle, uma das viúvas Pringle, trouxe-me um buquê de rosas ontem, e enrolado nas hastes havia um pedaço de papel escrito: "Para a professora mais doce do mundo". Isso veio de uma Pringle!

Jen está com o coração partido porque estou indo embora. Vou observar a carreira dela com interesse. Ela é brilhante e um tanto imprevisível. Uma coisa é certa: ela não terá uma vida comum. Não é à toa que ela se parece tanto com Becky Sharp.

Lewis Allen está indo para McGill. Sophy Sinclair está indo para o Queen's. Em seguida ela pretende lecionar até economizar dinheiro suficiente para ir para a Escola de Expressão Dramática em Kingsport. Myra Pringle vai "entrar para a sociedade" no outono. Ela é tão bonita que ninguém vai se importar que ela não faz ideia do que seja um pretérito mais que perfeito.

Não há mais uma pequena vizinha do outro lado do portão coberto de videiras. A pequena Elizabeth se foi para sempre daquela casa sem sol... foi para o seu Amanhã. Se eu fosse permanecer em Summerside, partiria meu coração de tantas saudades dela. Mas, do jeito que as coisas ficaram, estou feliz. Pierce Grayson a levou embora com ele. Ele não vai voltar para Paris, mas vai morar em Boston. Elizabeth chorou amargamente com nossa separação, mas ela está tão feliz com seu pai que tenho certeza de que suas lágrimas secarão em breve. A Sra. Campbell e a Mulher ficaram muito bravas com todo o ocorrido e colocaram toda a culpa em mim... o que eu aceito alegremente e sem arrependimento.

— Ela teve um bom lar aqui — disse a Sra. Campbell majestosamente.

"Onde ela nunca ouviu uma única palavra de afeto", pensei, mas não disse.

— Acho que agora serei Betty o tempo todo, querida Srta. Shirley — foram as últimas palavras de Elizabeth. — Exceto — ela gritou de volta — quando eu sentir saudades de você, e então serei Lizzie.

— Nunca se atreva a ser Lizzie, não importa o que aconteça — eu disse.

Nós nos beijamos tanto quanto pudemos, e eu subi para o meu quarto na torre com lágrimas nos olhos. Ela era tão doce, a querida garotinha dourada. Ela sempre me pareceu uma pequena harpa eólica, tão receptiva à menor brisa de afeto que soprava em seu caminho. Foi uma aventura ser amiga dela. Espero que Pierce Grayson perceba a filha que ele tem... e acho que ele percebe. Ele parecia muito grato e arrependido.

— Eu não sabia que ela não era mais um bebê — disse ele — nem como o ambiente dela era antipático. Obrigado mil vezes por tudo o que você fez por ela.

Eu mandei emoldurar nosso mapa do país das fadas e dei para a pequena Elizabeth como lembrança de despedida.

Sinto muito por deixar Windy Poplars. Claro, estou realmente um pouco cansada de viver em um sótão, mas adorei esse lugar... adorei minhas horas frescas da manhã na minha janela... adorei minha cama, a qual eu verdadeiramente escalei todas as noites... amei minha almofada de rosquinha azul... amei todos os ventos que sopraram. Receio que nunca mais serei tão amiga dos ventos como fui aqui. E terei algum dia, novamente, um quarto de onde possa ver tanto o sol nascente quanto o poente?

Eu terminei minha jornada em Windy Poplars e os anos ligados a ela. E eu mantive minhas promessas. Eu nunca revelei o esconderijo da tia Chatty para a tia Kate ou o segredo do soro de leite coalhado para qualquer uma das outras.

Acho que estão todas tristes por me ver partir... e estou feliz com isso. Seria terrível pensar que elas estariam felizes por eu ir... ou que não sentiriam nem um pouco a minha falta quando eu fosse embora. Rebecca Dew tem feito todos os meus pratos favoritos por uma semana... ela até gastou dez ovos no bolo de anjo duas vezes... e usando a porcelana de "visitas". E os olhos castanhos suaves da tia Chatty transbordam sempre que eu menciono minha partida. Até Dusty Miller parece me olhar com reprovação enquanto ele se senta sobre seu traseiro.

Recebi uma longa carta de Katherine na semana passada. Ela tem o dom de escrever cartas. "Vamos para o Egito", como se estivesse dizendo, "Vamos para Charlottetown"... e ir! Essa vida combina com Katherine.

Ela persiste em atribuir a mim todas as suas novas perspectivas e visões. "Gostaria de poder lhe dizer o que trouxe para minha vida", escreveu ela. Acho que ajudei. E não foi fácil no começo. Ela raramente dizia qualquer coisa sem ardor e ouvia qualquer sugestão que eu fizesse em relação ao trabalho escolar com ar do desdenhoso humor de um lunático. Mas, de alguma forma, eu esqueci tudo. Tudo vinha apenas de sua amargura secreta contra a vida.

Todo mundo tem me convidado para jantar... até mesmo Pauline Gibson. A velha Sra. Gibson morreu há alguns meses, então Pauline ousou fazer isso. E eu retornei à Casa Tomgallon para outro jantar com a Srta. Minerva daquela família, e para outra conversa unilateral. Mas eu me diverti muito, comendo a deliciosa refeição que a Srta. Minerva forneceu, e ela se divertiu arejando mais algumas tragédias. Ela não conseguia esconder o fato de que sentia muito por qualquer um que não fosse um Tomgallon, mas ela me fez vários elogios e me deu um lindo anel com uma pedra água-marinha... uma mistura de azul e verde ao luar... que seu pai lhe deu em seu aniversário de dezoito anos... "quando eu era jovem e bonita, querida... muito bonita. Posso dizer isso agora, suponho." Fiquei feliz por ter pertencido à senhorita Minerva e não à esposa do tio Alexander. Tenho certeza de que nunca poderia usá-lo se fosse dela. É muito bonito. Há um encanto misterioso nas joias do mar.

A Casa Tomgallon é certamente muito esplêndida, especialmente agora, com seus terrenos cheios de folhas e flores. Mas eu não trocaria minha, ainda sem fundamento, casa dos sonhos pela Casa Tomgallon com seus jardins e fantasmas presos lá dentro.

Não, mas um fantasma pode ser um tipo de coisa boa e aristocrática para se ter por perto. Meu único problema com Spook's Lane é que não há fantasmas nela.

Fui ao meu antigo cemitério ontem à noite para um último passeio... dei uma volta por ele e me perguntei se Herbert Pringle ocasionalmente ria para si mesmo em seu túmulo. E estou me despedindo esta noite da minha colina Rei da Tempestade, com o pôr do sol em sua testa, e meu pequeno vale sinuoso cheio de crepúsculo.

Estou um pouco cansada, depois de um mês de provas e despedidas e "últimas coisas". Por uma semana, depois de voltar para Green Gables, serei preguiçosa... não farei absolutamente nada além de correr livremente em um mundo verde de beleza de verão. Vou sonhar ao lado da Dryad's Bubble sob o crepúsculo. Vou navegar no Lago das Águas Brilhantes em uma chalupa em forma de raio de luar... ou no apartamento do Sr. Barry, se não for época de chalupas com formato de raio de luar. Vou colher flores de estrela e campânulas de junho na Floresta Assombrada. Vou encontrar vários morangos silvestres no pasto da colina do Sr. Harrison. Vou me juntar à dança dos vaga-lumes no Caminho dos Amantes e visitar o velho e esquecido jardim de Hester Gray... e sentar na porta dos fundos sob as estrelas e ouvir o mar chamando seu sono.

E quando a semana terminar, você estará em casa... e eu não vou querer mais nada.

No dia seguinte, quando chegou a hora de Anne se despedir do pessoal de Windy Poplars, Rebecca Dew não estava presente. Em vez disso, tia Kate entregou seriamente uma carta a Anne.

"Querida senhorita Shirley", escreveu Rebecca Dew, "estou escrevendo para me despedir porque não posso confiar em mim mesma para dizê-lo. Por três anos você morou sob nosso teto. A felizarda possuidora de um espírito alegre e gosto natural pelas alegrias da juventude, você nunca se entregou aos vãos prazeres da multidão vertiginosa e inconstante. Você se comportou em todas as ocasiões e com todos, especialmente aquela que escreve estas linhas, com a mais refinada delicadeza. Você sempre foi muito atenciosa com meus sentimentos e sinto uma tristeza pesada em meu espírito ao pensar em sua partida. Mas não devemos nos lamentar com o que a Providência ordenou.

"Você fará falta a todos em Summerside que tiveram o privilégio de conhecê-la, e a homenagem de um coração fiel, embora humilde, sempre será sua, e minha oração será sempre por sua felicidade e bem-estar neste mundo e sua felicidade eterna naquilo que está por vir.

"Algo sussurra para mim que você não será 'Srta. Shirley' por muito tempo, mas que em breve estará ligada em uma união de almas com o escolhido do seu coração, que, pelo que ouvi, é um jovem excepcional. A escritora, possuidora de poucos encantos pessoais e começando a sentir sua idade (não mais do que vai aguentar por alguns bons anos ainda), nunca se permitiu nutrir quaisquer aspirações matrimoniais. Mas ela não nega o prazer de um interesse nas núpcias de seus amigos, e eu posso expressar um desejo fervoroso de que sua vida de casada seja uma felicidade contínua e ininterrupta? (Apenas não espere muito de um homem.)

"Minha estima e, devo dizer, minha afeição por você nunca diminuirá e, às vezes, quando não tiver nada melhor para fazer, lembre-se gentilmente de que existe uma pessoa como

"Sua serva obediente,

"REBECCA DEW.

"P.S.:Deus te abençoe."

Os olhos de Anne estavam embaçados quando ela dobrou a carta. Embora suspeitasse fortemente que Rebecca Dew havia tirado a maioria de suas frases de seu "Livro de comportamento e etiqueta" favorito, isso não as tornava menos sinceras, e o P. S. certamente veio direto do coração afetuoso de Rebecca Dew.

— Diga à querida Rebecca Dew que nunca vou esquecê-la e que voltarei para vê-las todos os verões.

— Temos lembranças de você as quais nada pode apagar — soluçou tia Chatty.

— Nada — disse tia Kate, enfaticamente.

Mas quando Anne se afastou de Windy Poplars, a última mensagem dela foi uma grande toalha de banho branca esvoaçando freneticamente da janela da torre. Rebecca Dew estava se despedindo.